Beck-Wirtschaftsberater

Basiswissen Betriebswirtschaft

dtv

Beck-Wirtschaftsberater

Basiswissen Betriebswirtschaft

Management, Finanzen, Produktion, Marketing

Von Dr. Volker Schultz

Deutscher Taschenbuch Verlag

Im Internet:

dtv.de

beck.de

Originalausgabe
Deutscher Taschenbuch Verlag GmbH & Co. KG,
Friedrichstraße 1a, 80801 München
© 2003. Redaktionelle Verantwortung: Verlag C.H. Beck oHG
Druck und Bindung: Druckerei C.H. Beck, Nördlingen
(Adresse der Druckerei: Wilhelmstraße 9, 80801 München)
Satz: Hoffmann's Text Office, München
Umschlaggestaltung: Agentur 42 (Fuhr & Partner), Mainz
ISBN 3 423 50863 9 (dtv)
ISBN 3 406 49674 1 (C.H. Beck)

Vorwort

Betriebswirtschaftliches Grundwissen zählt fast schon zur Allgemeinbildung. In den Medien, in Schule und Ausbildung sowie im Beruf wird häufig die Kenntnis von wirtschaftswissenschaftlichen Grundbegriffen vorausgesetzt. Doch woher sollen die Kenntnisse kommen?

Hier möchte dieses Buch helfen. Es bietet einen **Überblick** über die gesamte Betriebswirtschaft. Nach der Darstellung von grundlegenden Rahmenbedingungen werden **alle betrieblichen Funktionsbereiche**, beginnend beim Management über Informations-, Finanz-, Personal- und Produktionswirtschaft bis hin zum Marketing **kompakt und prägnant** erläutert.

Die einzelnen Kapitel sind so aufgebaut, dass sie **unabhängig voneinander** durchgearbeitet werden können. Durch viele Abbildungen, Beispiele und eine übersichtliche Strukturierung ermöglicht das Buch einen schnellen Einstieg und einen guten Einblick in die verschiedenen Themenbereiche.

Zielgruppen dieses Buches sind
- **Lernende** (Studenten, Seminar- oder Lehrgangsteilnehmer), denen das Buch als vorlesungs- oder lehrgangsbegleitende Lektüre bei betriebswirtschaftlichen Grundlagenveranstaltungen helfen kann,
- „**Nicht-Kaufleute**", die einen Einblick in die Gedankenwelt der Betriebswirtschaft gewinnen möchten, sowie
- **Praktiker**, die im Beruf mit betriebswirtschaftlichen Fragestellungen konfrontiert sind und sich schnell betriebswirtschaftliches Wissen aneignen wollen.

Das umfangreiche Register lässt das Buch zu einem **Nachschlagewerk** und Handbuch für Studium und Praxis werden, mit dem sich auftauchende Fachbegriffe oder Fragestellungen rasch klären lassen.

Mit diesem Buch soll und kann nur Basiswissen vermittelt werden. Allen, die darüber hinaus vertiefte Kenntnisse erwerben möchten, erleichtern gezielte Literaturhinweise am Ende der einzelnen Kapitel eine tiefer gehende Lektüre.

Darmstadt, im November 2002 *Dr. Volker Schultz*

Inhaltsübersicht

Inhaltsverzeichnis

Abbildungsverzeichnis

Abkürzungsverzeichnis

A   Annuität
Abb.   Abbildung
AG   Aktiengesellschaft
APS   Advanced-Planning-and-Scheduling
a_t Auszahlungen für Periode t

bzw.   beziehungsweise

CAD   Computer Aided Design
CAM   Computer Aided Manufacturing
CAP   Computer Aided Planning
CAQ   Computer Aided Quality Assurance
CD   Compact Disc (plattenförmiger Datenträger)
CIM   Computer Integrated Manufacturing
CNC   Computerized Numerical Control (bei computergesteuerten Produktionsmaschinen)
CPM   Critical-Path-Method (Netzplantechnik)

d   Leistung
d. h.   das heißt

€   Euro (Europäische Währungseinheit)
E-...   Electronic-...
EDV   Elektronische Datenverarbeitung
e_k Einsatzgut k (mit k=1 ... n)
engl.   englisch
ERP   Enterprise-Resource-Planning-System
EStG   Einkommensteuergesetz
e_t Einzahlungen der Periode t
EU   Europäische Union

f.   folgende Seite
F+E   Forschung und Entwicklung
FA_j Frühestmöglicher Anfangszeitpunkt für Vorgang j (Netzplantechnik)
FE_j Frühestmöglicher Endzeitpunkt für Vorgang j (Netzplantechnik)
ff.   folgende Seiten

G	Gewinn
g	Stückgewinn
ggf.	gegebenenfalls
GmbH	Gesellschaft mit beschränkter Haftung
GoB	Grundsätze ordnungsmäßiger Buchführung
G_t	Gewinn der Periode t
GuV	Gewinn- und Verlustrechnung
GWB	Gesetz gegen Wettbewerbsbeschränkungen
h	Stunde
HGB	Handelsgesetzbuch
Hrsg.	Herausgeber
i	Zinssatz in Dezimalangabe (für 5 % ist 0,05 anzugeben)
I_0	Anfangsinvestitionsbetrag
IAS	International Accounting Standards
IASB	International Accounting Standards Board
IKR	Industriekontenrahmen
ISO	International Organization for Standardization (= internationale Normierungsorganisation)
j	Vorgangsbezeichnung bei der Netzplantechnik
K	Gesamtkosten
k	Stückkosten
K(x)	Kostenfunktion
K_0	Kapitalwert (auf t=0 bezogen)
Kap.	Kapitel
K_{FIX}	Fixkosten
KG	Kommanditgesellschaft
KGaA	Kommanditgesellschaft auf Aktien
k_{VAR}	Variable Stückkosten
L	Liquidationserlös
m^2	Quadratmeter
m^3	Kubikmeter
m_i	Verbrauchsmenge
Mio.	Millionen
MPM	Metra-Potential-Method (Netzplantechnik)
Mrd.	Milliarden
MRP	Manufacturing-Resource-Planning
MwSt	Mehrwertsteuer
n	Nutzungdauer eines Anlagegutes
NC	Numerical Control (bei Produktionsmaschinen)

OHG   Offene Handelsgesellschaft

p   Stückpreis

p_i Einkaufspreis

PERT   Program Evaluation and Review Technique (Netzplantechnik)

PPS   Produktionsplanung- und Steuerung

q   Abzinsungsfaktor (Diskontierungsfaktor) $q = (1 + i)^{-t}$

ROI   Return on Investment (Gesamtkapitalrentabilität)

S.   Seite

SA_j Spätestzulässiger Anfangszeitpunkt für Vorgang j (Netzplantechnik)

SE_j Spätestzulässiger Endzeitpunkt für Vorgang j (Netzplantechnik)

sog.   so genannt

t   Jahr, Zeitraum

Tab.   Tabelle

u. a.   und anderes

USA   Vereinigte Staaten von Amerika

US-GAAP   US-Generally Accepted Accounting Principles

VDE   Verband Deutscher Elektrotechniker

vgl.   vergleiche

V_i Verbrauchswert = (Verbrauchsmenge m_i) × (Einkaufspreis p_i)

w   Wiedergewinnungsfaktor $w = \dfrac{i \cdot (1+i)^n}{(1+i)^n - 1}$

x   Menge

$x_{opt.}$ optimale Bestellmenge

z. B.   zum Beispiel

Z_0 Barwert

Z_t Betrag der im Jahr t anfallenden Zahlung

€   Euro (europäische Währungseinheit)

Σ Summe

Formelzeichen, die sich nur auf eine bestimmte Gleichung beziehen, sind nicht in das Verzeichnis aufgenommen worden. Sie werden unmittelbar bei der jeweiligen Gleichung erläutert.

1. Einleitung

1.1 Gegenstand und Abgrenzung der Betriebswirtschaftslehre

Bereits in vorgeschichtlicher Zeit tauschten unsere Vorfahren Güter aus, die sie gesammelt oder gefunden hatten. Später begann die systematische Herstellung von Produkten mit dem Zweck, diese gegen andere Güter einzutauschen. Es entwickelte sich im Laufe der Jahrtausende ein umfangreiches Produktionsund Handelswesen, das wir als „**Wirtschaft**" bezeichnen. Ein besonderes Kennzeichen der Wirtschaft sind **knappe Güter**, die in einem begrenzten Umfang zur Verfügung stehen und denen ein bestimmter Wert zugemessen wird.

Die Erklärung und Beschreibung der wirtschaftlichen Vorgänge ist die Aufgabe der Wirtschaftswissenschaften, die sich in die beiden Disziplinen „Volkswirtschaftslehre" und „Betriebswirtschaftslehre" gliedern. Während sich die früher auch als Nationalökonomie bezeichnete **Volkswirtschaftslehre** mit gesamtwirtschaftlichen Zusammenhängen befasst, stehen im Rahmen der Betriebswirtschaftslehre wirtschaftliche Fragestellungen von kleineren Einheiten (Betrieben, Unternehmen) im Vordergrund.

Auch wenn die wirtschaftliche Betätigung eine Jahrtausende alte Grundlage der menschlichen Existenz darstellt, entwickelten sich die Wirtschaftswissenschaften als eigenständige Wissenschaft relativ spät. Zwar sind aus dem antiken Griechenland die „Ökonomischen Schriften" Xenophons überliefert, die aus dem vierten vorchristlichen Jahrhundert stammen und betriebswirtschaftliche Fragen von landwirtschaftlichen Betrieben behandeln. Aus römischer Zeit sind einzelne Schriften, die Handels- und Bankbetriebe betreffen, bekannt, doch eine umfassende Darstellung oder Forschungen im Bereich der Wirtschaftswissenschaften unterblieben bis zum Beginn der Neuzeit. Dies lag wohl nicht zuletzt daran, dass Details in der Betriebsführung häufig als „Betriebsgeheimnis" gehütet und daher nicht publiziert wurden.

Das erste epochale Werk aus dem betriebswirtschaftlichen Bereich ist das 1494 erschienene Buch „Summa de Arithmetica" des Venezianers Luca Pacioli, in dem erstmals grundsätzliche Regeln der doppelten Buchführung zusammengestellt sind. Doch es dauerte noch über 400 Jahre, bis mit der Gründung von mehreren Handelshochschulen im Jahre 1898 die **Betriebswirtschaftslehre** (damals noch „Handelsbetriebslehre") im deutschsprachigen Raum als eigenständige wissenschaftliche Disziplin entstand. Im 20. Jahrhundert entwickelte sich die Betriebswirtschaftslehre stürmisch.

In der Anfangszeit stand das Rechnungswesen im Vordergrund der Untersuchungen. In der zweiten Hälfte des 20. Jahrhunderts verlagerten sich (nicht zuletzt aufgrund von Entwicklungen in den USA) die Schwerpunkte und Zielrichtungen mehrfach. Die heutige moderne Betriebswirtschaftslehre stellt eine heterogene, pluralistische Wissenschaft dar, bei der neben der allgemeinen Betriebswirtschaftslehre zusätzlich auch spezielle Wirtschaftszweiglehren für bestimmte Branchen (z. B. für Industriebetriebe, Handelsunternehmen, Banken, Versicherungen) unterschieden werden.

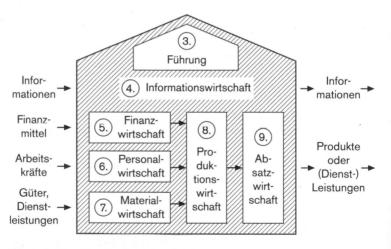

Abb. 1.1: Bereiche der Betriebswirtschaft

Eine gängige und zugleich übersichtliche Gliederung unterteilt die Betriebswirtschaft nach den einzelnen **betrieblichen Funktionen**, die in einem Unternehmen wahrgenommen werden. Diesem Gliederungsansatz folgt auch der Aufbau des vorliegenden Buches. Abb. 1.1 zeigt schematisch die wichtigsten Funktionen eines Unternehmens und die das Unternehmen mit seiner Umwelt verbindenden Güter-, Finanz- und Informationsströme. Die Ziffern in den Kreisen verweisen auf die jeweiligen Kapitel dieses Buches.

Die Steuerung (Leitung) des gesamten Unternehmens, die Schaffung organisatorischer Rahmenbedingungen und die Ausrichtung des Unternehmens auf gemeinsame Ziele ist Aufgabe des Managements bzw. der (Unternehmens-)**Führung** (vgl. Kap. 3). Um die anliegenden Planungs-, Organisations- und Steuerungsaufgaben erfüllen zu können, wird das **Management** durch die Informationswirtschaft unterstützt, die in Abb. 1.1 durch den schraffierten Bereich dargestellt ist. Die **Informationswirtschaft** (vergleiche dazu auch Kap. 4) verbindet alle übrigen betrieblichen Funktionsbereiche und sorgt für den erforderlichen Informationsaustausch.

Über die Beschaffungsmärkte wird Kapital durch die **Finanzwirtschaft** (vgl. Kap. 5), Arbeitskräfte durch die **Personalwirtschaft** (vgl. Kap. 6) sowie Güter (Rohstoffe, Zukaufteile) und Dienstleistungen durch die **Materialwirtschaft** (vgl. Kap. 7) bereitgestellt. Daneben werden durch die Beschaffung von Potentialfaktoren (z. B. Anlagen, Maschinen) Investitionen getätigt (vgl. Kap. 5.4 ff.). Alle diese Ressourcen werden durch den **Produktionsprozess** (Leistungserstellungsprozess) zusammengeführt, zu Produkten (oder Dienstleistungen) geformt (vgl. Kap. 8) und anschließend auf den Absatzmärkten angeboten. Für die letzte Phase dieses Prozesses ist die **Absatzwirtschaft** bzw. das **Marketing** zuständig (vgl. Kap. 9).

In diesem Buch werden alle diese Funktionsbereiche eines Unternehmens vorgestellt und erläutert. Zudem werden wichtige **Rahmenbedingungen** (vgl. Kap. 2) beschrieben, so dass ein grundlegender Einblick in den Bereich der Betriebswirtschaft vermittelt wird.

1.2 Ökonomisches Prinzip und betriebswirtschaftliche Denkweise

Bei der Bewirtschaftung von knappen Gütern werden rationale Entscheidungen auf der Grundlage des so genannten „ökonomischen Prinzips" getroffen, das auch unter der Bezeichnung „Wirtschaftlichkeitsprinzip" bekannt ist. Das **ökonomische Prinzip** besitzt drei Ausprägungsformen:

- **Maximum**-Prinzip
  Bei gegebenem Mitteleinsatz soll ein maximales Ergebnis erzielt werden.
- **Minimum**-Prinzip
  Mit minimalem Mitteleinsatz soll ein bestimmtes Ergebnis erreicht werden.
- **Optimum**-Prinzip (oder generelles Extremumprinzip)
  Es soll ein möglichst günstiges Verhältnis zwischen Mitteleinsatz und Ergebnis realisiert werden.

Mit dem ökonomischen Prinzip als Handlungsmaxime lassen sich die verschiedensten Zielsetzungen verfolgen: So kann das Ziel der Gewinnmaximierung ebenso angestrebt werden, wie das der Marktbeherrschung oder die Steigerung des „Shareholder Value".

Im Gegensatz zu Ingenieuren, die häufig das technische Machbare anstreben, indem die technischen Möglichkeiten ausgeschöpft werden, sollten im Rahmen der Betriebswirtschaft ökonomische Kriterien im Vordergrund stehen. Eine **betriebswirtschaftliche Denkweise** ist dadurch gekennzeichnet, dass bei allen Entscheidungen Kosten-Nutzen-Abgleiche eine wichtige Rolle spielen: Kosten, die durch eine Entscheidung verursacht werden, sollten stets durch den dadurch entstehenden Nutzen gerechtfertigt sein. Dies gilt für alle Teilbereiche in einem Unternehmen und in der Betriebswirtschaft: Einzelne Produkte müssen sich ebenso „rechnen" wie Beschaffungen und Investitionen oder organisatorische Maßnahmen. Dabei dürfen jedoch keineswegs die unternehmerische Vision und die aktive Marktorientierung des Unternehmens aus den Augen verloren werden.

1.3 Betrieb und Unternehmen

Ein **Betrieb** stellt eine Wirtschaftseinheit dar, in der planvoll Güter oder Dienstleistungen produziert werden. Im Gegensatz dazu stehen **Haushalte**, die nicht produktiv tätig sind, sondern überwiegend Güter verbrauchen (konsumieren).

Betriebe können sowohl von privaten Anteilseignern (z. B. einzelne Personen oder Aktionäre) als auch von der öffentlichen Hand (z. B. Städte und Gemeinden) getragen werden. Wenn die öffentliche Hand an einem privatwirtschaftlichen Betrieb kapitalmäßig beteiligt ist, spricht man von einem gemischtwirtschaftlichen Betrieb (z. B. Deutsche Lufthansa AG).

Bei **öffentlichen Betrieben** (wie z. B. Krankenhäuser, Verkehrsbetriebe, Abfallentsorgung) steht häufig das Minimumprinzip im Vordergrund: Der Betriebszweck soll bei möglichst geringen Kosten realisiert werden. Eine Kostendeckung kann jedoch nicht immer erreicht werden; dann fließen Zuschüsse aus öffentlichen Mitteln, die letztlich durch die Steuerzahler aufgebracht werden müssen.

Private Betriebe folgen in der Regel dem erwerbswirtschaftlichen Ziel, wonach langfristig Gewinne maximiert werden sollen. Private (oder privatwirtschaftliche) Betriebe müssen das **Marktrisiko** selbst tragen; arbeiten sie nicht kostendeckend, gehen sie zugrunde (Konkurs), wenn die privaten Anteilseigner das Unternehmen nicht stützen oder wenn nicht aus politischen Gründen Subventionen (z. B. in Bergbau und Landwirtschaft) gezahlt werden. Private Betriebe sind ein Kennzeichen für ein marktwirtschaftliches Wirtschaftssystem; sie werden auch als **Unternehmen** bezeichnet.

Die meisten Aussagen der allgemeinen Betriebswirtschaftslehre beziehen sich auf Unternehmen, so dass eigentlich von einer „Unternehmenswirtschaftslehre" gesprochen werden müsste. Eine Übertragung dieser Aussagen auf spezielle Branchen und auch auf den öffentlichen Bereich ist häufig möglich. Gerade in jüngerer Zeit findet sich eine Vielzahl von Beispielen für die Einführung von betriebswirtschaftlichen Instrumenten in traditionellen öffentlichen Verwaltungen.

Der Begriff „Unternehmen" wird im allgemeinen Sprachgebrauch nicht einheitlich verwendet. So ist in der Abgabenordnung ein Unternehmen eine übergeordnete Einheit, der Betriebe untergeordnet sind. In anderen Definitionen ist das Unternehmen die kaufmännische Einheit, die zur Rechnungslegung verpflichtet ist und nach außen auftritt. Der Betrieb ist hingegen die technische Einheit, in der die Produktion oder Dienstleistungserstellung erfolgt.

Ein weiterer Begriff, der in der Umgangssprache in diesem Zusammenhang auftaucht, ist die Bezeichnung „Firma". Nach § 17 HGB ist unter einer **Firma** der Name eines Unternehmens zu verstehen. Eine Firma ist somit die Bezeichnung, unter der ein Unternehmen in der Öffentlichkeit auftritt, aber keine Bezeichnung für eine organisatorische Einheit.

1.4 Betriebswirtschaftliche Produktionsfaktoren

Produktionsfaktoren sind Güter, die zur Herstellung („Produktion") anderer Güter dienen. Während in der Volkswirtschaftslehre traditionell die drei Produktionsfaktoren Arbeit, Boden und Kapital unterschieden werden, ist zur Anwendung bei betriebswirtschaftlichen Fragestellungen eine differenziertere Aufteilung der Produktionsfaktoren erforderlich. Eine allgemein anerkannte betriebswirtschaftliche Produktionsfaktorsystematik veröffentlichte Erich Gutenberg in den 1950er Jahren. Gutenberg unterscheidet drei Elementarfaktoren und einen dispositiven Faktor.

Elementarfaktoren werden unmittelbar im Rahmen des Leistungserstellungsprozesses (Erstellung von Gütern oder Dienstleistungen) eingesetzt. Sie lassen sich untergliedern in
- menschliche Arbeitsleistung (objektbezogene, ausführende Arbeit direkt am Produkt),
- Betriebsmittel (Gebäude, Maschinen, Werkzeuge) und
- Werkstoffe (Rohstoffe, Zukaufteile).

Der **dispositive Faktor** stellt nichtobjektbezogene menschliche Arbeitsleistung dar; diese Form der Arbeitsleistung unterstützt die Leistungserstellung, sie fließt jedoch nicht unmittelbar in die Produktion ein. Zum dispositiven Faktor zählen die Unternehmensleitung, sowie die Bereiche Organisation, Planung und Kontrolle.

Diese grundlegende Systematik wurde in den Folgejahren von verschiedenen Autoren modifiziert und um weitere Faktoren ergänzt. Als **weitere Produktionsfaktoren** lassen sich u. a. anführen:

- Dienstleistungen, die von Dritten erbracht werden (z. B. Transportleistungen)
- Immaterielle Produktionsfaktoren (z. B. Rechte, Computersoftware, aber auch Informationen)
- Zusatzfaktoren (Leistungen von Kreditinstituten und Versicherungen)

Neben der Gutenbergschen Faktorsystematik, die ursprünglich für den Bereich der Produktion aufgestellt worden war, finden sich in der Literatur spezielle Produktionsfaktorsysteme für bestimmte **Wirtschaftszweige** (z. B. für Handelsunternehmen).

Produktionsfaktoren spielen in verschiedenen **Funktionsbereichen** der Betriebswirtschaft eine Rolle. So werden Ihnen in diesem Buch die Produktionsfaktoren im Rechnungswesen (Kap. 4.3), in der Materialwirtschaft (Kap. 7) oder in der Produktionswirtschaft (als Eingangsgrößen bei Produktionsfunktionen in Kap. 8.1.1) wieder begegnen.

2. Rahmenbedingungen

Bevor in den Kapiteln drei bis neun auf die einzelnen betriebs-wirtschaftlichen Funktionsbereiche näher eingegangen wird, er-folgt in diesem Kapitel eine Erläuterung von Rahmenbedingun-gen, die für Unternehmen maßgeblich sind. Es geht dabei zum einen um Fragestellungen, die durch das Unternehmen selbst gestaltet werden können (z. B. Wahl der Rechtsform oder des Standortes). Zum anderen bestehen Einflüsse aus dem Umfeld des Unternehmens (so genanntes „Umsystem"), die als unverän-derbare Vorgabe anzusehen sind (z. B. Steuern).

2.1 Rechtsformen

Jedes Unternehmen besitzt eine bestimmte Rechtsform, die bei der Gründung festgelegt wird. Eine spätere Änderung der Rechts-form ist möglich (vgl. Abschnitt 2.1.5). Die Entscheidung, einem Unternehmen eine bestimmte Rechtsform zu geben, beeinflusst unmittelbar die Bereiche
- Haftung (wer haftet, in welcher Höhe wird gehaftet?)
- Geschäftsführung (wer ist zur Leitung des Unternehmens be-rechtigt oder verpflichtet?)
- Verteilung von Gewinnen und Verlusten
- Finanzierungsmöglichkeiten (Kapitalbeschaffung)
- steuerliche Belastungen
- Publizitätsverpflichtungen
- Mitbestimmung der Arbeitnehmer

Die wichtigsten privatrechtlichen Rechtsformen sind in Abb. 2.1 zusammengestellt. Daneben bestehen Mischformen wie die GmbH & Co. KG oder die KG auf Aktien, auf die in Abschnitt 2.1.4 ein-gegangen wird. Außerdem bestehen weitere Rechtsformen wie Ge-nossenschaften, Versicherungsvereine auf Gegenseitigkeit (VVaG) oder bergrechtliche Gesellschaften, deren Besonderheiten nicht im Rahmen dieses Buchs erläutert werden. Auch auf die Darstellung

von besonderen öffentlich-rechtlichen Rechtsformen wie Eigenbe-
triebe der öffentlichen Hand, öffentlich-rechtliche Körperschaften
oder Stiftungen wird nicht weiter eingegangen.

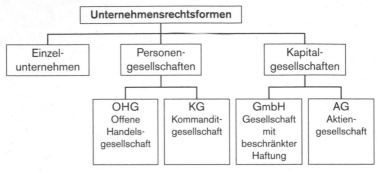

Abb. 2.1: Wichtige Rechtsformen

2.1.1 Einzelunternehmen

Ein Einzelunternehmen gehört einem einzigen Eigentümer,
der als „Einzelunternehmer" allein und unbegrenzt, auch mit
seinem gesamten Privatvermögen, haftet. Der Eigentümer erhält
Gewinne, muss aber auch sämtliche Verluste tragen. Die Leitung
des Unternehmens steht ihm alleine zu.

Das Unternehmen selbst zahlt keine Steuern auf seinen Gewinn; da die Gewinne direkt dem Eigentümer zugerechnet werden, muss dieser den Gewinn als „Einkommen" versteuern. Der
Eigentümer hat jederzeit das Recht, dem Unternehmen finanzielle Mittel oder Sachgüter zu entnehmen.

2.1.2 Personengesellschaften

Bei einer Personengesellschaft haben sich mehrere Gesellschafter zur Gründung eines Unternehmens zusammengeschlossen,
wobei alle oder ein Teil der Gesellschafter wie beim Einzelunternehmen unbegrenzt mit ihrem Privatvermögen haften. Es lassen
sich die beiden Rechtsformen offene Handelsgesellschaft (OHG)
und Kommanditgesellschaft (KG) unterscheiden.

Bei der **offenen Handelsgesellschaft (OHG)** haben sich mehrere (mindestens zwei) gleichberechtigte Eigentümer (Gesellschafter) zusammengeschlossen. Die Gesellschafter erhalten die Gewinne des Unternehmens und tragen entstehende Verluste. Bei keinem Gesellschafter ist die Haftung beschränkt; sie haften gemeinsam und unbegrenzt, auch mit ihrem Privatvermögen. Grundlage für den Zusammenschluss bildet der Gesellschaftsvertrag, der die Rechtsverhältnisse der Gesellschafter untereinander und insbesondere die Verteilung von Gewinnen und Verlusten regelt. Sind im Gesellschaftsvertrag keine Regelungen getroffen, gelten die gesetzlichen Bestimmungen des Handelsgesetzbuches (§ 105 bis § 160 HGB).

Die Verteilung von Gewinnen und Verlusten erfolgt nach den Regelungen im Gesellschaftsvertrag. Wenn sich dort keine Regelungen findet, ist auf § 121 HGB zurückzugreifen. Danach ist der Kapitalanteil eines Gesellschafters jährlich mit vier Prozent zu verzinsen. Wenn der Jahresgewinn dazu nicht ausreicht, erfolgt eine Verzinsung mit einem entsprechend niedrigeren Prozentsatz. Einlagen oder Entnahmen, die das Jahr über erfolgten, werden zeitanteilig berücksichtigt. Bleibt nach dieser Verteilung ein Restbetrag übrig, wird dieser, ebenso wie ein Verlust, nach Köpfen (d. h. gleichmäßig auf alle Gesellschafter) verteilt.

Bei der **Kommanditgesellschaft (KG)** haben sich (ebenso wie bei der OHG) mehrere Gesellschafter zusammengeschlossen. Während bei der OHG alle Gesellschafter unbegrenzt haften, ist bei der KG bei einem Teil der Gesellschafter die Haftung auf die Kapitaleinlage begrenzt.

Gesellschafter, die wie bei einer OHG unbeschränkt mit ihrem gesamten Privatvermögen haften, werden als **Komplementäre** oder als „persönlich haftende Gesellschafter" bezeichnet. Daneben bestehen **Kommanditisten**, die nur mit ihrer Kapitaleinlage haften, dafür aber von der Geschäftsführung ausgeschlossen sind. Während bei den Komplementären die Einlage schwanken kann, ist bei den Kommanditisten der Betrag der Einlage im Gesellschaftsvertrag fixiert.

Die Verteilung von Gewinnen und Verlusten erfolgt nach der Regelung im Gesellschaftsvertrag, wobei die unbegrenzt haftenden

Komplementäre im Regelfall einen größeren Gewinnanteil erhalten. Ist die Erfolgsverteilung nicht im Gesellschaftsvertrag geregelt, wird nach den gesetzlichen Bestimmungen zunächst wie bei der OHG der Kapitalanteil aller Gesellschafter mit vier Prozent verzinst, wobei Einlagen oder Entnahmen der Komplementäre zeitanteilig berücksichtigt werden. Bei den Kommanditisten ist die Höhe der Kapitaleinlage im Gesellschaftsvertrag festgeschrieben, so dass Entnahmen oder Einlagen nicht möglich sind. Für den Restgewinn oder für Verluste sieht § 168 Absatz 2 HGB eine „angemessene" Verteilung vor. Darunter ist zu verstehen, dass Geschäftsführertätigkeiten oder die Haftungsverpflichtungen der einzelnen Gesellschafter „angemessen" berücksichtigt werden.

2.1.3 Kapitalgesellschaften

Im Gegensatz zu Einzelunternehmen und zu Personengesellschaften haften Kapitalgesellschaften nur mit ihrem Gesellschaftsvermögen; es existiert keine „natürliche Person", die mit ihrem Privatvermögen haften würde. Aus Gründen des Gläubigerschutzes stellt der Gesetzgeber spezielle Anforderungen an Buchführung, Bilanzierung und an die Ausschüttungspolitik von Kapitalgesellschaften.

Eine Kapitalgesellschaft ist ein künstliches Gebilde, eine so genannte „juristische Person", für deren Entstehung ein spezieller Gründungsakt erforderlich ist. Dazu ist ein Gesellschaftsvertrag abzuschließen, ein Mindestanteil der Einlagen einzuzahlen und die Gesellschaft in das Handelsregister einzutragen. Erst mit der Eintragung in das Handelsregister entsteht die juristische Person. Die wichtigsten Formen von Kapitalgesellschaften sind die GmbH und die Aktiengesellschaft.

Bei einer **Gesellschaft mit beschränkter Haftung (GmbH)** ist die Haftung auf das Stammkapital beschränkt, das einen Betrag von mindestens 25.000 € aufweisen muss. Vor der Eintragung in das Handelsregister müssen mindestens 25 Prozent des Stammkapitals eingezahlt sein.

Organe einer GmbH sind die Geschäftsführung und die Gesellschafterversammlung. Im Gesellschaftsvertrag einer GmbH muss nach dem GmbH-Gesetz der Sitz, der Gesamtbetrag des Stammkapitals und die Höhe der Stammeinlage eines jeden Gesellschafters festgelegt sein. Darüber hinaus sind weitere Regelungen möglich.

Der Jahresabschluss einer GmbH wird durch die Geschäftsführung erstellt. Über die Verwendung des Jahreserfolgs (Gewinn oder Verlust) haben die Gesellschafter innerhalb der ersten acht Monate des Folgejahres zu entscheiden. Der Gewinn kann entweder an die Gesellschafter verteilt, in die Rücklagen eingestellt oder in das kommende Geschäftsjahr als Gewinnvortrag übernommen werden.

Die Gewinnverteilung erfolgt nach Regelungen im Gesellschaftsvertrag. Wenn dort keine Regelung getroffen wurde, wird gemäß der gesetzlichen Bestimmungen (§ 29 GmbH-Gesetz) eine Verteilung im Verhältnis der Geschäftsanteile vorgenommen.

Während bei der GmbH die Zahl der Gesellschafter nicht vorgeschrieben ist (nach § 1 GmbH-Gesetz ist auch eine Einpersonen-GmbH zulässig), sind zur Errichtung einer **Aktiengesellschaft (AG)** mindestens fünf Gründer erforderlich, die ein Grundkapital mit einem Nennbetrag von mindestens 50.000 € aufbringen müssen, von dem mindestens 25 Prozent eingezahlt sind.

Die Gestaltungsmöglichkeiten des „Satzung" genannten Gesellschaftsvertrages sind begrenzt. Neben dem Sitz und dem Unternehmensgegenstand (Art der Erzeugnisse und Waren) sind in der Satzung die Höhe des Grundkapitals, Nennbetrag, Zahl und Gattung der Aktien sowie die Zahl der Vorstandsmitglieder festzulegen.

Die Organe einer Aktiengesellschaft sind Vorstand, Aufsichtsrat und Hauptversammlung. Der Vorstand ist ein eigenverantwortliches, nicht weisungsgebundenes Leitungsorgan, das für fünf Jahre vom Aufsichtsrat bestellt wird. Aus wichtigem Grund kann der Vorstand jederzeit vom Aufsichtsrat abberufen werden. Der Aufsichtsrat besteht aus mindestens drei Personen, die von der Hauptversammlung gewählt werden. Der Aufsichtsrat überwacht den Vorstand, prüft den Jahresabschluss und vertritt die Gesellschaft gegenüber dem Vorstand. In Deutschland tagen Aufsichtsräte etwa vier Mal im Jahr. Wählbar ist jede natürliche

Person, die nicht bereits in zehn anderen Aufsichtsräten Mitglied ist. Die Amtsdauer beträgt maximal vier Jahre.

Die Hauptversammlung bildet als Vollversammlung aller Aktionäre das oberste Organ einer Aktiengesellschaft. Sie muss in den ersten acht Monaten eines neuen Geschäftsjahres einberufen werden. Durch die Hauptversammlung werden die Aktionärsvertreter des Aufsichtsrates gewählt, Vorstands- und Aufsichtsratsmitglieder entlastet und über die Gewinnverwendung entschieden.

2.1.4 Mischformen

Neben den erläuterten Personen- und Kapitalgesellschaften bestehen Mischformen, bei denen Aspekte von Personengesellschaften und von Kapitalgesellschaften kombiniert werden, um so eine rechtlich vorteilhafte Konstruktion für das Unternehmen zu erhalten.

Bei der **Kommanditgesellschaft auf Aktien (KGaA)** handelt es sich um eine Kommanditgesellschaft, bei der das Kapital der Kommanditisten in Aktien verbrieft ist. Gemäß den Regelungen einer Kommanditgesellschaft muss aber mindestens ein Komplementär vorhanden sein, der persönlich unbeschränkt haftet und dem die Geschäftsführung zusteht. Dadurch verbindet die KGaA den Vorteil der leichten Kapitalbeschaffung über den Aktienmarkt mit dem Vorteil der einflussreichen Stellung eines KG-Komplementärs. Die KGaA besitzt ebenso wie eine Aktiengesellschaft eine Hauptversammlung und einen Aufsichtsrat, der jedoch nicht das Recht besitzt, den Vorstand zu bestimmen, da die Geschäftsführung durch den Komplementär wahrgenommen wird.

Die **GmbH & Co. KG** stellt eine Kommanditgesellschaft dar, bei der die Rolle des Komplementärs eine juristische Person in Form einer GmbH übernimmt (wenn die Komplementärrolle von einer Aktiengesellschaft wahrgenommen wird, spricht man von einer **AG & Co. KG**). Damit ist eine unbeschränkte, persönliche Haftung einer natürlichen Person ausgeschlossen: Die Kommanditisten (die häufig auch die Gesellschafter der GmbH bilden) haften nur mit ihrer Einlage, die GmbH haftet mit ihrem begrenzten Vermögen. Die Geschäftsführung und die rechtliche

Vertretung der GmbH & Co. KG übernehmen die Geschäftsführer der GmbH.

Die GmbH & Co. KG ist in Deutschland vor allem bei mittelständischen Unternehmen weit verbreitet, da auf diese Weise die
Vorteile einer Personengesellschaft bei gleichzeitigem Haftungs-
ausschluss genutzt werden können. Während dieser Haftungs-
ausschluss gegenüber Lieferanten und sonstigen Gläubigern des
Unternehmens wirksam ist, kann er von Kreditinstituten wirkungsvoll umgangen werden: Wenn eine GmbH & Co. KG einen
größeren Kredit wünscht, wird dieser im Regelfall nur gewährt,
wenn ein solventer Gesellschafter eine Bürgschaft abgibt, so dass
er unbegrenzt mit seinem Privatvermögen haftet.

Durch die europaweiten Harmonisierungsbestrebungen des
Gesellschaftsrechts stehen die Mischformen in der Kritik. Es ist
denkbar, dass die Gestaltungsmöglichkeiten stark eingeschränkt
werden.

2.1.5 Wechsel der Rechtsform (Umwandlung)

Die Rechtsform eines Unternehmens kann im Laufe der Unter-
nehmensgeschichte wechseln und so an die geänderten Eigen-
tumsverhältnisse angepasst werden. Auch die Notwendigkeit zur
Erschließung neuer Finanzierungsmöglichkeiten, die Verminderung von Haftungsrisiken oder steuerliche Aspekte können eine
Umwandlung der Rechtsform begründen.

Viele mittelständische Unternehmen besitzen die folgende
Entwicklungsgeschichte: Eine Person gründet ein Einzelunternehmen. Dessen Erben wollen das Unternehmen gleichberechtigt
fortführen und wandeln es in eine OHG um. Später möchten
einige der Erben nicht mehr aktiv mitarbeiten oder sind dazu
nicht mehr in der Lage (Alter, Interesselosigkeit). Deshalb wird
das Unternehmen in eine KG umgewandelt. Nach einiger Zeit
findet sich niemand mehr der bereit ist, als Kommanditist für das
wachsende Unternehmen mit seinem gesamten Privatvermögen
zu haften. Konsequente Folge ist die Gründung einer GmbH,
bei der die Haftung auf das Stammkapital begrenzt ist. Um den
wachsenden Kapitalbedarf des expandierenden Unternehmens

befriedigen zu können, lassen sich neue Kapitalquellen durch die Gründung einer Aktiengesellschaft erschließen.

Derartige Prozesse können auch durch Auflagen der Kreditgeber oder durch die Gesetzgebung beeinflusst werden. Bei schrumpfenden Unternehmen ist der Weg von der Kapitalgesellschaft zurück zur Personengesellschaft denkbar. Bei allen Umwandlungsvorgängen sind steuerliche Belastungen zu beachten, die durch bilanzielle Neubewertungen und eventuell aufgedeckte stille Reserven ausgelöst werden können.

2.2 Unternehmensverbindungen

Rechtlich selbständige Unternehmen können Verbindungen mit anderen Unternehmen eingehen, um dadurch dem eigenen Unternehmen Vorteile zu verschaffen oder weil sie durch wirtschaftliche Abhängigkeit dazu gezwungen werden. Nach der Intensität der Zusammenarbeit lassen sich Kooperations- oder Konzentrationsformen unterscheiden.

Eine **Kooperation** stellt eine freiwillige Zusammenarbeit von rechtlich und wirtschaftlich selbständigen Unternehmen dar. Kooperationen können zeitlich begrenzt oder auf Dauer angelegt sein. Nach der Art der Zusammenarbeit lassen sich folgende Kooperationsformen unterscheiden:

Abgestimmtes Verhalten und mündliche Absprachen: Die lockerste Kooperationsform basiert auf mündlichen Absprachen oder auf gleichförmigem Verhalten der beteiligten Unternehmen, da gleiche Ziele verfolgt werden.

(Wirtschafts-)**Verband**: Verbände stellen freiwillige Zusammenschlüsse dar, durch die gemeinschaftliche Interessen der beteiligten Unternehmen vertreten werden sollen. Beispiele für solche Verbände sind Arbeitgeberverbände, Industrievereinigungen oder Industrie- und Handelskammern.

Arbeitsgemeinschaft (Konsortium): Konsortien sind zeitlich befristete, vertraglich geregelte Unternehmensverbindungen zur Durchführung von abgegrenzten Projekten. Insbesondere bei größeren Bauvorhaben (z. B. Straßenbauprojekte), aber auch bei finanziellen Projekten (z. B. Aktienemissionen durch Bankenkonsortium) wird diese Kooperationsform gewählt. Nach Erfüllung der Aufgabe wird das Konsortium wieder aufgelöst.

Kartell: Von einem „Kartell" wird gesprochen, wenn mehrere Unternehmen feste Absprachen treffen, um dadurch den freien Wettbewerb einzuschränken. Die beteiligen Unternehmen sind zwar weiterhin selbständig, durch die Kartellabsprachen ist deren wirtschaftliche Handlungsfreiheit jedoch eingeschränkt.

In Deutschland verbietet das „Gesetz gegen Wettbewerbsbeschränkungen" (GWB) Kartelle grundsätzlich, wobei bestimmte Kartellformen von dem Verbot ausgenommen sind oder auf Antrag genehmigt werden können. Zuständig für die Genehmigungen von Kartellen ist das Bundeskartellamt, das zudem auch bei unzulässigen Einschränkungen des Wettbewerbs einschreitet.

Es lassen sich folgende **Arten von Kartellen** unterscheiden:

* Preiskartell (Preisabsprachen zur Aushebelung von Marktmechanismen)
* Rabatt- und Konditionenkartell (Absprache von einheitlichen Rabatt- und Geschäftsbedingungen)
* Kalkulationskartelle (Festlegung einheitlicher Kalkulationsgrundlagen für die Angebotserstellung)
* Produktionskartell (Absprache der Produktionsmengen)
* Exportkartelle (Stärkung der internationalen Wettbewerbsfähigkeit durch abgestimmte Vorgehensweisen)
* Syndikate (Schaffung einer gemeinsamen Verkaufsorganisation)
* Rationalisierungskartell (Steigerung der Leistungsfähigkeit der beteiligten Unternehmen durch einheitliche Anwendung von Normen und Vorschriften)

Gemeinschaftsunternehmen (Joint Venture): Die Kooperation von rechtlich selbständigen Unternehmen kann durch die Gründung eines gemeinsamen Tochterunternehmens („Joint Venture") vertieft werden. In einem Joint Venture können die Stärken der beiden Partner gebündelt werden. Es stellt auch eine Strategie zur Erschließung von neuen Märkten dar, wenn ein ausländischer Partner (mit besonderem technischen Know-how oder mit speziellen Produkten) und ein inländisches Unternehmen (mit Kenntnissen bezüglich der Mentalität und der Vertriebswege) gemeinsam ein Joint Venture gründen. So taten sich zu Beginn der 1990er Jahre in Osteuropa häufig westliche Unternehmen mit ehemaligen Staatsbetrieben zusammen und gründeten ein Joint Venture mit dem Ziel, die Märkte der vormals kommunistischen Staaten zu erschließen.

Keine Kooperationsform, sondern eine Form der **Konzentration** liegt vor, wenn ein oder mehrere Unternehmen ihre wirtschaftliche Selbständigkeit verloren haben und von einem anderen Unternehmen wirtschaftlich dominiert werden. Ein derartiger Verbund von rechtlich selbständigen Unternehmen wird als **Konzern** bezeichnet; für sehr große Konzerne ist auch die Bezeichnung „Trust" üblich. Für das Vorliegen eines Konzerns ist es erforderlich, dass ein Verbund von Unternehmen unter „einheitlicher Leitung" eines Unternehmens (des „Mutterunternehmens") steht oder durch dieses Unternehmen eine andere Beherrschungsmöglichkeit (z. B. Mehrheit der Stimmrechte) ausgeübt wird.

Eine besondere Ausprägungsform eines Konzerns stellt eine **Holding** dar. Unter einer Holding wird eine Dachgesellschaft verstanden, die die Gesamtleitung der selbständigen Teilunternehmen übernimmt. Insbesondere legt sie die Geschäftspolitik und die strategischen Ziele des Konzerns fest.

Eine völlige Aufgabe der Selbständigkeit erfolgt bei einer **Fusion** (Verschmelzung) von zwei (oder mehreren) Unternehmen. Dabei kann ein Unternehmen ein anderes vollständig aufnehmen oder es kann ein neues Unternehmen entstehen, in das das Vermögen der Fusionspartner übertragen wird.

2.3 Standort

Unter dem Standort wird die **geographische Ansiedlung** eines Unternehmens verstanden, wobei ein Unternehmen mehrere Standorte besitzen kann. Eine Standortentscheidung ist bei der Gründung eines Unternehmens zu treffen. Bei kleineren Unternehmen ergibt sich der Unternehmensstandort häufig aus dem

(Wohn-)Sitz des Gründers. Nicht nur bei größeren Unternehmen ist es jedoch sinnvoll, vor der Standortentscheidung eine **Standortanalyse** durchzuführen. Zur Beurteilung eines Standortes dienen verschiedene Einflussgrößen, die auch als Standortfaktoren bezeichnet werden. Die wichtigsten **Standortfaktoren** sind:

* **Beschaffungsmarktabhängige Faktoren:** Kosten und Verfügbarkeit von Gütern und Leistungen, die über die Beschaffungsmärkte bezogen werden müssen (wie Arbeitskräfte, Rohstoffe, Material, Zulieferteile, Dienstleistungen, aber auch Energie sowie Grundstücke und Gebäude). Daneben spielen Größen wie die Lieferverlässlichkeit und die Transport- und Lagerkosten eine wichtige Rolle.

* **Absatzmarktbezogene Faktoren:** Hierzu zählen die Nähe zu den potentiellen Kunden, die Transportmöglichkeiten, das voraussichtliche Nachfragepotential und die Konkurrenzsituation.

* **Immobilienbezogene Faktoren:** Verfügbarkeit und Preise für Immobilien (Grundstücke, Gebäude), Höhe der Mieten.

* **Staatliche Rahmenbedingungen:** Bestehende Rechts- und Wirtschaftsordnung, Höhe der Abgaben und Steuern, Förderungsmaßnahmen, politische Stabilität des Landes, Gesetzgebung und Vorschriften (z. B. bezüglich des Umweltschutzes).

Zur Unterstützung dieser Analyse und zur Bewertung der Standortfaktoren lassen sich verschiedene Verfahren in Form von Checklisten und Punktbewertungsverfahren oder mathematische Optimierungsmodelle (wie z. B. die lineare Optimierung) einsetzen.

Nach dem Grad der geographischen Ausbreitung der einzelnen Unternehmensteile werden folgende **Standortkategorien** unterschieden:

* Lokal (Unternehmen, das auf einen Ort oder eine Stadt beschränkt ist, z. B. Einzelhandel, kleinere Handwerksbetriebe)

* Regional (Unternehmen, das auf eine bestimmte Region beschränkt ist, z. B. Kreissparkasse, größere Handwerksbetriebe, Nahverkehrsunternehmen)

* National (Unternehmen, deren Produktionsstätten und Niederlassungen über einen gesamten Staat verbreitet sind, aber

nicht darüber hinaus, z. B. Energieversorger, Eisenbahngesell-
schaften)
- International (international tätiges Unternehmen, das im Ausland Niederlassungen unterhält, jedoch überwiegend im Inland
produziert, z. B. traditionelles Maschinenbauunternehmen)
- Multinational (international tätiges Unternehmen, das in verschiedenen Ländern produziert und dort auch Tochterunternehmen unterhält, z. B. Unternehmen der Großchemie oder
des Automobilbaus)

2.4 Ausgestaltung des Unternehmens

Neben der Festlegung der Rechtsform und der Wahl des Standortes muss bei der Gründung eines Unternehmens
- das Leistungsprogramm,
- die erforderliche und wirtschaftlich sinnvolle Produktionskapazität,
- die Größe sowie
- die Faktorstruktur
festgelegt werden. Diese Festlegungen sind später nur schwer zu
verändern und werden daher im betriebswirtschaftlichen Schrifttum auch als „**konstitutive Rahmenscheidungen**" bezeichnet.

Das **Leistungsprogramm** eines Unternehmens lässt sich unter
den Gesichtspunkten Leistungsbreite, Leistungstiefe und Leistungshomogenität betrachten. Die **Leistungsbreite** beschreibt
die Angebotspalette eines Unternehmens. Ein breites („diversifiziertes") Leistungsangebot liegt vor, wenn ein Unternehmen
eine Vielfalt von unterschiedlichen Produkten anbietet. Dabei
kann die Diversifizierung eine bewusste Unternehmensstrategie
darstellen, wodurch sich eine Abhängigkeit von einzelnen Produkten, Geschäftsfeldern oder Technologien vermeiden lässt. In
den vergangenen Jahren konnte beobachtet werden, dass Konzerne durch Unternehmensaufkäufe gezielt ihre Leistungsbreite
vergrößerten. So erweiterte ein Automobilkonzern seine Aktivitäten um den Bereich der Luft- und Raumfahrttechnik. Aber
auch gegenläufige Tendenzen sind möglich: Das traditionsrei-

che Chemie-Unternehmen Hoechst AG, das ein diversifiziertes Unternehmen darstellte, wurde in den 1990er Jahren durch seinen Vorstand zerschlagen und ausgelöscht; das verbliebene Rumpfunternehmen „Aventis", dessen Sitz in das Ausland verlegt wurde, ist auf den Pharmabereich spezialisiert. Eine derartige Konzentration auf einen Leistungsbereich ermöglicht eine hohe Spezialisierung, durch die sich kurzfristig Kostenvorteile im Fertigungsbereich ergeben können. Allerdings entsteht eine starke Abhängigkeit, die langfristig für ein derartiges Unternehmen existenzbedrohend werden kann.

Das Kriterium der **Leistungstiefe** gibt an, wie viele Produktionsstufen vom Rohstoff über das Endprodukt bis zum Vertrieb von einem Unternehmen selbst wahrgenommen werden. Eine hohe Leistungstiefe liegt vor, wenn ein Unternehmen den Rohstoff selbst gewinnt, weiterverarbeitet, Produkte herstellt und schließlich an den Endverbraucher verkauft. Eine geringe Leistungstiefe besitzen Unternehmen, die ausschließlich in der Rohstoffgewinnung oder im Großhandel tätig sind.

Bei dem Merkmal der **Leistungshomogenität** lassen sich homogene und heterogene Leistungsprogramme unterscheiden. Unternehmen mit einheitlichen Produkten, die in großer Stückzahl hergestellt werden („Massenprodukte"), besitzen ein homogenes Leistungsprogramm. Diese Unternehmen produzieren im Rahmen einer zumeist automatisierten **Mehrfachfertigung** große Stückzahlen des gleichen Produkts. Werden kleinere Stückzahlen in Form einer **Serienfertigung** (z. B. baugleiche Reihenhäuser) hergestellt oder unterscheiden sich die Leistungen, indem individuelle Produkte als Einzelstück (**„Einzelfertigung"**, z. B. individuell geplantes Haus) gefertigt werden, spricht man von einem heterogenen Leistungsprogramm (zu den einzelnen Fertigungstypen vgl. Kap. 8.1.2).

Aus dem Leistungsprogramm ergibt sich die erforderliche **Produktionskapazität** und damit die **Betriebsgröße**. Die Kapazität gibt die maximale Leistungsfähigkeit eines Unternehmens an, die durch die maximale Ausbringungsmenge gemessen werden kann. Bei einer zu geringen Kapazität wird ein Unternehmen seine Kunden nicht ausreichend mit Produkten versorgen können, bei einer zu hohen Kapazität deckt der Absatz nicht die laufenden Kosten.

Für die Bestimmung der **Größe eines Unternehmens** lassen sich verschiedene Indikatoren heranziehen. Im Handelsgesetzbuch werden bei Kapitalgesellschaften drei Größenklassen unterschieden, deren Abgrenzung aufgrund der Kriterien Bilanzsumme, Umsatz und Beschäftigtenzahl erfolgt. Ein Unternehmen fällt in eine Größenklasse, wenn zwei der drei Kriterien gemäß Abb. 2.2 erfüllt sind.

Kriterium	klein	mittelgroß	groß
Bilanzsumme (in €)	≤ 3,438 Mio.	≤ 13,75 Mio.	> 13,75 Mio.
Umsatz (in €)	≤ 6,875 Mio.	≤ 27,50 Mio.	> 27,50 Mio.
Beschäftigtenzahl	≤ 50	≤ 250	> 250

Abb. 2.2: Größenklassen bei Kapitalgesellschaften (nach § 267 HGB)

Die Frage nach einer optimalen Betriebsgröße lässt sich nicht eindeutig beantworten. Große Unternehmen können infolge des größeren Umsatzes günstigere Einkaufskonditionen, Fertigungsbedingungen, aber auch Finanzierungsmöglichkeiten besitzen. Kleinere Unternehmen haben eine größere Flexibilität, einen geringeren Verwaltungsaufwand und häufig auch eine größere Innovationsfähigkeit.

Aus dem Leistungsprogramm ergibt sich die **Struktur der eingesetzten Produktionsfaktoren**. Dabei lassen sich nach dem vorherrschenden Produktionsfaktor verschiedene Unternehmenstypen unterscheiden. Bei personalintensiven Unternehmen nehmen die Lohnkosten einen hohen Anteil an den Gesamtkosten ein. Kapitalintensive Unternehmen besitzen eine anlagenintensive Produktion, während energieintensive Unternehmen einen hohen Energieverbrauch aufweisen.

2.5 Steuern

Unter Steuern werden nach § 3 Absatz 1 der Abgabenordnung Geldleistungen an den Staat verstanden, die der Staat einseitig festsetzt und denen keine Gegenleistungen gegenüberstehen.

Aus betriebswirtschaftlicher Sicht lassen sich Steuern nach der Auswirkung auf das Unternehmen drei verschiedenen Kategorien zuordnen:

- **Unternehmen ist Steuerschuldner:** Die Steuern dieser Kategorie hat ein Unternehmen unmittelbar zu tragen. Die Besteuerung kann am Gewinn des Unternehmens (Körperschaftsteuer), aber auch an anderen Sachverhalten (z. B. Kraftfahrzeugsteuer, Grunderwerbsteuer) anknüpfen.
- **Durchlaufende Steuern:** Sie werden vom Unternehmen einbehalten und an das Finanzamt abgeführt. Das Unternehmen wird wirtschaftlich nicht durch diese Steuern belastet, buchungstechnisch bilden die einbehalten Steuern bis zur Abführung an das Finanzamt einen durchlaufenden Posten. Steuerträger ist ein Dritter, das Unternehmen fungiert lediglich als „Steuereintreiber". Zu den durchlaufenden Steuern zählen die einbehaltene Lohn- und Kirchensteuer der Arbeitnehmer sowie die Umsatzsteuer.
- **Privatperson ist Steuerschuldner:** Bei Unternehmen in der Rechtsform eines Einzelunternehmens oder einer Personengesellschaft (zu den Rechtsformen vgl. Kap. 2.1) werden die Gewinne den Inhabern oder Gesellschaftern zugerechnet und durch diese versteuert. Daher unterliegt der Gewinn von diesen Unternehmen nicht der Besteuerung durch die Körperschaftsteuer, sondern der Einkommensteuer des Einzelunternehmers oder der Gesellschafter, so dass das Unternehmen von diesen Steuern weder direkt noch indirekt berührt wird.

In Deutschland lassen sich derzeit etwa 40 verschiedene Steuern unterscheiden, wobei die einzelnen Steuerarten eine sehr unterschiedliche Bedeutung besitzen. In Abb. 2.3 sind die Steuerarten mit dem größten Aufkommen zusammengestellt. Es wird deutlich, dass einige wenige Steuerarten, nämlich Lohn- und Einkommensteuer, Körperschaftsteuer und Umsatzsteuer zusammen etwa zwei Drittel des gesamten Steueraufkommens Deutschlands bilden. Im folgenden werden die wichtigsten Steuerarten näher erläutert.

Die Steuer mit dem höchsten Aufkommen ist die **Einkommensteuer**. Besteuert werden Einkünfte, die natürliche Personen

(„Steuerbürger") aus Land- und Forstwirtschaft, Gewerbebetrieb, selbständiger Arbeit, unselbständiger Arbeit, Kapitalvermögen, Vermietung und Verpachtung sowie durch sonstige Einkünfte gemäß §22 EStG erzielen. Bei Arbeitnehmern, die unselbständig tätig sind, erfolgt die Erhebung der Einkommensteuer durch Quellensteuerabzug vom Arbeitslohn. Diese Erhebungsform wird auch als **Lohnsteuer** bezeichnet. Der Arbeitgeber hat die Lohnsteuer anhand von Lohnsteuertabellen zu ermitteln, einzubehalten und zu bestimmten Fälligkeitstagen an das zuständige Finanzamt abzuführen.

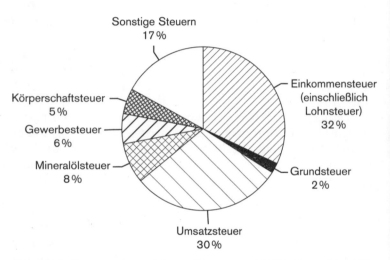

Abb. 2.3: Aufkommen der wichtigsten Steuerarten 1999 in Deutschland (Gesamtaufkommen 453 Mrd. €; die Zahlenwerte basieren auf Angaben des Bundesministeriums der Finanzen)

Das Einkommen von juristischen Personen (Kapitalgesellschaften, Genossenschaften, Vereine) wird durch die **Körperschaftsteuer** besteuert. Für die Ermittlung des Einkommens kommen Regelungen des Einkommensteuergesetzes und des Körperschaftsteuergesetzes zur Anwendung.

Die **Umsatzsteuer** ist eine Steuer auf die Umsätze eines Unternehmens, wobei die Steuer nicht von den Unternehmen, sondern von den Endverbrauchern (Konsumenten) getragen werden soll. Die Unternehmen müssen die Steuer einbehalten und an das Finanzamt abführen, werden jedoch wirtschaftlich nicht durch die Steuer belastet. Grundlage für die Besteuerung ist der **Umsatz** eines Unternehmens. Das in Deutschland zum 1.1.1968 eingeführte Umsatzsteuersystem stellt auf die erzielte Wertschöpfung, den so genannten „Mehrwert" ab und trägt daher auch die Bezeichnung „**Mehrwertsteuer**" (abgekürzt: MwSt). Unternehmen können die Umsatzsteuer, die sie für den Einkauf von Waren und Dienstleistungen aufwenden mussten, von dem einbehaltenen Umsatzsteuerbetrag vor dessen Abführung an das Finanzamt in Abzug bringen. Dieser so genannte **Vorsteuerabzug** stellt sicher, dass letztlich nur die Endverbraucher mit der Steuer belastet werden.

Durch die **Gewerbesteuer** werden sämtliche gewerblichen Unternehmen besteuert. Eine freiberufliche Tätigkeit ist von der Besteuerung ebenso ausgenommen wie die Land- und Forstwirtschaft. Besteuerungsgrundlage ist ein Anteil von fünf Prozent des „Gewerbeertrags", der nach einkommen- oder körperschaftsteuerlichen Regelungen ermittelt wird. Dieser Betrag wird dann mit einem so genannten „Hebesatz" multipliziert, der durch die Gemeindeparlamente festgelegt wird. Da jede einzelne Kommune einen eigenen Hebesatz für ihren Bereich festlegt, schwanken die Hebesätze und damit die Belastung durch die Gewerbesteuer innerhalb Deutschlands erheblich. Die Höhe des Gewerbesteuererhebesatzes stellt einen bedeutenden Standortfaktor dar, der bei der Ansiedlung eines Unternehmens zu beachten ist.

Ebenso wie die Gewerbesteuer fließt auch die **Grundsteuer** den Kommunen zu. Steuerpflichtig ist der in Deutschland liegende Grundbesitz, dessen Wert durch das Finanzamt festgesetzt wird. Wie bei der Gewerbesteuer legen auch bei der Grundsteuer die Kommunen selbständig ihren Hebesatz fest, so dass die Belastung durch die Grundsteuer von der jeweiligen Gemeinde abhängig ist, in der ein Grundstück liegt.

Der Verbrauch von Mineralöl in Form von Heizöl und von Kraftstoffen (Benzin, Diesel) wird durch die **Mineralölsteuer** besteuert. In den letzten Jahren wurden die Steuersätze insbesondere für den Kraftstoffbereich massiv angehoben. Diese Erhöhungen stellen für Unternehmen erhebliche Kostensteigerungen dar, die letztlich an die Kunden weitergebenen werden müssen und dadurch zu allgemeinen Preissteigerungen führen.

Neben diesen Steuerarten bestehen weitere Steuern mit einem geringeren Aufkommen. So werden Versicherungen, bestimmte Getränke (Kaffee, Bier, Schaumwein, Branntwein), Genussmittel (Tabak), Lotterien, Spielbanken, aber auch Verpackungen durch spezielle Steuern belastet. Ein Blick auf zwischenzeitlich weggefallene Steuern zeigt, dass der Staat zur Geldbeschaffung die unterschiedlichsten Bereiche heranzieht: Beispielsweise wurden früher Speiseeis (bis 1971), Salz (bis 1993), Zucker (bis 1993) und Süßstoff (bis 1965), Tee (bis 1993), aber auch Leuchtmittel (Glühlampen bis 1993), Zündhölzer (bis 1981), Spielkarten (bis 1981) und sogar Investitionen (bis 1973) besteuert. Neu geschaffen wurde 1999 eine Steuer auf die Erzeugung von elektrischem Strom.

Eine weitere Abgabe, durch die die Unternehmenstätigkeit beeinflusst werden kann, sind **Zölle**. Zölle können im grenzüberschreitenden Handel anfallen. Es lassen sich Importzölle (Zölle auf eingeführte Waren) und Exportzölle (Zölle auf Ausfuhrwaren) unterscheiden. Historisch lassen Zölle auf Wegbenutzungsabgaben („Wegezölle", „Geleitzölle") zurückführen. Heute sind sie weitgehend ein Instrument der Handelspolitik, wobei innerhalb der Europäischen Union der Zoll seine nationale Bedeutung vollständig verloren hat: Gegenüber Drittländern wenden die EU-Staaten einen einheitlichen Zolltarif an; seit 1988 werden Zölle innerhalb der EU zwar durch die nationalen Zollverwaltungen erhoben, fließen aber vollständig der Europäischen Union zu. Für den Handel innerhalb der Staaten der Europäischen Union werden keine Zölle mehr erhoben und auch beim Warenaustausch mit den meisten übrigen europäischen Ländern sind Zölle stark reduziert.

3. Unternehmensführung (Management)

Es ist die Aufgabe der Unternehmensführung das gesamte Unternehmen und die darin ablaufenden Prozesse zielgerichtet zu steuern. Dies hat Auswirkungen auf alle anderen Teilbereiche des Unternehmens, so dass die Unternehmensführung in diesem Buch vor allen anderen betrieblichen Teilbereichen vorgestellt wird.

Inzwischen hat sich der Begriff des **Managements** gegenüber dem der Unternehmensführung weitgehend durchgesetzt. In den folgenden Ausführungen werden die Begriffe gleichberechtigt nebeneinander verwendet.

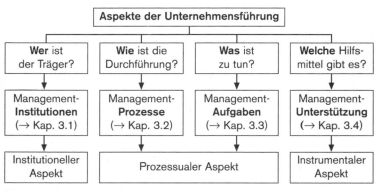

Abb. 3.1: Aspekte der Unternehmensführung

Das Gebiet der Unternehmensführung ist vielgestaltig und kann gemäß Abb. 3.1 unter verschiedenen Aspekten betrachtet werden. Grundsätzlich lässt sich eine institutionelle und eine funktionelle Betrachtungsweise unterscheiden. Bei der institutionellen Sichtweise geht es darum, **wer** die Aufgaben und Funktionen des Managements wahrnimmt (Kap. 3.1). Unter funktionellem Aspekt wird hingegen das **wie, was** und **womit** erläutert: Die Durchführung von Managementprozessen, die vielfältigen Aufgabenbereiche des Managements und schließlich die zur Bewältigung der Aufgaben einsetzbaren Instrumente bilden den Inhalt der folgenden Kapitel.

3.1 Institutionen des Managements

Die Träger des Managements sind die mit Führungsaufgaben betrauten Personen. Dazu zählen nicht nur die eigentliche Leitung des Unternehmens, sondern alle Mitarbeiter, die mit Entscheidungs- und Anordnungsbefugnis ausgestattet sind. Sie werden auch als Führungskräfte oder Manager bezeichnet.

Führungs- und Managementprozesse laufen auf allen Hierarchieebenen eines Unternehmens ab. Eine grobe Unterteilung unterscheidet drei **Managementebenen**:

- **Oberste Unternehmensleitung** (Top-Management): Hierzu zählen die Geschäftsführung oder der Vorstand eines Unternehmens. Auf dieser Ebene werden überwiegend Grundsatzfragen geklärt und strategische („langfristige") Entscheidungen getroffen.
- **Mittlere Führungsebene** (Middle-Management): Führungskräfte der mittleren Ebene (wie z. B. Abteilungsleiter) haben die Vorgaben des Top-Managements umzusetzen, Abläufe zu strukturieren und entsprechende Anordnungen zu treffen. Die Entscheidungen besitzen einen mittelfristigen Zeithorizont.
- **Untere Führungsebene** (Lower-Management): Auf der unteren Ebene (z. B. Meister oder Werkstattleiter) werden kurzfristige Entscheidungen getroffen. Im Vordergrund stehen ausführende Tätigkeiten.

Zwischen diesen Führungsebenen ist vor allem in größeren Unternehmen eine Vielzahl von Zwischenstufen eingeschoben.

3.2 Phasen des Managementprozesses

Managementprozesse lassen sich gemäß Abb. 3.2 in die Phasen Planung, Entscheidung, Umsetzung und Kontrolle unterteilen, auf die im folgenden näher eingegangen wird.

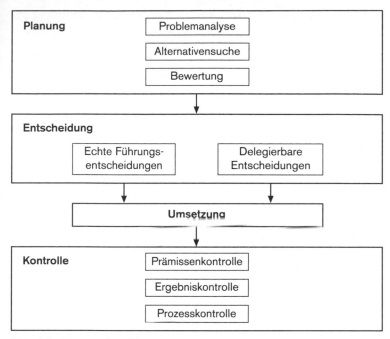

Abb. 3.2: Phasen eines Managementprozesses

3.2.1 Planung

Planung lässt sich als „systematisches, zukunftsbezogenes Durchdenken und Festlegen von Zielen, Maßnahmen, Mitteln und Wegen zur zukünftigen Zielerreichung" definieren (so *Wild*, Unternehmungsplanung, S. 13). Die Planung dient der Vorbereitung des Entscheidungsprozesses, indem mögliche Entwicklungen vorausbedacht und Alternativen aufgezeigt werden. Durch die Planung wird ein geordneter Informationsaustausch zwischen den beteiligten Unternehmensbereichen und zugleich eine Koordination bei der Durchführung von künftigen Maßnahmen sichergestellt.

Planungsprozesse lassen sich in mehrere Schritte untergliedern:

- **Problemanalyse:** Zunächst muss das zu lösende Problem erkannt und strukturiert dargestellt werden, damit ein Planungsprozess durchgeführt werden kann. In Form einer Problemformulierung sind der bestehende und der zu erreichende Zustand zu beschreiben und Restriktionen aufzuzeigen.
- **Alternativensuche:** Handlungsalternativen und Lösungskonzepte werden systematisch oder durch den Einsatz von Kreativitätstechniken gesucht. Anschließend sind die aufgefundenen Ideen und Lösungsansätze zu konkretisieren und auszuarbeiten. Dabei werden Auswirkungen, die eine Verwirklichung einer einzelnen Alternative für das Unternehmen besitzt, aufgezeigt.
- **Bewertung:** Die aufgefundenen Alternativen sind miteinander zu vergleichen und zu bewerten. Als Bewertungsgrundlage dienen der erzielbare Nutzen und die entstehenden Kosten. Ferner sind bestehende Zielkonflikte aufzuzeigen. Zur Herstellung der Vergleichbarkeit von verschiedenen Alternativen dienen Managementtechniken (vgl. Kap. 3.4.1).
Manche Autoren bezeichnen die sich an die Bewertung anschießende Entscheidungsphase als letzte Stufe des Planungsprozesses. Aufgrund der Besonderheiten sowohl bezüglich der auszuführenden Tätigkeiten wie auch bezüglich der handelnden Personen wird die Entscheidung üblicherweise (und so auch hier) als eigene Phase definiert (vgl. Kap. 3.2.2).

Wenn Planungsprozesse regelmäßig durchgeführt werden (und das ist in den meisten Unternehmen der Fall) empfiehlt sich die Schaffung eines **Planungshandbuchs**. Darin werden der Ablauf der Planung, grundlegende Zielsetzungen, geltende Prämissen, einzusetzende Planungsverfahren, die Planungsträger und deren Zusammenwirken im Planungsprozess dokumentiert. Planungshandbücher verbessern die Planungsaktivitäten eines Unternehmens erheblich, müssen jedoch regelmäßig gepflegt und auf den neuesten Stand gebracht werden.
Nach dem **Zeithorizont** der Planung lassen sich die strategische, die taktische und die operative Ebene unterscheiden:
- **Strategische** oder langfristige Planung: Im Rahmen der strate-

gischen Planung werden grundlegende Entscheidungen für die Zukunft des Unternehmens getroffen. Aus den Unternehmenszielen (vgl. Kap. 3.3.1.2) und den möglichen Erfolgspotentialen des Unternehmens heraus sind **Strategien** zu entwickeln, die den erfolgreichen Fortbestand des Unternehmens sicherstellen und zugleich eine Orientierung für die verschiedenen Unternehmensteilbereiche bietet.

Die strategische Planung besitzt eine langfristige Ausrichtung, der beplante Zeitraum liegt mit fünf bis zehn Jahren weit in der Zukunft. Daher stehen häufig nur ungenaue Planungsgrundlagen zur Verfügung, es muss auf grobe Schätzungen zurückgegriffen werden: Ein strategischer Planungsprozess ist „schlecht strukturiert".

- **Taktische** oder mittelfristige Planung. Die taktische Planung besitzt einen Planungshorizont von einem bis hin zu fünf Jahren. Sie dient der Konkretisierung der durch die strategische Planung vorgegebenen Rahmenbedingungen. Es sind die Bereitstellung der benötigten Ressourcen (Kapital, Personal, Material), aber auch die Produktionsprozesse und die künftigen Absatzwege zu planen.

- **Operative** oder kurzfristige Planung: Bei der operativen Planung ist der Detaillierungsgrad noch größer als bei der taktischen Planung. Der Planungshorizont reicht bis zu einem Jahr, wobei je nach Unternehmensausrichtung und Produktionsstruktur die operative Planung bis hin zu einer tage- oder sogar stundenweisen Planung heruntergebrochen werden kann. Insbesondere bei einer Just-in-time-Produktion, bei der auf eine unternehmenseigene Lagerhaltung weitgehend verzichtet wird, sind erhöhte Anforderungen an die operative Planung zu stellen.

Im betriebswirtschaftlichen Schrifttum wird häufig auf die taktische Planungsebene verzichtet. Statt dessen wird die operative Planung auf einen Planungszeitraum von bis zu zwei Jahren ausgedehnt. Daran schließt sich dann unmittelbar die strategische Planung an.

Bei einer im Jahr 2000 durch das Beratungsunternehmen KPMG durchgeführten Untersuchung zum Thema „Unterneh-

mensplanung" gaben 90 Prozent der befragten deutschen Großunternehmen an, operative Unternehmenspläne aufzustellen. 79
Prozent der Unternehmen führen eine eigenständige strategische
Unternehmensplanung durch. Adressat der Planungsergebnisse
sind im wesentlichen das Management und die Finanzwirtschaft
des Unternehmens.

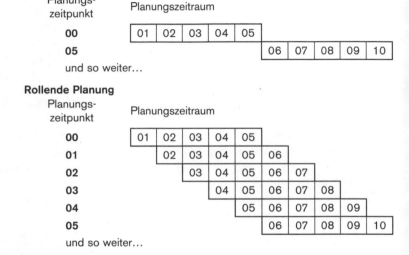

Abb. 3.3: Prinzip von Blockplanung und rollender Planung

Pläne verlieren im Zeitablauf an Aktualität. Daher müssen sie in
regelmäßigen Abständen überarbeitet („revidiert") werden. Dazu
ist es denkbar, dass kurz vor Abschluss einer Planungsperiode von
beispielsweise fünf Jahren eine neue Fünf-Jahres-Periode geplant
wird. Diese Vorgehensweise, die auch als **Blockplanung** bezeichnet wird, besitzt den Nachteil, dass kurz- oder mittelfristige Veränderungen in den Planungsgrundlagen bis zur Neuplanung für den
nächsten Planungszeitraum unberücksichtigt bleiben. Deshalb ist
eine **rollende** („rollierende") **Planung** zu bevorzugen. Wie Abb. 3.3
verdeutlicht, erfolgt bei der rollenden Planung noch während
der laufenden Planperiode eine Neuplanung, indem ein neuer

Zeitabschnitt (z. B. ein Jahr oder ein Monat) angefügt wird und auch die Planung der zuvor bereits geplanten Perioden überarbeitet wird. Dies erhöht zwar den Planungsaufwand, da häufiger geplant werden muss; die Planergebnisse stehen jedoch zeitnäher zur Verfügung und sind daher wesentlich realitätsnäher.

Je nach Größe des Unternehmens unterscheiden sich die **Träger des Planungsprozesses**: In kleineren Unternehmen wird die Planung von der Geschäftsführung oder dem „Chef" selbst ausgeführt; bei zunehmender Unternehmensgröße wird diese Aufgabe speziellen Mitarbeitern oder Stabsabteilungen zugewiesen. Daneben ist es möglich, untergeordnete Bereiche in den Planungsprozess mit einzubeziehen.

Für die Einbeziehung untergeordneter Bereiche des Unternehmens in den Planungsprozess lassen sich Top-down-Planung, Bottom-up-Planung und die Planung im Gegenstromverfahren einsetzen. Bei der **Top-down-Planung** erfolgt eine Vorgabe von Rahmenwerten „von oben", während die Detaillierung der Pläne auf unteren Hierarchiestufen erfolgt. Bei der **Bottom-up-Planung** werden zunächst Daten und Planwerte auf unteren Ebenen gesammelt und dann immer weiter verdichtet, bis eine Gesamtplanung für das Unternehmen vorliegt. Bei der Planung im **Gegenstromverfahren** erfolgt zunächst eine Top-Down-Vorgabe von Eckwerten und Planungsprämissen, auf deren Basis Detailplanungen dezentral auf unteren Unternehmensebenen erstellt werden können. Die Aufstellung der Teilplanung erfolgt jeweils durch die zuständigen Verantwortungsträger (z. B. Abteilungs- oder Kostenstellenleiter). Anschließend werden die Teilplanungen zentral zusammengefasst. Unstimmigkeiten zwischen den Teilplänen sind unter Beteiligung der betroffenen Entscheidungsträger auszuräumen, wobei dies ein zeitaufwendiges Verfahren darstellt.

3.2.2 Entscheidung

Unter einer Entscheidung wird die Auswahl einer bestimmten Handlungsalternative verstanden. Als Entscheidungsgrundlage dienen die Ergebnisse der Planung. Wenn im Rahmen der Bewertung bereits eine Rangfolge der einzelnen Alternativen festgelegt wurde, steht die optimale Alternative bereits fest. Im Entscheidungsprozess sind jedoch neben rationalen, quantitativen Kriterien auch numerisch nicht erfassbare, qualitative Größen einzubeziehen. Zudem werden oft „politische" Entscheidungen getroffen, also Entscheidungen, die aufgrund von Überzeugungen, nicht aufgrund von Sachkriterien gefällt werden.

Entscheidungen werden auf den unterschiedlichsten Hierarchieebenen und zu den unterschiedlichsten Anlässen gefällt. Entscheidungen, die von der obersten Unternehmensleitung getroffen werden müssen, werden als **„echte Führungsentscheidungen"** bezeichnet. Dazu zählen strategische Entscheidungen (wie die Festlegung von Unternehmensphilosophie und Unternehmenspolitik, vgl. Kap. 3.3.1), die Koordination der einzelnen Unternehmensteile, die Besetzung der Führungsstellen im Unternehmen sowie das Krisenmanagement. Diese Entscheidungen können nicht auf niedrigere Hierarchieebenen übertragen werden.

Neben den echten Führungsentscheidungen bestehen weitere Entscheidungen, die das Top-Management an nachgeordnete Hierarchiestufen delegieren kann. Dies sind vor allem Routineentscheidungen oder Entscheidungen, deren Auswirkung für das Gesamtunternehmen keinen großen Einfluss besitzt.

3.2.3 Umsetzung

Nachdem die Entscheidung für eine Handlungsalternative gefallen ist, muss diese realisiert werden. Dazu sind an eine oder mehrere Personen entsprechende Instruktionen zu erteilen. Bei dieser **Aufgabenübertragung** ist es erforderlich, dass klare und eindeutige Anweisungen erteilt und alle für die Ausführung benötigten Informationen weitergegeben werden. Ferner muss beachtet werden, dass die für die Ausführung vorgesehenen Personen die notwendigen Kenntnisse, Kompetenzen, aber auch die erforderlichen zeitlichen Freiräume besitzen, um den Auftrag erfolgreich ausführen zu können.

Es ist eine Aufgabe des Managements, die Mitarbeiter zur Umsetzung zu motivieren. Wenn sich Widerstände regen, wird aus der Umsetzung eine **Durchsetzung**. In der Phase der Umsetzung zeigt es sich immer wieder, dass es wesentlich einfacher ist, am „grünen Tisch" ein Konzept zu erarbeiten, als es später erfolgreich umzusetzen.

3.2.4 Kontrolle

Planung und Kontrolle sind eng miteinander verknüpft. Die wechselseitige Abhängigkeit verdeutlicht die alte Regel „Planung ohne Kontrolle ist unsinnig, Kontrolle ohne Planung unmöglich". Die Abhängigkeit besteht, weil die Kontrolle fest an die Planvorgaben gekoppelt ist; umgekehrt fließen auch die in Kontrollvorgängen ermittelten Ergebnisse in nachfolgende Planungsprozesse ein, wenn Planung und Kontrolle zu einem **Planungs- und Kontrollsystem** verbunden werden. Ein Beispiel für aufeinander abgestimmte Planungs- und Kontrollprozesse bieten Finanzplanung und -kontrolle, die in Kap. 5.2.2 und 5.2.3 dargestellt sind.

In der Phase der „Kontrolle" wird überprüft, ob die geplanten Handlungsalternativen und Ziele so umgesetzt wurden, wie es zuvor geplant worden war. Es lassen sich drei **Bereiche der Kontrolle** unterscheiden:

- **Prämissenkontrolle:** Bei der Prämissenkontrolle wird überprüft, ob die Entscheidungsgrundlagen, die im Rahmen der Planung erarbeitet wurden und die der Entscheidung zu Grunde gelegen haben, noch gültig sind. Ist hier eine Veränderung eingetreten oder wurde von falschen Voraussetzungen ausgegangen, muss ggf. eine Korrektur durch die Unternehmensleitung vorgenommen werden.

- **Ergebniskontrolle:** Durch Soll-Ist-Vergleiche werden die geplanten Werte (Soll-Größen) mit den tatsächlich erreichten Ergebnissen (Ist-Größen) verglichen. Daraus lässt sich ein Zielerreichungsgrad bestimmen. Durch Abweichungsanalysen ist zu ermitteln, auf welche Ursachen die eingetretenen Abweichungen zurückzuführen sind.

  Ergänzend können die Ist-Größen auch in Bezug zu Vergangenheitswerten oder zu Werten von vergleichbaren Unternehmen gesetzt werden, um die Entwicklung des eigenen Unternehmens beurteilen zu können.

- **Prozesskontrolle:** Bei der Prozesskontrolle werden die im Unternehmen eingesetzten Verfahren (z. B. Verfahren der Beschaffung, Fertigungsverfahren) und das Verhalten der Mitarbeiter (Qualifikation, aber auch der Umgang mit Kunden) kontrolliert und kritisch hinterfragt.

Eine besondere Form der Kontrolle stellt die **Revision** dar, die in den Ausprägungsformen Innen- und Außenrevision durchgeführt werden kann. Bei der Revision wird die Kontrolle durch Personen vorgenommen, die nicht in die betrieblichen Abläufe eingebunden sind, die somit eine gewisse Unabhängigkeit und einen anderen Blickwinkel besitzen. Während bei der Innenrevision Mitarbeiter einer speziellen Abteilung des eigenen Unternehmens die Kontrolle durchführen, kommen bei der Außenrevision unternehmensexterne Personen (z. B. Wirtschaftsprüfer) zum Einsatz.

3.3 Managementaufgaben

3.3.1 Konzeptionelle Aufgaben

Die Unternehmensleitung hat grundlegende Entscheidungen zu treffen, die das Unternehmen langfristig binden. Dazu zählen Entscheidungen, die bei der Gründung eines Unternehmens bezüglich der in Kap. 2 dargestellten Rahmenbedingungen getroffen wurden. Darüber hinaus zählen zu den konzeptionellen Aufgaben die Entwicklung einer Unternehmensphilosophie, aus der sich ein Unternehmensleitbild, die Ziele des Unternehmens und schließlich die Unternehmenspolitik ableiten lassen. Dieser Aufgabenbereich wird auch als **„strategisches Management"** bezeichnet.

3.3.1.1 Unternehmensphilosophie und Unternehmensleitbild

In der **Unternehmensphilosophie** sind ethische und moralische Richtlinien, die für das Unternehmen maßgeblich sein sollen, festgelegt. Diese Richtlinien bilden die Grundlage für alles wirtschaftliche Handeln eines Unternehmens. Daher müsste die Unternehmensphilosophie eigentlich bereits bei der Gründung eines Unternehmens in schriftlicher Form fixiert werden. Dies ist jedoch nur in Ausnahmefällen so. Bei kleineren Unternehmen existiert eine Unternehmensphilosophie zumeist nur im Kopf der Gründer. Unter der Zuhilfenahme von externen Unternehmensberatern haben viele größere Unternehmen Richtlinien in Form eines **Unternehmensleitbildes** zusammengefasst und veröffentlicht. Solche aufwendig erstellten Leitbilder können jedoch rasch in der Folge von Fusionen oder Unternehmensumwandlungen zur Makulatur werden.

Der Erstellung eines Unternehmensleitbildes geht eine Analyse des eigenen Unternehmens und der Umwelt voraus. Aus den Ergebnissen dieser Analyse und den eigenen Wertvorstellungen werden dann Leitlinien abgeleitet. Sie können Aussagen zu folgenden Themenbereichen beinhalten:

- Einstellung des Unternehmens zum Staat und zur sozialen Marktwirtschaft
- Betonung der Verantwortung für Mensch und Umwelt
- Einstellung des Unternehmens zu Fortschritt, Wettbewerb, Wachstum und Gewinnverwendung
- Produktpalette, Geschäftsfelder und Marketingfragen (Reichweite, Marktstellung)
- Verantwortung für Mitarbeiter
- Verhalten gegenüber Lieferanten und Kunden

3.3.1.2 Unternehmensziele

Ziele sind Aussagen über zukünftige Zustände, die durch konkrete Handlungen erreicht werden sollen. Die Zielsetzung eines Unternehmens ist keine starre, vorgegebene Größe. Sie setzt sich aus mehreren Teilzielen zusammen und ist das Ergebnis eines Entscheidungsprozesses, an dem sich die Eigner des Unternehmens, das Management, die Mitarbeiter aber auch gesellschaftliche Gruppen beteiligen. Welchen Einfluss die einzelnen Gruppen besitzen, hängt von der Struktur und der Art des Unternehmens ab. Grundsätzlich lassen sich nach dem Inhalt der Ziele zwei Kategorien unterscheiden: Formal- und Sachziele.

Formalziele, die auch als **Erfolgsziele** bezeichnet werden, sind den Sachzielen übergeordnet. Auf der Grundlage des ökonomischen Prinzips (vgl. Kap. 1.2) bieten sie der Unternehmensführung eine Leitlinie für den optimalen Einsatz der Produktionsfaktoren. Wichtige **Erfolgsgrößen** eines Unternehmens sind:

- **Gewinn:** Er errechnet sich aus der Differenz zwischen positiven und negativen Erfolgsgrößen des Unternehmens. Positive Erfolgsgrößen sind Einnahmen, Erträge oder Erlöse, negative Erfolgsgrößen sind Ausgaben, Aufwendungen und Kosten. Üblicherweise wird der Erfolg einer Periode auf Basis der handelsrechtlichen Vorgaben betrachtet, also die Differenz zwischen Ertrag und Aufwand.
- **Rentabilität:** Sie bezieht den Gewinn auf das zur Gewinnerzielung eingesetzte Kapital. Es gilt:

$$\text{Rentabilität} = \frac{\text{Gewinn} \times 100}{\text{Eingesetztes Kapital}}$$

Je nachdem, welche Kapitalabgrenzung gewählt wird, lassen sich unterschiedliche Rentabilitäten berechnen (z. B. die Eigenkapitalrentabilität, vgl. dazu Kap. 5.2.3.1).

- **Produktivität:** Sie stellt das mengenmäßige Verhältnis zwischen Ausgangsgrößen (Output) und den eingesetzten Produktionsfaktoren (Input) dar:

$$\text{Produktivität} = \frac{\text{Output}}{\text{Input}}$$

Zumeist werden **Teilproduktivitäten** errechnet, die sich auf bestimmte Produktionsfaktoren beziehen. So kann beispielsweise unterschieden werden

$$\text{Arbeitsproduktivität} = \frac{\text{Anzahl geschriebene Briefe}}{\text{Arbeitszeit}}$$

$$\text{Maschinenproduktivität} = \frac{\text{Produzierte Stückzahl}}{\text{Maschinenlaufzeit}}$$

- **Wirtschaftlichkeit:** Bei der Wirtschaftlichkeit erfolgt keine mengenmäßige, sondern eine wertmäßige Betrachtung. Es werden Wertgrößen in ein Verhältnis gesetzt, z. B.

$$\text{Aufwandswirtschaftlichkeit} = \frac{\text{Ertrag}}{\text{Aufwand}}$$

- **Unternehmenswert** (Shareholder Value): In den letzten Jahren hat die Kapitalmarktorientierung der Unternehmen stark zugenommen. Bei vielen Unternehmen sieht es das Management als seine wichtigste Aufgabe an, den Wert des Unternehmens und damit den Aktienkurs zu steigern. Dazu werden oft erhebliche finanzielle Transaktionen (wie beispielsweise der Kauf und Verkauf von Tochterunternehmen, Fusion mit anderen Unternehmen) getätigt und Umstrukturierungsmaßnahmen eingeleitet, die eine dauerhafte Steigerung des Unternehmenswertes bewirken sollen.
Diese an sich positiv zu beurteilende Zielsetzung kann jedoch negative Auswirkungen haben, wenn die Politik des Managements ausschließlich darauf ausgerichtet ist, (kurzfristige) Steigerungen des Aktienkurses zu erzielen. Zudem wurde festgestellt, dass Unternehmenszusammenschlüsse aufgrund zu hoher Kaufpreise und eines unzureichenden Integrationsmanagements bei weniger als der Hälfte aller Fälle erfolgreich sind.

Für eine Umsetzung im Unternehmen müssen die Formalziele operationalisiert werden. Eine entsprechende Vorgabe des Managements kann so aussehen: Im kommenden Jahr soll ein Gewinn von 10 Mio. € erzielt werden und die Produktivität soll um 5 % steigen.

Die **Sachziele** sind aus den Formalzielen abgeleitet. Sie betreffen konkrete Tatbestände in einzelnen betrieblichen Funktionsbereichen. Folgende Sachzielbereiche lassen sich unterteilen:

- **Leistungsziele** sind maßgeblich im Bereich von Produktions- und Absatzwirtschaft (Kap. 8 und 9). Die Leistungserstellung und deren Verwertung können über den Umsatz oder die Marktstellung des Unternehmens, aber auch durch Kenngrößen im Produktionsprozess beurteilt werden.

- **Finanzziele:** Es ist eine Aufgabe der Finanzwirtschaft (Kap. 5), die Zahlungsfähigkeit und die Verfügbarkeit von Kapital für

Investitionen sicherzustellen. Als Indikator dienen z. B. Liquiditätskennzahlen (zur Liquidität vgl. Kap. 5.1.3).

- **Mitarbeiterbezogene Ziele** betreffen die Mitarbeiterführung (Kap. 3.3.3) und die Personalwirtschaft (Kap. 6). Als Ziele können z. B. eine gerechtere Entlohnung, die Verbesserung der Weiterbildungsmöglichkeiten oder der Arbeitsbedingungen (durch Vorgaben bezüglich der Mitarbeiterführung, des Führungsstils sowie der Arbeitsplatzgestaltung) genannt werden.

- **Gesellschaftsbezogene Ziele:** Als Teil der Gesellschaft haben Unternehmen der Gesellschaft zu dienen und zur Lösung von gesellschaftlichen Problemen beizutragen. Unternehmen können dies aus eigener Entscheidung, aber auch gezwungener Maßen (aufgrund von gesetzlichen Vorgaben) tun. Zu diesem Bereich zählen z. B. die Beschäftigung von behinderten Arbeitnehmern oder Fragen des Umweltschutzes. Zielvorgaben können die Senkung von Abgasemissionen oder die Verminderung des Abfallaufkommens sein.

Die Ziele eines Unternehmens stehen nicht isoliert nebeneinander. Sie sind aufeinander abzustimmen und zu einem **Zielsystem** zusammenzufügen. Dabei aufgezeigte Zielkonflikte hat die Unternehmensleitung durch das Setzen von Präferenzen oder durch eine Unterscheidung in Haupt- und Nebenziele zu lösen.

Unternehmensziele beziehen sich auf das gesamte Unternehmen. Daneben bestehen in einem Unternehmen auch Ziele auf untergeordneter Ebene; so finden sich Bereichsziele für Unternehmensteilbereiche oder Mitarbeiterziele, die eine Zielvereinbarung mit einzelnen Mitarbeitern darstellen.

3.3.1.3 Unternehmenspolitik

Auf der Grundlage des Unternehmensleitbildes und der Unternehmensziele wird die **Unternehmenspolitik** formuliert und umgesetzt. Dazu werden aus langfristigen Unternehmenszielen zu verfolgende Maßnahmen (Strategien) abgeleitet sowie die zu deren Umsetzung erforderlichen Ressourcen festgelegt.

An diesen Festlegungen hat sich die Politik des gesamten Unternehmens zu orientieren. Es ist die Aufgabe des Managements, neben der Formulierung auch die Umsetzung dieser Vorgaben sicherzustellen. Dies geschieht durch Information der betroffenen Mitarbeiter, durch die Formulierung von Anweisungen sowie durch eine Kontrolle der Umsetzung (so genannte „Evaluierung").

3.3.2 Organisation

In einer arbeitsteilig organisierten Arbeitswelt ist es erforderlich, dass Regeln und Strukturen festgelegt werden, in deren Rahmen Leistungserstellungsprozesse ablaufen können. Diese Regeln und Strukturen werden als Organisation bezeichnet. Es ist die Aufgabe der Unternehmensleitung, durch organisatorische Maßnahmen das Unternehmen zu ordnen. Dadurch erfolgt eine Erhöhung der Effizienz des Leistungserstellungsprozesses und durch eine Standardisierung die Verbesserung der Abläufe im Unternehmen. Dabei muss das richtige Maß gefunden werden: Zu viele organisatorische Vorgaben lassen ein Unternehmen erstarren (Überorganisation, Bürokratisierung), während bei zu wenigen Vorgaben (Unterorganisation) chaotische Zustände auftreten können.

Es lassen sich zwei **Teilbereiche** der Organisation unterscheiden: Die Aufbauorganisation, bei der es um die hierarchische Struktur des Unternehmens geht, und die Ablauforganisation, bei der die Strukturierung der Leistungserstellungsprozesse in einzelne Arbeitsschritte betrachtet wird.

3.3.2.1 Aufbauorganisation (Strukturorganisation)

Im Rahmen der Aufbauorganisation werden grundlegende Strukturen festgelegt, die die Zugehörigkeits- und Abhängigkeitsbeziehungen eines Unternehmens widerspiegeln. Dazu wird das gesamte Unternehmen in Organisationseinheiten zerlegt. Die kleinste Organisationseinheit trägt die Bezeichnung „**Stelle**". Einer Stelle sind zu erfüllende Aufgaben zugeordnet, aber auch Kompetenzen (d. h. Rechte und Befugnisse), um diese Aufgaben ausführen zu können. Eine Stelle, der Leitungsbefugnisse zugewiesen werden, bezeichnet man als **Instanz** (Leitungsstelle), die übrigen Stellen heißen ausführende Stellen.

Von der Stelle als abstrakter Arbeitsaufgabe ist der **Arbeitsplatz** zu unterscheiden, der als Ort der Arbeitserbringung gilt. Einer Stelle können durchaus mehrere Arbeitsplätze (z. B. Schreibtisch im Büro und Laborplatz) zugewiesen sein. Umgekehrt können auch mehrere Mitarbeiter einer Stelle zugewiesen werden, wenn sie dieselbe Aufgabe erfüllen (z. B. mehrere Buchhalter).

Die Zusammenfassung mehrerer Stellen zur Erfüllung einer betrieblichen Teilaufgabe wird als **Abteilung** bezeichnet, wobei die Abteilung aus einem Abteilungsleiter als Instanz und mehreren Stellen zur Ausführung der Arbeiten besteht. Je nach Größe eines Unternehmens werden mehrere Abteilungen wiederum zu übergeordneten Einheiten (z. B. Hauptabteilungen) zusammenfasst und in hierarchische Beziehungen zu anderen Abteilungen und Einheiten des Unternehmens gebracht.

Die so entstehende Organisationsstruktur lässt sich in Form eines **Organigramms** abbilden, bei dem die einzelnen Stellen durch Rechtecke und die Unterstellungsverhältnisse in Form von Linien dargestellt werden. Häufig werden im Organigramm den Stellen auch die Namen der Stelleninhaber zugeordnet. Organigramme finden sich in vereinfachter Form in Geschäftsberichten und Informationsbroschüren von vielen Unternehmen und ermöglichen eine rasche Orientierung bezüglich der Organisationsstruktur eines Unternehmens. Ein einfaches Organigramm ist in Abb. 3.4 dargestellt.

Eine weitere Form der Darstellung der aufbauorganisatorischen Struktur eines Unternehmens sind **Stellenbeschreibungen**, in denen für jede Stelle die Anforderungen an den Stelleninhaber, dessen Aufgaben- und Zuständigkeitsbereich sowie die hierarchischen Verhältnisse (Über- und Unterstellung) aufgezeichnet sind. Daraus ergeben sich häufig auch Hinweise auf die Entlohnung des Mitarbeiters.

Es lassen sich als **Organisationsstrukturtypen** die funktionale und die Spartenorganisation unterscheiden. Bei der **funktionalen** oder verrichtungsorientierten **Organisation** erfolgt eine Gliederung nach betrieblichen Funktionsbereichen. So lassen sich die Bereiche Beschaffung, Produktion, Absatz, Personalwesen sowie Finanz- und Rechnungswesen unterscheiden. Bei der **Spartenor-**

ganisation, die auch als divisionale oder objektorientierte Organisationsstruktur bezeichnet wird, erfolgt die Unterteilung nach Objekten, die sich aus den einzelnen Produktionsbereichen (Unternehmenssparten) ergeben. Ferner ist es möglich, die Organisationsstruktur an der regionalen Gliederung der Absatzmärkte (z. B. Deutschland, Europa, Übersee) oder an Kundengruppen (Großhandel, Einzelhandel) zu orientieren. Abb. 3.4 verdeutlicht diesen Sachverhalt in Organigrammform.

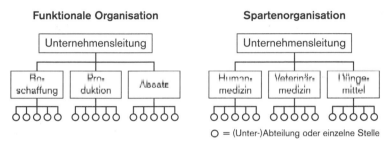

Abb. 3.4: Organisationsstrukturtypen

In der Praxis finden sich häufig **Mischformen**, die sich historisch entwickelt haben oder mit denen Besonderheiten bei der Geschäftsabwicklung Rechnung getragen werden soll. So kann neben einer funktionalen Organisationsstruktur z. B. eine Sparte „Spanien" vorgesehen sein, wenn die Geschäftsbeziehungen mit diesem Land eine überragende Bedeutung für das Unternehmen besitzen.

Neben der Organisationsstruktur spielt die Art des Unterstellungsverhältnisses ein wichtiges Kriterium bei der Unterscheidung von Aufbaustrukturen. Es lassen sich zwei Grundtypen von **Leitungssystemen** unterscheiden: Das Einlinien- und das Mehrliniensystem.

Beim **Einliniensystem** ist jeder Stelle eine Instanz zugeordnet, so dass jeder Mitarbeiter des Unternehmens genau einen direkten Vorgesetzten (nicht mehrere Vorgesetzte) besitzt. Dem Vorteil einer klaren Kompetenz- und Verantwortungsabgrenzung sowie der Übersichtlichkeit stehen beim Einliniensystem dessen Starrheit und die Länge der Dienstwege gegenüber. Abb. 3.4 zeigt das Grundprinzip eines Einliniensystems.

Das **Mehrliniensystem**, das bereits Anfang des letzten Jahrhunderts als „Funktionsmeistersystem" von *Frederick W. Taylor* (1856–1915) empfohlen wurde, sieht für jede Stelle mehrere Instanzen vor. Ein Mitarbeiter ist somit mehreren Vorgesetzten unterstellt, wobei jeder Vorgesetzte nur Weisungen erteilen darf, die sein Spezialgebiet betreffen. Durch diese Spezialisierung der Vorgesetztenfunktion sollen die Qualität der Weisungen verbessert und zugleich lange Kommunikationswege vermieden werden. Doch es kann beim Mehrliniensystem leicht zu Kompetenzstreitigkeiten zwischen den Vorgesetzten und zu einer Verwirrung bei den unterstellten Mitarbeitern („wer hat mir nun etwas zu sagen?") kommen.

Um die Nachteile des Einliniensystems mit den Vorteilen des Mehrliniensystems zu verbinden, lassen sich beide Systeme kombinieren. Dazu wird die **disziplinarische** und die **fachliche Weisungsbefugnis** aufgeteilt: Auf der Grundlage einer Einlinienorganisation besitzt jeder Mitarbeiter eine eindeutige hierarchische Unterstellung und unterliegt eindeutigen disziplinarischen Weisungsbefugnissen einer vorgesetzten Instanz. Zusätzlich erfolgt im Sinne einer Mehrlinienorganisation die fachliche Unterstellung unter eine andere Instanz. Ein Beispiel für eine derartige Organisationsform: In größeren Industrieunternehmen ist die Produktion häufig in einzelne Teilbetriebe („Werke") aufgeteilt, wobei jedes Werk eine eigene Verwaltung besitzt. Die Mitarbeiter der Werksverwaltung sind disziplinarisch dem Werksleiter, fachlich jedoch der jeweiligen Fachabteilung (z. B. Personalabteilung, Rechnungswesen) in der Zentralverwaltung unterstellt. Durch die fachliche Unterstellung wird sichergestellt, dass im Gesamtunternehmen einheitliche Richtlinien umgesetzt werden und nicht jedes Zweigwerk eigene Sonderregelungen trifft.

Eine in der Praxis häufig anzutreffende Organisationsform stellt das **Stab-Linien-System** dar, bei dem ein Einliniensystem durch so genannte **Stabsstellen** ergänzt wird. Hierbei handelt es sich um Führungshilfsstellen ohne eigene Entscheidungs- oder Weisungsbefugnis. Sie sind einer Instanz zugeordnet und haben die Aufgabe, dieser Instanz zuzuarbeiten (z. B. durch Informationsaufbereitung) und diese damit zu entlasten. Beispiele für Stabsstellen sind der Geschäftsführungsassistent, der Justiziar oder auch eine Gruppe für strategische Planungen. In Abb. 3.5 ist ein Beispiel für eine Stab-Linien-Organisation dargestellt. Dabei stellen Kästchen mit einer durchgezogenen Umrandung Instanzen, Kästchen mit punktierter Umrandung Stäbe dar.

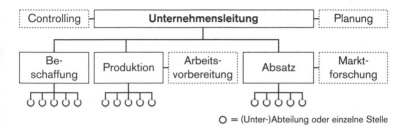

O = (Unter-)Abteilung oder einzelne Stelle

Abb. 3.5: Stab-Linien-Organisation

Durch die Stäbe, die sich in größeren Unternehmen zu ganzen Stabsabteilungen entwickeln können, werden die Instanzen wirkungsvoll entlastet. Konflikte können entstehen, wenn die Vorschläge der Stäbe von den Linieninstanzen als weltfremd abgewiesen werden oder wenn sich Stabsmitarbeiter infolge ihres Wissens und der Einblickmöglichkeiten zu „grauen Eminenzen" entwickeln, die die Unternehmenspolitik maßgeblich beeinflussen und damit Macht ausüben, ohne Verantwortung tragen zu müssen.

Eine weitere Form eines Leitungssystems stellt die **Matrixorganisation** dar, die eine Weiterentwicklung der Mehrlinienorganisation bildet. Bei der Matrixorganisation wird das Prinzip der funktionalen und der Sparten-Organisation mit dem der mehrfachen Unterstellung verknüpft. Eine Stelle im Unternehmen ist zugleich einem Funktionsmanager und einem Spartenmanager unterstellt. In Organigrammdarstellung führt dies zu einer matrixförmigen Struktur (siehe Abb. 3.6). Diese Abbildung ist so zu verstehen, dass z. B. der Bereich „Produktion Veterinärmedizin" sowohl der Produktionsabteilung wie auch der Sparte Veterinärmedizin unterstellt ist. Wird neben den beiden Dimensionen Funktion und Sparte ein drittes Organisationsgliederungskriterium (wie z. B. regionale Gliederung) hinzugefügt, handelt es sich um eine **Tensororganisation**.

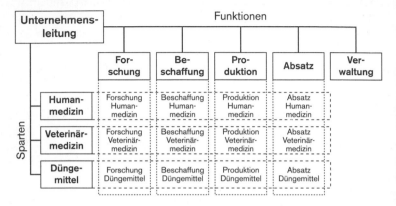

Abb. 3.6: Matrixorganisation

Der Vorteil der Matrixorganisation wird darin gesehen, dass eine Zusammenarbeit der verschiedenen Unternehmensbereiche gefördert wird: Durch die Organisationsstruktur bestehen direkte Schnittpunkte zwischen den Funktionen und Sparten, so dass Kommunikations- und Entscheidungswege verkürzt werden. Dieser Aspekt kann sich jedoch nachteilig auswirken, wenn es ständig zu Konflikten und Streitereien kommt. Um dies zu vermeiden müssen frühzeitig eindeutige Regelungen getroffen werden, wie Konflikte zu lösen sind.

3.3.2.2 Ablauforganisation (Prozessorganisation)

Während die Festlegung der Aufbauorganisation eine langfristige („strategische") Aufgabe der Unternehmensführung darstellt, sind ablauforganisatorische Fragestellungen kurzfristiger („operativer") Art. Mit den aufbauorganisatorischen Strukturen als vorgegebenem Rahmen werden durch die Ablauforganisation die einzelnen im Unternehmen ablaufenden Prozesse untersucht und in Teilschritte zerlegt. Anschließend erfolgt die Synthese, der

Zusammenbau der Teilschritte, wobei versucht wird, Ablaufver-besserungen zu erreichen. Bei der Durchführung sind folgende Aspekte zu beachten:

- **Personaler Aspekt** („wer?"): Es ist festzulegen, welche Stelle im Unternehmen eine Tätigkeit ausführen soll. Der personale Aspekt betrachtet nicht nur die Mitarbeiter (Personen), son-dern auch die Arbeitsmittel. Bei der Festlegung sind die zur Ausführung erforderlichen Kenntnisse, das Leistungsvermö-gen, die Kapazitäten und die Belastung durch andere Tätig-keiten zu berücksichtigen.
- **Räumlicher Aspekt** („wo?"): An welchem Ort ist es sinnvoll, die Tätigkeit auszuführen? Können durch eine veränderte Anord-nung der Arbeitsmittel (z. B. Maschinenanordnung, ggf. sogar Fließfertigung) oder der Arbeitsplätze Verbesserungen erzielt werden? Sind die Produktionsstätten aus ablauforganisatori-scher Sicht umzugestalten?
- **Zeitlicher Aspekt** („wann?"): In welcher Reihenfolge und zu welchem Zeitpunkt müssen die Tätigkeiten ausgeführt werden? In welcher Reihenfolge sind die Maschinen zu belegen? Wel-che Produktionsschritte können vorgezogen oder nachverla-gert werden?
- **Ressourcenmäßiger Aspekt** („womit?"): Hierzu zählt die Bereit-stellungsplanung der benötigten Roh-, Hilfs- und Betriebsstoffe sowie der Zulieferteile.

Die einzelnen Aspekte zeigen die Komplexität des Planungs-prozesses. Mit Ausnahme von grundlegenden Entscheidungen (z. B. Umgestaltung der Produktionsstandorte) wird die Ablauf-planung nicht durch die oberste Unternehmensleitung, sondern durch nachgelagerte Ebenen ausgeführt. So ist die Planung der einzelnen Arbeitsschritte des Produktionsprozesses speziellen Abteilungen wie der **Arbeitsvorbereitung** übertragen. Fragen der Produktionsablaufplanung behandelt ausführlich Kap. 8.2.

Bei der Ablauforganisation darf nicht nur an Produktionspro-zesse gedacht werden. In allen Funktionsbereichen eines Unter-nehmens laufen Prozesse ab, die unter ablauforganisatorischen Fragestellungen zu durchleuchten und zu optimieren sind. Es seien als Beispiele für die verschiedenartigen Prozesse die Bearbeitung von Belegen in der Buchhaltung, die Beschaffung von Personal, Bestellvorgänge, aber auch Vertriebsabläufe genannt. Ein ganzheitlicher Ansatz, durch den die gesamten Abläufe im Leistungsprozess eines Unternehmens analysiert und verbessert werden sollen, ist das **Supply Chain Management**, auf das in Kap. 7.6.3 (Logistik) näher eingegangen wird.

Ziele der Ablaufplanung sind die Termineinhaltung gegenüber den Kunden, die Minimierung der Durchlaufzeit sowie eine optimale Kapazitätsauslastung. Zumeist widersprechen sich diese Ziele, da bei optimaler Kapazitätsauslastung kein Spielraum bei Engpässen besteht und sich somit die Durchlaufzeiten verlängern. Daher wird versucht, nicht eines der Ziele, sondern die Abstimmung zwischen diesen Zielen zu optimieren.

3.3.3 Mitarbeiterführung

Führungsaufgaben beinhalten das Anleiten und das Anweisen von Menschen. Diesem Aspekt der Menschenführung widmet sich das folgende Kapitel.

3.3.3.1 Führungsstil

Der Führungsstil von Vorgesetzten kennzeichnet das Verhalten, mit dem sie ihren Mitarbeitern in Entscheidungssituationen gegenübertreten. Je nach dem Umfang der Beteiligung von Mitarbeitern bei Entscheidungsprozessen, lassen sich folgende Führungsstile unterscheiden:

- **Autoritärer Führungsstil:** Der Vorgesetzte trifft die Entscheidungen allein, die Untergebenen haben keine Mitwirkungsmöglichkeiten. Die Umsetzung wird angeordnet („befohlen") und nötigenfalls zwangsweise durchgesetzt.
- **Patriarchalischer Führungsstil:** Der Vorgesetzte trifft die Entscheidungen zwar allein, doch er versucht, seine Untergebenen von der Anordnung zu überzeugen, so dass sie die Entscheidungen akzeptieren.
- **Kooperativer Führungsstil:** Der Vorgesetzte fordert seine Mitarbeiter auf, Lösungsvorschläge zu unterbreiten, aus denen der Vorgesetzte einen ihm geeignet erscheinenden auswählt.

- **Partizipativer Führungsstil:** Die von den Mitarbeitern erarbeiteten Lösungsvorschläge werden gemeinsam diskutiert. Die letzte Entscheidung trifft jedoch der Vorgesetzte.
- **Demokratischer Führungsstil:** Die Gruppe entscheidet, der Vorgesetzte beschränkt sich auf die Rolle eines Koordinators.

Es wird deutlich, dass bei den aufgeführten Führungsstilen in der Reihenfolge der Auflistung der Einscheidungsspielraum des Vorgesetzten ab- und der der Untergebenen zunimmt. Keiner der aufgeführten Führungsstile kann als ideale Vorgehensweise bezeichnet werden. In Abhängigkeit von dem zu entscheidenden Sachverhalt sollte ein Führungsstil gewählt werden, der zum Auffinden der optimalen Entscheidung und für das Betriebsklima am besten geeignet ist. Diese Vorgehensweise, bei der eine Anpassung des Führungsstils an die jeweilige Entscheidungssituation erfolgt, wird als **situativer Führungsstil** bezeichnet.

Führungsverhalten ist vielgestaltig. Es lassen sich neben dem Verhalten in Entscheidungssituationen weitere Kriterien herausarbeiten, mit denen sich der Führungsstil von Vorgesetzten charakterisieren lässt. Auf weitere Ansätze soll an dieser Stelle nicht näher eingegangen werden.

3.3.3.2 Managementkonzepte

Managementkonzepte stellen **Führungstechniken** dar, auf deren Basis die Führungsverantwortung im Unternehmen auf nachgeordnete (Führungs-)Ebenen heruntergebrochen werden soll. Diese Konzeptionen werden auch als „**Management-by-Konzepte**" bezeichnet. Im folgenden werden die vier wichtigsten Ansätze erläutert.

Management by Exception: Den Mitarbeitern werden Ziele und **Abweichungskorridore** vorgegebenen. Die Mitarbeiter arbeiten selbständig, solange die Grenzwerte nicht überschritten werden; bei Überschreitung der Toleranzgrenze oder in Ausnahmefällen greift die nächsthöhere Instanz ein.

Das Konzept ist dazu geeignet, vorgesetzte Stellen von Routinetätigkeiten zu befreien und den Mitarbeitern eigene Handlungsfreiräume einzuräumen. Motivationsprobleme können eintreten, wenn nur negative Abweichungen registriert werden, positive Entwicklungen jedoch kaum. Basis des Konzeptes bildet die Überwachung von Soll-Ist-Abweichungen; dadurch ist eine Orientierung an Vergangenheitsgrößen vorgegeben, eine Zukunftsorientierung („feed forward") fehlt. Ist das Informationssystem des Unternehmens ungenügend, so dass Abweichungen erst spät erkannt werden, besteht die Gefahr von gefährlichen Überraschungseffekten („Management by Surprise").

Management by Delegation: Zur Entlastung der Vorgesetzten sollen Aufgaben, Kompetenzen und Verantwortung auf diejenige nachgeordnete Unternehmensebene verlagert („delegiert") werden, zu der sie aus fachlicher Sicht am besten passen. Die Mitarbeiter erhalten im Sinne des „Harzburger Führungsmodells" einen abgegrenzten Zuständigkeits- und Verantwortungsbereich, wodurch Eigenverantwortung und Motivation der Mitarbeiter gestärkt wird. Die Vorgesetzten beschränken sich auf Erfolgskontrollen (z. B. durch „Management by Results") und die allgemeine Dienstaufsicht.

Die Anwendung des Konzeptes setzt das Bestehen von Stellenbeschreibungen sowie eines leistungsfähigen Kontroll- und Berichtsystems voraus. Es muss festgelegt werden, welche Aufgaben delegierbar sind und welche nicht. Zudem muss bei den jeweiligen Vorgesetzten die Bereitschaft zur Delegation von interessanten Aufgaben vorhanden sein; ansonsten besteht die Gefahr, dass durch das ausschließliche Delegieren von langweiligen Routineaufgaben die Mitarbeiter demotiviert werden.

Management by Objectives: Die Führung erfolgt durch gemeinsam erarbeitete Zielvorstellungen und daraus abgeleiteten Zielvorgaben. Mit den Mitarbeitern werden **Zielvereinbarungen** geschlossen, die regelmäßig zu überprüfen sind und in die Leistungsbeurteilung sowie die Entlohnung des Mitarbeiters eingehen. Zielvereinbarungen dürfen weder autoritär vorgegeben noch demokratisch abgestimmt werden; sie müssen einen tragfähigen Kompromiss darstellen, der keine Seite zum Verlierer macht.

Der **Zielfindungs- und Zielvereinbarungsprozess** ist sehr aufwendig. Zunächst hat in einer Vorbereitungsphase der Vorgesetzte seine Mitarbeiter über die Unternehmensziele (vgl. Kap. 3.3.1.2) und deren Auswirkungen für den einzelnen Arbeitsbereich zu informieren. Anschließend hat jeder Mitarbeiter für sich und der Vorgesetzte für jeden Mitarbeiter Zielvorschläge zu entwickeln, die dann in einem Zielvereinbarungsgespräch diskutiert und abgestimmt werden. Die vereinbarten Ziele sind dann in Arbeitsschritte oder Projekte zu gliedern und umzusetzen. Regelmäßige Ergebnisgespräche runden das Verfahren ab.

Das Konzept ist zur Leistungsmotivation von Mitarbeitern geeignet; zugleich besteht jedoch die Gefahr der Frustration bei Überforderung.

Management by Systems: Durch den umfassenden Einsatz der Computertechnologie sollen Routineabläufe weitgehend automatisiert ablaufen; Informations-, Planungs- und Kontrollsysteme sind zu verknüpfen und liefern den Entscheidungsträgern zeitnah die benötigten Informationen.

Beim Management by Systems handelt es sich um eine Wunschvorstellung, die aufgrund des Fehlens von geeigneten EDV-Systemen sowie der Unmöglichkeit, alle möglichen Informationen entscheidungsgerecht zu erfassen und aufzubereiten, noch lange eine Utopie bleiben wird. Allenfalls sind Teillösungen für bestimmte Anwendungsbereiche denkbar.

Neben den genannten Konzeptionen finden sich weitere Ansätze, die zumeist aus der Unternehmensberatungspraxis heraus entstanden sind und die die Vorgehensweise bei bestimmten Teilaspekten beleuchten. Teilweise finden sich auch Veralberungen, die das Verhalten von Managern, aber auch eine Überbewertung der Konzepte karikieren (z. B. **Management by Helicopter**: Über allen Wolken schweben, beim Landen viel Staub aufwirbeln und dann rasch wieder verschwinden).

3.3.3.3 Motivation der Mitarbeiter

Es ist die Aufgabe der Unternehmensleitung, durch Führungsstil, Führungsverhalten, aber auch durch die Unternehmenspolitik die Motivation der Mitarbeiter nicht nur zu erhalten, sondern nach Möglichkeit zu steigern. So kann sichergestellt werden, dass ein Mitarbeiter sich im Unternehmen wohlfühlt, es nicht verlässt und zudem gute Leistungen erbringt.

Die Motivation des Mitarbeiters kann durch äußere Umstände und Zwänge („extrinsisch") oder durch einen inneren Antrieb („intrinsisch"), z. B. durch eine Begeisterung für eine Aufgabe, ausgelöst werden. Erklärungsversuche für die Wirkmechanismen von Motivation und das daraus resultierende Verhalten von Menschen bieten aus dem Bereich der Psychologie stammende Motivationstheorien. Zwei dieser Theorien werden im folgenden näher erläutert.

Der Motivationstheoretiker Abraham **Maslow** hat Bedürfnisse systematisiert, in eine hierarchische Rangfolge gebracht und in Form einer so genannten „**Bedürfnispyramide**" dargestellt. Basis der Pyramide bilden menschliche Grundbedürfnisse („Primäre Bedürfnisse"), die nächsten Stufen sind das Bedürfnis nach Sicherheit, nach sozialen Bindungen, nach Anerkennung und schließlich nach Selbstverwirklichung. Die Bedürfnisse einer höheren Stufe werden erst dann verhaltensrelevant, wenn die Bedürfnisse einer niedrigeren Stufe erfüllt sind bzw. der Mensch den Eindruck besitzt, dass diese Bedürfnisse erfüllt seien.

Motivation kann somit gesteigert werden, wenn durch eigenen Arbeitseinsatz eine höhere Stufe der Pyramide erreichbar erscheint. So ist es für einen Mitarbeiter, der sich auf der dritten Stufe der Pyramide befindet, motivierend, wenn durch seine Tätigkeit das Streben nach Anerkennung oder Selbstverwirklichung gefördert wird. Auch das Streben nach Arbeitsplatzsicherheit kann motivieren. Dies setzt jedoch voraus, dass der Arbeitsplatz bislang unsicher war. Demotivierend wirkt es hingegen, wenn ein Mitarbeiter um seinen Arbeitsplatz, seinen Aufgaben- oder seinen Verantwortungsbereich bangen muss. In diesen Fällen sieht der Mitarbeiter seine Sicherheit gefährdet, fühlt sich hilflos und fällt dadurch auf die erste Stufe der Maslow-Pyramide zurück.

Das Modell von Maslow bildet die Grundlage für eine Reihe von weitergehenden Ansätzen, ist im Schrifttum aber auch vielfach kritisiert worden (z. B. die unzureichende Abgrenzung der einzelnen Stufen oder das Problem der Messbarkeit der Bedürfniserfüllung). Aus betriebswirtschaftlicher Sicht hat das Modell trotz aller Mängel eine Bedeutung zur Verdeutlichung der Vielschichtigkeit der Motive des menschlichen Handels.

Der zweite hier vorgestellte Ansatz, das **Zweifaktorenmodell** von Frederick **Herzberg**, unterscheidet zwei Einflussfaktoren- typen: Frustfaktoren und Motivatoren. Die Frustfaktoren (oder Hygienefaktoren) ergeben sich aus dem Arbeitsumfeld (z. B. Arbeitsbedingungen, Kontakt zu Untergebenen, Kollegen und Vorgesetzten, Unternehmenspolitik). Sie können zur Frustration und damit zur Unzufriedenheit mit der Arbeit führen. Liegen ide- ale Bedingungen vor, motivieren die Frustfaktoren jedoch einen Mitarbeiter nicht: Er ist lediglich nicht unzufrieden. Motivation wird von einer zweiten Gruppe von Faktoren ausgelöst, den so genannten „Motivatoren". Dazu zählen beispielsweise Anerken- nung, Verantwortung oder berufliches Fortkommen.

Die Unternehmensleitung hat die Aufgabe, im Unternehmen ein motivationsfreundliches Klima zu schaffen und zu erhalten. Erkenntnisse, die sich aus dem Bereich der Arbeitspsychologie (wie z. B. durch die Motivationsforschung) ergeben, sind umzu- setzen und durch Schulung an die einzelnen Führungsebenen weiterzuvermitteln.

3.3.3.4 Managemententwicklung

Frei werdende Führungspositionen können entweder extern oder durch eigene Nachwuchskräfte besetzt werden. **Externe Führungskräfte** lassen sich entweder durch ein Ausschreibungs- verfahren (Stellenanzeigen) oder durch direkte Ansprache, gege- benenfalls unter Einschaltung eines „Headhunters", gewinnen. Bei vielen Stellen ist eine derartige Vorgehensweise unumgäng- lich, da im eigenen Unternehmen keine Personen mit dem er- forderlichen Fachwissen oder den notwendigen Fähigkeiten vorhanden sind.

Externe Führungskräfte sind jedoch mit den Besonderheiten des Unternehmens nicht vertraut und müssen sich langwierig einarbeiten. Zudem ist unklar, ob sie sich den Anforderungen tatsächlich gewachsen zeigen und sich in die bestehende Unter- nehmenshierarchie problemlos einfügen.

Diese Probleme kann man umgehen, wenn im Rahmen einer **systematischen „Managemententwicklung"** („Management-Devel- opment") die im eigenen Unternehmen vorhandenen Nachwuchskräfte gefördert und für künftige Aufgaben vorbereitet werden. Die Förderung betrifft die Vermittlung von Managementkenntnissen, die Schulung der intellektuellen Fähigkeiten (logisches, kreatives und wirtschaftliches Denken), die innere Einstellung (Motivation, Dynamik) sowie die soziale Kompetenz. Daneben ist ein Angebot an Aufstiegs- und Entwicklungsmöglichkeiten zu schaffen, damit fähige Mitarbeiter im Unternehmen gehalten werden können, indem ihnen eine Perspektive für das eigene Weiterkommen aufgezeigt wird.

Für neu geschaffene oder frei werdende Führungspositionen sind rechtzeitig geeignete Nachwuchskräfte aufzubauen. Damit lässt sich eine Kontinuität im Management sicherstellen, die eminent wichtig für eine stabile und solide Unternehmenspolitik ist. Bei der Besetzung von Führungspositionen ist stets auf eine leistungsgerechte Auswahl zu achten, die Entscheidungen bei Beförderungen und Stellenbesetzungen sollten zudem transparent sein. Dies schafft Anreize für die übrigen Mitarbeiter und motiviert sie dazu, ebenfalls Leistung zu zeigen.

3.3.4 Besondere Managementaufgaben

Bei bestimmten Unternehmen oder in besonderen Situationen ergeben sich weitere Managementaufgaben, auf die im folgenden näher eingegangen wird.

Projektmanagement: Projekte stellen einmalige, zeitlich begrenzte Vorhaben dar, die im Bereich der Auftragsfertigung eine große Bedeutung besitzen. Dabei kann es sich um Bauprojekte (z. B. Errichtung von Staudämmen, Kraftwerken, Industrieanlagen oder Flughäfen), aber auch um die Durchführung von Großveranstaltungen (z. B. Weltausstellung, olympische Spiele) handeln. Auch im Forschungs- und Entwicklungsbereich werden Projekte abgewickelt.

Es ist Aufgabe des Projektmanagements, mit dem vorgegebenen Budget und den zur Verfügung stehenden Mitarbeitern das Projekt in der vorgegebenen Zeit zu realisieren. Dies stellt besondere Anforderungen an das Management, da sich aufgrund der Einmaligkeit von Projekten wenig standardisieren lässt. Häufig sind auch Mitarbeiter anderer Unternehmen am Projekt beteiligt und in die Arbeitsabläufe zu integrieren.

Für die Abwicklung von Projekten wird häufig eine eigene Aufbauorganisation errichtet, die nur für die Dauer der Projektabwicklung besteht. Die für die Mitarbeit am Projekt freigestellten Mitarbeiter werden dazu aus den bisherigen Unterstellungsverhältnissen herausgelöst und für die Projektdauer einem Projektmanager zugeordnet.

F+E-Management: Durch Forschung und Entwicklung (kurz: F+E) schafft sich ein Unternehmen Zukunftspotentiale. Es ist Aufgabe der **Grundlagenforschung**, neue Erkenntnisse zu gewinnen, ohne dass die praktische Anwendbarkeit eine Rolle im Forschungsprozess spielt. Die **angewandte Forschung** ist hingegen auf konkrete praktische Ziele ausgerichtet. Die **Entwicklung** greift auf Forschungsergebnisse zurück, um aus diesen Erkenntnissen neue Produkte oder Produktionsverfahren zu schaffen.

Wird kein F+E betrieben, läuft ein Unternehmen Gefahr, dass es seine Wettbewerbsposition verliert und sogar ganz vom Markt gedrängt wird. Daher ist es eine wichtige Aufgabe des Managements, einen F+E-Bereich im Unternehmen zu installieren und diesem durch strategische Vorgaben den Weg zu weisen. Ein anderer Weg ist der Einkauf von F+E-Leistungen bei Forschungseinrichtungen (so genannte „Auftragsforschung").

Change Management: Der gesellschaftliche Wandel beeinflusst die Unternehmensumwelt unmittelbar. Darauf hat sich ein verantwortungsvolles Management einzustellen und Maßnahmen einzuleiten, die die Zukunftsfähigkeit des Unternehmens sicherstellen. Die dabei einzuleitenden Schritte können von kleineren organisatorischen Änderungen oder der Einführung eines neuen EDV-Systems bis hin zur Zusammenlegung oder Auflösung von Betriebsstätten, dem Verkauf von Unternehmensteilen, dem Aufbau von Tochterunternehmen oder der Erschließung neuer Geschäftsfelder reichen.

Für die organisatorische Abwicklung und die Umsetzung von Veränderungen hat sich die Bezeichnung „Change Management" eingebürgert. Dabei handelt es sich ursprünglich nicht um einen betriebswirtschaftlichen Ansatz, sondern um einen Begriff aus dem Bereich der Unternehmensberatung. Als Hilfsmittel zur Durchführung werden Moderations- und Konfliktmanagementtechniken, aber auch diverse betriebswirtschaftliche Instrumente eingesetzt. Der Umgestaltungsprozess selbst orientiert sich an den Phasen eines Managementprozesses (vgl. Kap. 3.2).

Krisen-Management: Umsatzrückgänge, Liquiditätsprobleme oder Kostensteigerungen können ein Unternehmen in eine Krise geraten lassen. Es ist Aufgabe des Managements, die Ursachen herauszufinden und Maßnahmen zur Krisenbewältigung zu ergreifen. Die Durchführung des Krisen-Managements erfolgt in den Stufen eines Managementprozesses, wie er in Kap. 3.2 dargestellt ist.

3.4 Managementunterstützung

3.4.1 Managementtechniken

Managementtechniken stellen Verfahren und Instrumente zur Durchführung von Managementprozessen, zur Bewältigung der Managementaufgaben und zur Lösung von Entscheidungsproblemen dar. Wichtigste Grundlage für jegliche Managemententscheidung sind Informationen, die durch die Informationswirtschaft (vgl. Kap. 4) bereitgestellt werden.

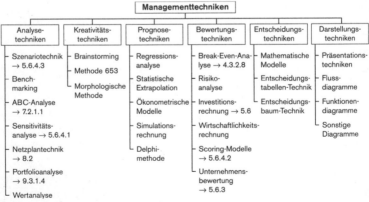

Abb. 3.7: Übersicht Managementtechniken

Eine Reihe von Hilfsmitteln für das Management sind in Abb. 3.7 zusammengestellt. Dabei wird deutlich, dass die im Bereich des Managements eingesetzten Techniken aus verschiedenen betrieblichen Funktionsbereichen stammen. Bei Techniken, die in diesem Buch explizit erläutert werden, ist in Abb. 3.7 hinter dem Pfeil (→) die entsprechende Kapitelnummer angegeben.

Die Systematisierung der einzelnen Managementtechniken in Abb. 3.7 folgt den Phasen eines Managementprozesses (Kap. 3.2): Im Rahmen der Planung erfolgt zunächst eine **Analyse** der vorliegenden Situation. Darauf aufbauend sind Alternativen zu suchen; diese Suche wird durch **Kreativitätstechniken** und durch **Prognosen** bezüglich künftiger Entwicklungen unterstützt. Die aufgezeigten Alternativen sind zu **bewerten**, damit schließlich eine **Entscheidung** getroffen werden kann. In allen Phasen dieses Prozesses ist eine geeignete Darstellung **(Präsentation)** der Teilergebnisse von großer Bedeutung.

3.4.2 Controlling

Durch ein übergeordnetes Führungsunterstützungssystem muss sichergestellt werden, dass Planung, Kontrolle und Informationsversorgung zum Wohle des Unternehmens aufeinander abgestimmt sind. Diese Koordinationsfunktion wird durch das **Controlling** wahrgenommen, das Unternehmensführung und Informationswirtschaft miteinander verknüpft. Abb. 3.8 zeigt die zentrale Stellung des Controlling im Führungssystem eines Unternehmens.

3.4.2.1 Abgrenzung des Controlling-Begriffs

Der Begriff „Controlling" stammt aus dem angelsächsischen Sprachraum und hat sich in Deutschland nach dem zweiten Weltkrieg verbreitet. Im betriebswirtschaftlichen Schrifttum findet sich eine verwirrende Vielfalt von Controlling-Definitionen; die Palette reicht von sehr engen Abgrenzungen, bei denen sich das Controlling auf Soll-Ist-Vergleiche beschränkt, bis hin zu umfassenden Konzeptionen, bei denen das Controlling Teile der Unternehmensführung übernimmt.

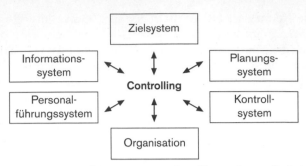

Abb. 3.8: Controlling im Führungssystem eines Unternehmens (in Anlehnung an *Küpper,* Controlling, S. 15)

Heute ist unstrittig, dass unter Controlling weit mehr als Kontrolle zu verstehen ist, obwohl in der breiten Öffentlichkeit infolge der Wortverwandtschaft ein Controller häufig noch als „Kontrolleur" missverstanden wird. Grundsätzlich lässt sich **Controlling** als ein **System** verstehen, **das die Unternehmensführung mit den erforderlichen Instrumenten und Informationen versorgt,** damit diese

- das laufende Geschäft überwachen und steuern,
- Handlungsalternativen vergleichen und
- Entscheidungen fundiert treffen kann.

Durch die Bereitstellung von Instrumenten und Informationen soll das Controlling die Durchführung von **Planungs- und Kontrollprozessen** ermöglichen, koordinieren und unterstützen. Unternehmerische Entscheidungen werden weiterhin durch die Unternehmensleitung getroffen, das Controlling dient lediglich der **Entscheidungsvorbereitung**.

Zur Durchführung des Controlling sind **organisatorische Voraussetzungen** zu schaffen, die von der Größe und der Branche des Unternehmens abhängig sind. Bei kleineren Unternehmen aus dem mittelständischen Bereich kann die Controllingfunktion durch den kaufmännischen Geschäftsführer oder den Leiter des Rechnungswesens übernommen werden. Je größer das Unternehmen oder je größer der Planungs-, Kontroll- und Koordinationsbedarf eines Unternehmens wird, desto umfangreicher werden auch die Anforderungen an das Controlling, so dass die Schaffung einer Stabsstelle oder einer Controllingabteilung erforderlich ist.

Bei seiner Tätigkeit hat sich das Controlling an den **Zielen** des Gesamtunternehmens zu orientieren und diese zu fördern. Bei Industrieunternehmen gilt somit als Leitlinie für das Controlling, dass der Unternehmenserfolg zu steigern oder die Gewinnerzielung des Unternehmens sicherzustellen ist.

3.4.2.2 Bereiche des Controlling

Das Controlling kann in einen strategischen und einen operativen Bereich unterteilt werden. Im Rahmen des **strategischen Controlling** erfolgt die Vorbereitung von langfristigen, grundlegenden Entscheidungen. Durch das strategische Controlling soll die Existenz des Unternehmens dauerhaft gesichert werden. Neben Informationen aus dem eigenen Unternehmen sind in größerem Umfang Informationen aus der Umwelt des Unternehmens zu berücksichtigen. Diese Informationen dienen zur Prognose von künftigen Entwicklungen sowie zum frühzeitigen Erkennen von Chancen und Risiken durch Veränderungen in der Unternehmensumwelt (Politik, Absatzmärkte).

Das **operative Controlling** beschäftigt sich mit dem Alltagsgeschäft und besitzt eine kurzfristige Ausrichtung. Es werden Detailprobleme (z. B. einzelne Produkte oder Prozesse) und kurzfristige Aspekte betrachtet. Die verarbeiteten Informationen stammen überwiegend aus dem Unternehmen selbst. Das operative Controlling soll die Wirtschaftlichkeit der ablaufenden Prozesse und die Rentabilität des Unternehmens sicherstellen. Durch die Umwandlung der Unternehmensziele in Planvorgaben (z. B. in Form von Budgets) soll den Kostenstellenleitern, aber auch jedem Mitarbeiter die Kontrolle seiner Arbeitsergebnisse ermöglicht werden.

Bei den meisten Unternehmen liegt der Aufgabenschwerpunkt des Controlling im operativen Bereich. Das strategische Controlling hat vor allem bei größeren Unternehmen in den vergangenen Jahren an Bedeutung gewonnen.

Durch das Controlling werden zur Unterstützung der Unternehmensleitung Planungs-, Kontroll- und Informationsversorgungsaufgaben wahrgenommen. Daneben hat das Controlling die Koordination der in diesen Bereichen ablaufenden Prozesse sicherzustellen. .

Im Bereich der **Planung** hat das Controlling
- Planungsverfahren zu entwickeln und bereitzuhalten,
- Randbedingungen und Planungsgrundlagen festzulegen,
- Unternehmensziele zu operationalisieren (d.h. in umsetzbare Größen umzuwandeln),
- die Planung in Zusammenarbeit mit anderen Bereichen des Unternehmens durchzuführen und Pläne aufzustellen,
- Entscheidungsalternativen aufzuzeigen und
- den gesamten Planungsprozess zu koordinieren.

Durch Fortentwicklung und ständige Pflege der Planungsinstrumente übernimmt das Controlling eine Serviceaufgabe für das Unternehmen, das im Schrifttum auch als **systembildende Funktion** des Controlling bezeichnet wird.

Die **Kontrolle** baut auf der Planung auf. Im Rahmen der Kontrolle wird überwacht, ob die aufgestellten Pläne und Vorgaben eingehalten werden. Dazu ist ein Kontrollinstrumentarium aufzubauen und zu pflegen. Durch die Kontrolle sollen nicht nur Abweichungen, sondern auch deren Ursachen aufgezeigt werden.

Üblicherweise werden Kontrollen in Form von **ex-post-Kontrollen** während oder nach der Durchführung eines Vorgangs (Planrealisierung, Produktion) durch Soll-Ist-Vergleiche vorgenommen. Ergänzend dazu kann durch **ex-ante-Kontrollen** versucht werden, bereits vor der Realisierungsphase drohende Entwicklungen zu erkennen und der Unternehmensleitung mitzuteilen.

Die Weiterleitung von Informationen als weitere Aufgabe des Controlling ergibt sich aus den vorangegangenen Ausführungen zu Planung und Kontrolle. Das Controlling hat die **Informationsversorgung** des Unternehmens sicherzustellen. Dabei sollten die Informationen zielgerichtet und komprimiert weitergeleitet werden. Dazu ist zunächst der Informationsbedarf der einzelnen Adressaten zu ermitteln, um dann ein „Informationsdesign" (z.B. die Aufbereitung von Daten in Grafikform oder die Berichtsgestaltung) festzulegen.

Neben der **systembildenden Funktion** durch die Fortentwicklung der bestehenden Planungs-, Kontroll- und Informationssysteme besitzt das Controlling auch Koordinationsaufgaben. Die einzelnen Bereiche des Unternehmens und die bestehenden Informationssysteme sind aufeinander abzustimmen **(systemkoppelnde Funktion)**. Das Controlling hat ferner dafür zu sorgen, dass die bestehenden Systeme, Methoden und die aufgestellten Pläne den Mitarbeitern des Unternehmens bekannt sind und von ihnen akzeptiert werden. Das Controlling kann so dafür sorgen, dass wirtschaftliches Handeln von jedem Mitarbeiter verinnerlicht und zum Leitbild für den eigenen Arbeitsbereich wird.

Zur Erfüllung der Aufgaben stehen dem Controlling eine Vielzahl von Verfahren und Techniken zur Verfügung (vgl. dazu *Schultz*, Basiswissen Rechnungswesen, S. 203 ff.). Ein Teil der Instrumente stammt ursprünglich aus anderen Bereichen der Betriebswirtschaftslehre, insbesondere aus dem Bereich der Planung und Kontrolle. Zudem lassen sich die meisten Managementtechniken (vgl. Kap. 3.4.1) für Controlling-Aufgaben einsetzen.

Weiterführende Literatur: *Füser, Karsten:* Modernes Management. Lean Management, Business Reengineering, Benchmarking und viele andere Methoden. 3. Auflage. München: dtv Band 50809, 2001; *Horváth, Péter:* Controlling. 8. Auflage. München: Vahlen 2002; *Staehle, Wolfgang H.:* Management. Eine verhaltenswissenschaftliche Perspektive. 8. Auflage. München: Vahlen 1999.

4. Informationswirtschaft

Planungs-, Organisations- und Steuerungsaufgaben lassen sich nur erfüllen und Entscheidungen lassen sich nur treffen, wenn die erforderlichen Informationen zur Verfügung stehen. Daher wird die Informationswirtschaft von einigen Autoren dem Management zugerechnet. Aufgrund der vielfältigen Aufgaben, der Komplexität und der Bedeutung für alle Funktionsbereiche des Unternehmens erscheint eine getrennte Behandlung angemessen.

Häufig werden Entscheidungsträger mit Informationen überhäuft, die sie gar nicht benötigen. Andere wichtige Informationen fehlen hingegen. Daher ist es zunächst erforderlich, den Informationsbedarf aufzuzeigen (Kap. 4.2). In Kapitel 4.3 folgt ein Überblick über die wichtigsten **Informationsquellen**, deren bedeutendster Teil das **Rechnungswesen** bildet. Erläuterungen zur Informationsspeicherung und zum Informationsmanagement folgen in Kap. 4.4 und 4.5.

4.1 Aufgaben der Informationswirtschaft

Bei Informationen handelt es sich um „zweckorientiertes Wissen", also um Wissen, das zur Erfüllung der gestellten Aufgabe erforderlich ist. Die Informationswirtschaft hat in diesem Zusammenhang die folgenden **Aufgaben**:

- **Informationsgewinnung:** Information sind zu sammeln und zusammenzutragen.
- **Informationsverarbeitung:** Die gewonnenen Informationen sind auszuwerten und so aufzubereiten, dass sie zur Planung, Steuerung und Kontrolle des Unternehmens eingesetzt werden können. Die Art und der Umfang der Aufbereitung ergibt sich aus gesetzlichen Bestimmungen (z. B. beim externen Rechnungswesen), aber auch aus den Informationswünschen der Empfänger (z. B. der Unternehmensleitung).
- **Informationsweiterleitung:** Die aufbereiteten Informationen

werden anschließend an unternehmensinterne und unternehmensexterne Adressaten weitergeleitet.

- **Informationsdokumentation:** Betriebliche Informationen sind zu speichern, so dass sie auch zu späteren Zeitpunkten abrufbar sind. Teilweise stellt der Gesetzgeber Anforderungen an die Dokumentation (z. B. durch Aufbewahrungspflichten), teilweise ergeben sich die Anforderungen aus unternehmensinternen Vorgaben.

4.2 Informationsbedarf

Grundvoraussetzung für die Gestaltung von Informationssystemen stellt die Ermittlung des **Informationsbedarfs** dar. Er bildet eine objektive Größe, die sich aus dem zu lösenden Problem, d. h. den anstehenden Aufgaben und Entscheidungen, herleitet. Vom Informationsbedarf ist das subjektive **Informationsbedürfnis** des Mitarbeiters abzugrenzen, das sich aus den von dem Mitarbeiter für relevant gehaltenen Informationen ergibt. Einen dritten Bereich bildet das vorhandene Informationsangebot.

Wie Abb. 4.1 zeigt, ergibt sich der **Informationsstand** als Schnittmenge von Informationsbedarf, Informationsnachfrage und Informationsangebot. Zur Verbesserung des Informationsstandes ist eine zielgerichtete Ausweitung der Informationsnachfrage auf bislang noch nicht nachgefragte Bereiche des objektiven Informationsbedarfs erforderlich.

Zugleich muss vermieden werden, dass vorhandene Informationen nachgefragt werden, die zur Erfüllung der Aufgaben gar nicht erforderlich sind (Feld ① in Abb. 4.1). Besonders interessant sind hingegen Bereiche, für die ein Informationsbedarf besteht, die aber nicht angeboten werden (Feld ② und Feld ③); hier sind entsprechende Instrumente zu schaffen, die dieses Defizit ausgleichen.

Durch **Informationsbedarfsanalysen** wird aufgezeigt, welche Informationen in welchem Umfang für die Erfüllung der vorliegenden Planungs- und Kontrollaufgaben benötigt werden. Fehlende Informationen können die Durchführung der anstehenden Aufgaben ebenso behindern wie ein Überangebot an Informationen.

Ein **Informationsüberschuss** erschwert nicht nur den Überblick, es werden auch unnötige personelle Ressourcen dadurch vergeudet, dass Arbeitszeit zur Ermittlung, Aufbereitung und Speicherung von später nicht benötigten Informationen aufgewendet wird. Es sollte das Ziel eines Unternehmens sein, aus einem Minimum an verdichteten Informationen ein hinreichend genaues Ergebnis zu erhalten.

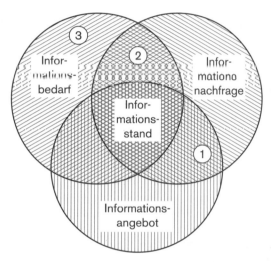

Abb. 4.1: Informationsstand als Schnittmenge von Informationsbedarf, Informationsangebot und Informationsnachfrage (Quelle: *Schultz*, Projektkostenschätzung, S. 68)

Zur Bestimmung des Informationsbedarfs stehen verschiedene Verfahren zur Verfügung. Der Informationsbedarf lässt sich durch eine **Analyse**
- der zu lösenden Aufgaben,
- der ablaufenden Informationsverarbeitungsprozesse,
- der zur Verfügung stehenden Dokumente oder
- von Informationen, die bei vergleichbaren, früheren Problemen benötigt wurden,

ermitteln. Daneben kann durch eine Befragung oder eine Beobachtung der Entscheidungsträger deren Informationsbedürfnis bestimmt werden.

Begleitend zu diesen Maßnahmen ist das Informationsangebot durch den Einsatz neuer Verfahren und die Informationsnachfrage durch Schulung und Weiterbildung der Adressaten so anzupassen, dass diese Bereiche sich immer mehr dem Informationsbedarf annähern.

4.3 Informationsquellen

Die wichtigste Informationsquelle bildet das betriebliche Rechnungswesen eines Unternehmens, das traditionell in die beiden **Bestandteile** externes und internes Rechnungswesen aufgeteilt wird.

Das **externe Rechnungswesen** hat die Aufgabe, alle Geschäftsvorfälle eines Unternehmens zu dokumentieren und Rechenschaft gegenüber Anteilseignern (Aktionäre, Gesellschafter), Arbeitnehmern, Geschäftspartnern, dem Staat (Steuerbehörden) oder der interessierten Öffentlichkeit abzulegen. Zum externen Rechnungswesen zählen die **Buchführung** und der aus der Buchführung abgeleitete **Jahresabschluss**. Durch eine gesetzliche Reglementierung des externen Rechnungswesens soll die Vergleichbarkeit der ermittelten Zahlen sichergestellt und willkürliche Festlegungen verhindert werden.

Die Informationen, die aus dem externen Rechnungswesen gewonnen werden können, sind für die Unternehmensleitung oder Entscheidungsträger in Fachabteilungen zumeist nicht ausreichend.

Zur Erfüllung von Planungs-, Kontroll-, Steuerungs- und Entscheidungsaufgaben werden zusätzliches Datenmaterial und detaillierte Analysen benötigt. Diese Informationen stellt das **interne Rechnungswesen** bereit, das ohne gesetzliche Vorgaben durch das Unternehmen frei ausgestaltet werden kann. Beim Aufbau des internen Rechnungswesens können Unternehmen jedoch auf bewährte Verfahren und Methoden zurückgreifen, die von der Betriebswirtschaftslehre ständig fortentwickelt und erweitert werden.

Den Hauptbestandteil des internen Rechnungswesens bildet die **Kostenrechnung**. Sie ermöglicht eine Kontrolle des Unternehmenserfolgs, die Zurechnung von Kosten auf bestimmte Unternehmensbereiche und unterstützt die Preisfestlegung. Durch Planungsrechnungen, **statistische Auswertungen** (z. B. Produktions-, Verkaufs- und Personalstatistiken) und verdichtete Kennzahlen lässt sich der Informationsgehalt der Kostenrechnung erweitern.

Durch **externe Informationsquellen**, die außerhalb des Unternehmens liegen, lassen sich die durch das Rechnungswesen gewonnen Daten ergänzen. Alle Informationsquellen zusammen fließen in das Controlling ein, das als Führungsunterstützungssystem bereits in Kap. 3.4.2 erläutert wurde. Abb. 4.2 verdeutlicht diesen Zusammenhang.

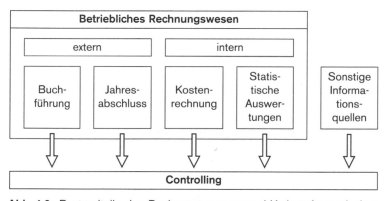

Abb. 4.2: Bestandteile des Rechnungswesens und Verknüpfung mit dem Controlling

Das Rechnungswesen stellt einen umfassenden, ausgebauten Bereich der Betriebswirtschaft dar. Es würde den Rahmen dieses Buches sprengen, wenn detailliert darauf eingegangen würde. Im folgenden kann nur eine knappe Einführung in grundlegende Sachverhalte erfolgen. Eine ausführlichere Darstellung der Verfahren, verdeutlicht mit Beispielen, findet sich in dem Buch

„Schultz, Basiswissen Rechnungswesen", das in derselben Reihe wie das vorliegende Buch erschienen ist.

4.3.1 Externes Rechnungswesen (Buchführung)

4.3.1.1 Aufgaben der Buchführung

Die Buchführung, die auch als **„Finanzbuchführung"**, als **„Geschäftsbuchführung"** oder im angelsächsischen Sprachraum als „Financial Accounting" bezeichnet wird, hat die Aufgabe, den laufenden Geschäftsverkehr eines Unternehmens abzubilden. Jedes Unternehmen ist gesetzlich verpflichtet, im Rahmen seiner Buchführung alle Geschäftsvorfälle chronologisch, systematisch und lückenlos aufzuzeichnen. Unter **Geschäftsvorfällen** werden alle in Zahlenwerten festgehaltenen, wirtschaftlich bedeutsamen Vorgänge wie Güterbewegungen (Warenverkauf) oder Zahlungsvorgänge verstanden.

Durch die chronologische Aufzeichnung aller Geschäftsvorfälle dokumentiert die Buchführung die Tätigkeit des Unternehmens und ermöglicht eine externe **Rechenschaftslegung** gegenüber Anteilseignern, Banken, dem Staat und der interessierten Öffentlichkeit.

Daneben hat die Buchführung die Aufgabe, eine **periodische Ermittlung des Erfolgs** zu ermöglichen. Durch die Gegenüberstellung von Vermögen (Aktiva) und Schulden (Passiva) bzw. von Aufwendungen und Erträgen lässt sich der Gewinn oder Verlust für eine Abrechnungsperiode bestimmen. Durch die Aufstellung einer Bilanz wird die Zusammensetzung des Unternehmensvermögens und die Herkunft des Kapitals deutlich.

Das im kaufmännischen Bereich üblicherweise eingesetzte Buchführungssystem ist das der **doppelten Buchführung**. Bei der doppelten Buchführung (kurz auch als **„Doppik"** bezeichnet) wird der Periodenerfolg auf zweifache Weise ermittelt: Zum einen durch einen Bestandsvergleich über die Bilanz, zum anderen durch die Gewinn- und Verlustrechnung. Zudem werden bei der Verbuchung von Geschäftsvorfällen immer zwei Konten berührt und eine getrennte chronologische und sachliche Erfassung vorgenommen. Durch die doppelte Verbuchung ist zugleich eine Kontrolle für die Richtigkeit der ermittelten Ergebnisse sichergestellt.

Der Ablauf der doppelten Buchführung innerhalb eines Geschäftsjahres ist in Abb. 4.3 stark vereinfacht dargestellt. Dabei stellen Kästchen mit punktiertem Rand Tätigkeiten dar, die im Laufe des Jahres durchzuführen sind. Die Erläuterung der einzelnen Begriffe und Tätigkeiten erfolgt in den folgenden Kapiteln.

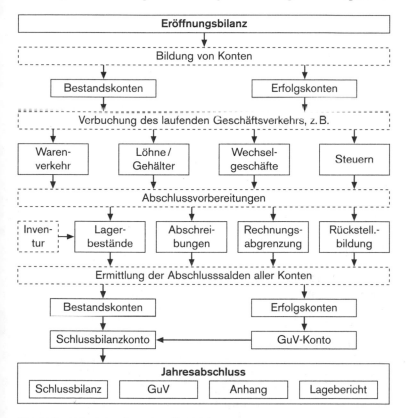

Abb. 4.3: Ablauf der doppelten Buchführung

In den vergangenen Jahrhunderten entwickelte sich die Buchführung zu einem umfangreichen System mit erheblichen länderspezifischen Besonderheiten. Seit 1968 wird versucht, in den Ländern der **Europäischen Union** die Regelungen zu harmonisieren. Dazu wurden mehrere europäische Richtlinien mit Mindestanforderungen an das Rechnungswesen herausgegeben, die jeder EU-Staat in nationales Recht umsetzen muss. Auf **internationaler Ebene** bemüht sich das 1973 gegründete International Accounting Standards Board (kurz: IASB) um die Schaffung von weltweit anerkannten Rechnungslegungsvorschriften, die in Form der IAS (International Accounting Standards) veröffentlicht werden.

Daneben spielen für Unternehmen, die den lukrativen US-amerikanischen Kapitalmarkt (und dort insbesondere die New Yorker Börse) nutzen möchten, die „US-Generally Accepted Accounting Principles" (kurz: US-GAAP) eine herausragende Rolle, da die Beachtung dieser Regelungen Voraussetzung für die Zulassung eines Unternehmens zur Notierung an einer US-amerikanischen Börse ist.

In Deutschland finden sich Regelungen zur Buchführung im Handels- und im Steuerrecht. Die gesetzlichen Regelungen werden durch die „Grundsätze ordnungsmäßiger Buchführung" (GoB) ergänzt, die sich an den Gepflogenheiten, die „ordentliche und ehrenwerte Kaufleute" zeigen sollen, orientieren. Durch den unbestimmten Rechtsbegriff der GoB werden die gesetzlichen Regelungen spezifiziert und an den gesellschaftlichen und wirtschaftlichen Wandel, der z.B. durch die Automatisierung des Rechnungswesens ausgelöst wird, angepasst.

4.3.1.2 Inventur und Inventar

Zur Durchführung einer ordnungsmäßigen Buchführung muss bekannt sein, welche Bestände an Vermögen (z.B. Bargeld, Waren, Maschinen) und Schulden (z.B. offene Rechnungen, Kredite) ein Unternehmen aufweist. Die zu diesem Zweck regelmäßig durchgeführten Bestandsaufnahmen werden als **Inventur** bezeichnet. Nach §240 HGB muss eine Inventur zu Beginn der Aufnahme eines Handelsgewerbes und dann mindestens alle 12 Monate erfolgen. Die Inventur bildet die Grundlage für den Jahresabschluss und ermöglicht zugleich eine Überprüfung der Buchbestände sowie eine Korrektur der Lagerbuchführung, indem Schwund (durch Diebstahl oder verdorbene Waren) aufgezeigt wird.

Bei der Inventur wird ein Verzeichnis erstellt, in dem die Vermögensgegenstände und Schulden eines Unternehmens vollständig, detailliert und unter Angabe eines Wertes aufgeführt sind. Dieses Verzeichnis trägt die Bezeichnung **Inventar**. Das Inventar gliedert sich in die drei Teile „Vermögensgegenstände", „Schulden" und „Reinvermögen". Die Vermögensgegenstände werden nach ihrer Liquidierbarkeit (Veräußerbarkeit) in Anlage- und in Umlaufvermögen unterteilt.

Schwer veräußerbar ist das **Anlagevermögen** eines Unternehmens, das dem Geschäftsbetrieb längere Zeit dienen soll. Es besteht aus Grundstücken, Gebäuden, Maschinen und Geräten sowie aus der Betriebs- und Geschäftsausstattung. Leichter liquidierbar sind die Gegenstände des **Umlaufvermögens**, wie Vorräte, Material, Forderungen gegenüber Kunden, Bankguthaben oder die Barkasse des Unternehmens.

Im zweiten Abschnitt des Inventars sind die **Schulden**, geordnet nach abnehmender Fälligkeit, aufgeführt. Aus der Differenz zwischen Vermögensgegenständen und Schulden errechnet sich das **Reinvermögen** des Unternehmens. Das Reinvermögen ist somit der Betrag, um den das Vermögen eines Unternehmens dessen Schulden übersteigen. Es wird auch als „**Eigenkapital**" bezeichnet.

Die Erfassung der Wirtschaftsgüter kann durch eine körperliche oder eine buchmäßige Bestandsaufnahme sowie aufgrund von Urkunden erfolgen. Bei der **körperlichen Bestandsaufnahme** wird für jede Vermögensgegenstandsart die Menge durch zählen, messen oder wiegen ermittelt. Eine **buchmäßige Bestandsaufnahme** wird über eine Fortschreibung der Bestände auf der Basis von schriftlichen Unterlagen (z. B. bei nichtkörperlichen Wirtschaftsgütern wie Forderungen, Bankguthaben oder Verbindlichkeiten) vorgenommen.

Das Inventar muss für einen bestimmten Stichtag aufgestellt werden. Bei den meisten Unternehmen ist das Geschäftsjahr identisch mit dem Kalenderjahr, so dass der Inventarstichtag auf den 31.12. fällt. Ein Unternehmen kann jedoch auch ein Geschäftsjahr wählen, das vom Kalenderjahr abweicht.

4.3.1.3 Bilanz

Eine Bilanz ist eine auf einen bestimmten Stichtag bezogene **Gegenüberstellung von Vermögen und Kapital** eines Unternehmens. Die Bilanz wird aus dem Inventar abgeleitet, das ebenfalls eine stichtagsbezogene Aufstellung von Vermögen und Kapital darstellt (vgl. Abschnitt 4.3.1.2). Bei der Aufstellung einer Bilanz werden die Inventar-Einzelpositionen aus Gründen der Übersichtlichkeit zu übergeordneten Einheiten zusammengefasst. Im Gegensatz zum Inventar enthält eine Bilanz ausschließlich Wertangaben, auf Mengenangaben und auf eine Auflistung von Einzelpositionen wird verzichtet. Damit wird zugleich auch verhindert, dass die Bilanz externen Lesern einen zu detaillierten Einblick in das Unternehmen gewährt.

Traditionell lässt sich eine Bilanz in Form einer zweispaltigen Tabelle („**Kontenform**") darstellen. In der linken Spalte der Tabelle werden die als „Aktiva" bezeichneten Vermögensgegenstände, in der rechten Spalte das als „Passiva" bezeichnete Eigen- und Fremdkapital des Unternehmens aufgeführt. Daneben enthalten beide Bilanzseiten Korrekturpositionen („**Rechnungsabgrenzungsposten**"), durch die periodenübergreifende Erfolgsvorgänge (z.B. im voraus gezahlte Miete) periodengerecht zugerechnet werden. In Abb. 4.4 sind die Grundpositionen einer verkürzten Bilanz in Kontenform gemäß den Anforderungen des § 266 HGB dargestellt.

Die **Aktiva** verdeutlichen die **Verwendung des Kapitals**. Die Aktiva werden durch das gesamte „aktiv" im Unternehmen arbeitende Vermögen gebildet. Wie auch beim Inventar werden die Vermögensgegenstände nach zunehmender Liquidierbarkeit, gegliedert in Anlage- und Umlaufvermögen, aufgeführt.

Die **Passiva** dokumentieren die **Herkunft** des dem Unternehmen zur Verfügung stehenden Kapitals. Es setzt sich aus Eigen- und aus Fremdkapital zusammen. Das **Fremdkapital** zeigt die Ansprüche der Gläubiger gegen das Unternehmen, also die vorhandenen Schulden. Der durch die Anteilseigner selbst aufgebrachte Anteil des Kapitals wird als Eigenkapital bezeichnet.

Das **Eigenkapital** ist definitionsgemäß die Differenz zwischen Vermögen und Fremdkapital, also der Restbetrag, der übrig bleibt, wenn man von der Summe der Vermögensgegenstände die Schulden des Unternehmens abzieht. Infolge dieser Definition ist das Gleichgewicht zwischen den beiden Seiten der Bilanz immer gegeben, eine Bilanz ist definitionsgemäß immer ausgeglichen. Dieser Zusammenhang lässt sich durch die so genannten **Bilanzgleichungen** „Vermögen" = „Kapital" oder „Aktiva" = „Passiva" ausdrücken.

Die Tatsache, dass eine Bilanz ausgeglichen sein muss, sagt nichts über den finanziellen Zustand eines Unternehmens aus. Es ist möglich, dass bei einem Unternehmen die Schulden höher als die vorhandenen Vermögensgegenstände sind und das Eigenkapital dadurch einen negativen Wert annimmt. Es liegt dann eine **Überschuldung** vor, die bei Unternehmen mit der Rechtsform einer Kapitalgesellschaft (GmbH, AG) zu einer Konkursanmeldung führen muss.

Bilanz der Firma... (Name)
zum... (Datum)

Aktiva	**Passiva**
A. Anlagevermögen	**A. Eigenkapital**
I. Immaterielle Vermögensgegenstände	I. Gezeichnetes Kapital
II. Sachanlagen	II. Kapitalrücklage
III. Finanzanlagen	III. Gewinnrücklagen
B. Umlaufvermögen	IV. Gewinn-/Verlustvortrag
I. Vorräte	V. Jahresüberschuss/ Jahresfehlbetrag
II. Forderungen und sonstige Vermögensgegenstände	**B. Rückstellungen**
III. Wertpapiere	**C. Verbindlichkeiten**
IV. Kassenbestand, Bankguthaben, ...	**D. Rechnungsabgrenzungsposten**
C. Rechnungsabgrenzungsposten	
Summe	Summe

Abb. 4.4: Grundaufbau einer Bilanz nach § 266 HGB (verkürzte Version)

Bei der Aufstellung einer Bilanz hat das Unternehmen handels- und steuerrechtliche Bestimmungen zu beachten. So sind

73

die Gliederung und die Positionen einer Bilanz für Kapitalgesellschaften in § 266 Absatz 2 HGB festgelegt. Ferner bestehen Vorschriften, mit welchem Wert die einzelnen Positionen in der Bilanz anzusetzen sind (vgl. auch Kap. 4.3.1.8).

Bilanz der May AG, Roßdorf
zum 31.12.2002 (Angaben in Tausend €)

Aktiva		Passiva	
Immaterielle Vermögensgegenstände	351	Gezeichnetes Kapital	1.500
Sachanlagen	1.667	Kapitalrücklage	543
Finanzanlagen	550	Gewinnrücklagen	607
		Jahresüberschuss	471
Summe Anlagevermögen	**2.568**	**Summe Eigenkapital**	**3.121**
Vorräte	1.463	**Rückstellungen**	**799**
Forderungen und sonstige Vermögensgegenstände	930	**Verbindlichkeiten**	**873**
Zahlungsmittel	32	**Rechnungs-abgrenzungsposten**	**350**
Summe Umlaufvermögen	**2.425**		
Rechnungs-abgrenzungsposten	**150**		
	5.143		**5.143**

Abb. 4.5: Beispiel für eine Bilanz

In Abb. 4.5 ist eine Bilanz für eine kleine Aktiengesellschaft dargestellt. Das Beispiel verdeutlicht die charakteristischen Bilanzpositionen.

4.3.1.4 Gewinn- und Verlustrechnung

Neben dem Aufbau der Bilanz ist im HGB auch die Gliederung der **Gewinn- und Verlustrechnung** (kurz: **GuV**) geregelt. In der GuV werden Aufwendungen und Erträge einer Periode gegenüber gestellt, um so das Periodenergebnis (Gewinn oder Verlust) des Unternehmens zu ermitteln. Der Aufbau der GuV besitzt folgende grundsätzliche Struktur:

Betriebsertrag (Aufsummierung von Umsatzerlösen und sonstigen betrieblichen Erträgen)

– **Betriebsaufwand** (betriebliche Aufwendungen wie Materialaufwand, Personalaufwand, Abschreibungen)

= **Betriebsergebnis** (aufgrund von Investitionen im Unternehmen erzielt, errechnet sich aus Betriebserträgen und Betriebsaufwendungen)

+ **Finanzergebnis** (aufgrund von Investitionen außerhalb des Unternehmens, z. B. durch Finanzanlagen erzielt)

= **Ergebnis der gewöhnlichen Geschäftstätigkeit**

+ **Außerordentliches Ergebnis** (außerhalb der üblichen Geschäftstätigkeit des Unternehmens erzielt)

– **Steueraufwand**

= **Jahresüberschuss** (oder Jahresfehlbetrag)

Eine wichtige Position der GuV ist das Betriebsergebnis. Das **Betriebsergebnis** bildet den betrieblichen Leistungserstellungsprozess ab. Betriebsfremde Einflüsse bleiben ausgeklammert. Zur Ermittlung des Betriebsergebnisses werden betriebliche Erträge, die im wesentlichen aus Umsatzerlösen bestehen, und betriebliche Aufwendungen gegenüber gestellt.

Zur **Ermittlung des Betriebsergebnisses** bestehen zwei Verfahren, das Gesamtkosten- und das Umsatzkostenverfahren. Die beiden Verfahren unterscheiden sich bezüglich der Behandlung von Lagerbestandsveränderungen.

Beim **Gesamtkostenverfahren** gehen die gesamten Aufwendungen, die in einer Periode angefallen sind, in die Betriebsergebnisberechnung ein, ohne Rücksicht darauf, ob die hergestellten Produkte auch verkauft wurden. Eine Synchronisation mit den Umsatzerlösen wird dadurch erreicht, indem Lagerzugänge (Bestandsmehrungen) wie zusätzliche Umsätze behandelt werden. Zugleich werden Lagerabgänge (Bestandsverminderungen) wie Umsatzminderungen behandelt.

Beim **Umsatzkostenverfahren** werden den Umsatzerlösen nur die Aufwendungen gegenüber gestellt, die für die Erstellung der verkauften Leistungen angefallen sind.

4.3.1.5 Laufender Geschäftsverkehr

Grundsätzlich wäre es denkbar, bei jedem einzelnen Geschäftsvorfall die Bilanz zu verändern, d. h. direkt in die Bilanz zu buchen. Dies wäre aber äußerst umständlich, unübersichtlich und nicht mit den Grundsätzen ordnungsmäßiger Buchführung vereinbar. Deshalb wird die Bilanz in einzelne Bestandteile zerlegt, auf denen während eines Geschäftsjahres die Geschäftsvorfälle verbucht werden und aus denen sich am Geschäftsjahresende wieder eine Bilanz ableiten lässt. Diese Bilanzbestandteile bezeichnet man als Bestandskonten. Neben den Bestandskonten werden Erfolgskonten für die Verbuchung von Aufwendungen (wie Löhne, Gehälter) und Erträgen (wie z. B. Verkaufserlöse) gebildet. **Konten** fördern eine systematische Verbuchung, indem gleichartige Geschäftsvorfälle durch eine Verbuchung auf demselben Konto zusammengeführt werden.

Es erleichtert die Durchführung der Buchführung, wenn die Konten eines Unternehmens klar und zweckmäßig gegliedert sind. Dazu wurden so genannte „**Kontenrahmen**" entwickelt, die als allgemeine Ordnungsschemata eine systematische Übersicht über die in der Buchhaltung eines Unternehmens möglicherweise auftretenden Konten geben. In Deutschland ist der **Industriekontenrahmen** (IKR) weit verbreitet, der für Gewerbe-, Industrie- und Handelsunternehmen entwickelt wurde. Die Zusammenfassung der Konten zu Kontenklassen folgt den einzelnen Positionen der Jahresbilanz und der Erfolgsrechnung. Für jede Bilanz- und GuV-Position wurde eine korrespondierende Kontenklasse geschaffen.

Ein Kontenrahmen enthält ein umfassendes Kontensystem. Ein einzelnes Unternehmen benötigt nicht alle diese Konten. Daher leitet sich jedes Unternehmen aus dem Kontenrahmen einen **Kontenplan** ab, der nur diejenigen Konten des Kontenrahmens berücksichtigt, die im Unternehmen angewendet werden.

Während des Jahres erfolgt die Verbuchung der einzelnen Geschäftsvorfälle auf den Konten. Dabei bestehen viele Besonderheiten, deren Erläuterung an dieser Stelle zu weit führen würde. Eine Darstellung der Verbuchung des laufenden Geschäftsverkehrs, verdeutlicht mit vielen Beispielen, findet sich in *Schultz*, Basiswissen Rechnungswesen, S. 31 ff.

Zum Bilanzstichtag erfolgt der **Abschluss aller Konten**. Dazu wird für jedes Konto dessen Endbestand, der so genannte Saldo, ermittelt. Aus den Endbeständen aller Bestandskonten ergibt sich die neue Bilanz, die Salden der Erfolgskonten gehen in die Gewinn- und Verlust-Rechnung ein.

4.3.1.6 Abschreibungen

Durch eine Abschreibung wird der bestehende Wertansatz eines Vermögensgegenstandes vermindert. Damit wird zum einen der **Wertverlust**, den Maschinen durch Abnutzung oder Veralten erleiden, berücksichtigt. Zum anderen wird die Gewinnentwicklung des Unternehmens verstetigt, da bei Beschaffungen der Aufwand nicht in voller Höhe in die Gewinn- und Verlustrechnung eingeht, sondern auf die voraussichtliche Nutzungsdauer des beschafften Wirtschaftsgutes **periodengerecht** verteilt wird.

Das **abnutzbare Sachanlagevermögen** wird einer **planmäßigen Abschreibung** unterzogen, indem die Anschaffungs- oder Herstellungskosten periodengerecht auf die Nutzungsdauer verteilt werden (§ 253 Absatz 2 Satz 1 HGB). Bei den übrigen Bestandteilen des Anlagevermögens erfolgen lediglich **außerplanmäßige Abschreibungen**, wenn Wertminderungen durch nicht vorhersehbare Ereignisse eingetreten sind (§ 253 Absatz 2 Satz 3 HGB). Auch bei **Forderungen** erfolgt eine Abschreibung, wenn diese z. B. wegen Konkurs des Schuldners ganz oder teilweise uneinbringlich sind.

Die **Wertminderung** des abnutzbaren Sachanlagevermögens, die im Rahmen der planmäßigen Abschreibung berücksichtigt wird, kann auf **technische Ursachen** (durch natürlichen Verschleiß [wie z. B. Rost] oder durch Abnutzung) oder auf **ökonomische Ursachen** (z. B. aufgrund des technischen Fortschritts oder durch Preisverfall) zurückgeführt werden.

Die **Höhe der Abschreibung** für ein Wirtschaftsgut wird durch die aus den Anschaffungs- oder Herstellungskosten ermittelte Abschreibungssumme, die geschätzte Nutzungsdauer und das gewählte Abschreibungsverfahren festgelegt. Grundsätzlich lassen sich zeit- und leistungsabhängige Abschreibungsverfahren unterscheiden.

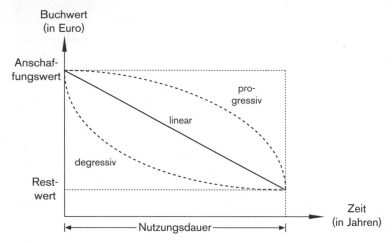

Abb. 4.6: Verlauf des Buchwertes bei zeitabhängigen Abschreibungsverfahren

Bei den **zeitabhängigen Abschreibungsverfahren** wird davon ausgegangen, dass der Wertverlust des Anlagegegenstandes allein vom Zeitverlauf abhängt. Abb. 4.6 zeigt den Verlauf des Restwertes bei verschiedenen Verfahren.

- **Lineare Abschreibung:** Bei der linearen Abschreibung wird in jeder Periode der gleiche Betrag a_t abgeschrieben. Der Abschreibungsbetrag a_t errechnet sich nach der folgenden Gleichung:

$$a_t = \frac{(\text{Anschaffungswert}) - (\text{Restwert am Ende der Nutzungsdauer})}{(\text{Voraussichtliche Nutzungsdauer})}$$

Beispiel: Es wird eine Produktionsanlage für 150.000 € beschafft. Die Anlage soll zehn Jahre betrieben werden, am Ende dieses Zeitraums besitzt sie voraussichtlich einen Restwert von 25.000 €. Wie hoch ist bei linearer Abschreibung der jährliche Abschreibungsbetrag?

Lösung: $a_t = \dfrac{(150.000 - 25.000)\,€}{10\ \text{Jahre}} = \dfrac{12.500\,€}{\text{Jahr}}$

---

* **Degressive Abschreibung:** Der Abschreibungsbetrag nimmt von Periode zu Periode ab. Diese Abschreibungsmethode wird angewandt, wenn der Wertverlust am Anfang der Nutzung wesentlich höher ist als in späteren Perioden. Dies ist bei den meisten technischen Geräten, Anlagen und Maschinen der Fall. Typisches Beispiel ist der Wertverlust bei neuen Kraftfahrzeugen.

* **Progressive Abschreibung:** Bei der progressiven Abschreibung nehmen die Abschreibungsbeträge von Periode zu Periode zu. Dies steht jedoch im Widerspruch zu dem Prinzip der kaufmännischen Vorsicht und in den meisten Fällen auch zum tatsächlichen Wertverlust. Die progressiven Verfahren sind steuerrechtlich nicht zulässig.

Bei der leistungsabhängigen Abschreibung variieren die Abschreibungsbeträge je nach der tatsächlichen Leistungsinanspruchnahme. Dazu wird zunächst ermittelt, welcher Abschreibungsbetrag auf eine Leistungseinheit (beispielsweise Kilometer, Betriebsstunde) entfällt. Anschließend kann aus der tatsächlichen Leistung der Abschreibungsbetrag für eine Periode errechnet werden.

> **Beispiel:** Die Produktionsanlage aus dem vorhergehenden Beispiel hat eine voraussichtliche Lebensdauer von 60.000 Betriebsstunden. Im Jahr 01 wird sie 5.500 Stunden eingesetzt. Wie hoch ist der Abschreibungsbetrag für dieses Jahr?
>
> Lösung: $\dfrac{150.000\,\text{€}}{60.000\,\text{h}} = \dfrac{2{,}50\,\text{€}}{\text{h}} \rightarrow a_1 = 5.500\,\text{h} \times \dfrac{2{,}50\,\text{€}}{\text{h}} = 13.750\,\text{€}$

Bei der **Auswahl des Abschreibungsverfahrens** soll eine möglichst realitätskonforme Abbildung des tatsächlichen Wertverlustes angestrebt werden. So wird die lineare Abschreibung ausgewählt werden, wenn die Verringerung des Nutzungspotentials maßgeblich durch den Zeitablauf bestimmt ist, während die leistungsabhängige Abschreibung dann zur Anwendung kommt, wenn die Wertminderung durch die Nutzung maßgeblich beeinflusst wird.

4.3.1.7 Rückstellungen

Rückstellungen bilden einen künftigen Aufwand des Unternehmens, bei dem die genaue Höhe oder der Fälligkeitstermin unbekannt ist. Sie sind aus Gründen der kaufmännischen Vorsicht zu bilden, wenn konkrete Tatsachen darauf hinweisen, dass mit einer Inanspruchnahme fest zu rechnen ist. Rückstellungen dürfen nur für Zwecke gebildet werden, die in § 249 und § 274 Absatz 1 HGB aufgeführt sind. Dazu zählen u. a. Rückstellung für **ungewisse Verbindlichkeiten** (z. B. Rückstellungen für Pensionszusagen an Mitarbeiter, Steuernachzahlungen oder Prozessrisiken), Rückstellungen für **drohende Verluste** aus schwebenden Geschäften oder Rückstellungen für unterlassene **Instandhaltung**smaßnahmen.

Wenn der Grund, der zur Bildung der Rückstellung geführt hat, weggefallen ist, muss die Rückstellung aufgelöst werden. In der Bilanz stehen die Rückstellungen auf der Passivseite. Sie bilden zusammen mit den Verbindlichkeiten das Fremdkapital des Unternehmens.

4.3.1.8 Jahresabschluss und Bilanzierung

Nach § 242 HGB hat ein Kaufmann für den Schluss eines jeden Geschäftsjahres einen Jahresabschluss zu erstellen. Der Jahresabschluss hat die Aufgabe, die Buchführung abzuschließen, zu kontrollieren und zu dokumentieren, Information und Rechenschaftslegung für Unternehmensangehörige, aber auch für außenstehende Dritte (Gesellschafter, Aktionäre, Aufsichtsrat, Abschlussprüfer, die Finanzverwaltung) zu geben, sowie den Erfolg zu ermitteln.

Der Jahresabschluss setzt sich aus der **Bilanz** (Kap. 4.3.1.3) und der **Gewinn- und Verlustrechnung** (kurz: GuV, vgl. Kap. 4.3.1.4) zusammen. Bei Kapitalgesellschaften kommt nach § 264 HGB als zusätzlicher Bestandteil ein **Anhang** hinzu, in dem Bilanz und GuV erläutert werden. Ferner ist der Jahresabschluss bei Kapitalgesellschaften durch einen Lagebericht zu ergänzen. Im **Lagebericht** sind Geschäftsverlauf, wirtschaftliche Lage, die voraussichtliche Entwicklung sowie die Forschung- und Entwicklungsaktivitäten des Unternehmens darzustellen. Ferner soll im Lagebericht auf

Vorgänge von besonderer Bedeutung, die nach dem Ende des Geschäftsjahres eingetreten sind, eingegangen werden. Die Aufstellung einer Bilanz unter Beachtung der gesetzlichen Bestimmungen zur Bewertung der einzelnen Bilanzpositionen wird als **„Bilanzierung"** bezeichnet. Die meisten für deutsche Unternehmen maßgeblichen Bestimmungen finden sich im Handelsgesetzbuch (§§ 238 ff. HGB). Daneben existieren „Grundsätze ordnungsmäßiger Bilanzierung", die aus den „Grundsätzen ordnungsmäßiger Buchführung" (vgl. Kap. 4.3.1.1) und gesetzlichen Vorschriften abgeleitet sind. Demnach müssen Bilanzen klar und übersichtlich aufgebaut sowie vollständig sein. Vermögensgegenstände dürfen höchstens mit den Anschaffungs- oder Herstellungskosten bewertet werden, eine Berücksichtigung von Wertsteigerungen ist unzulässig. Bei der Bewertung von Gebäuden, Maschinen und Anlagen muss davon ausgegangen werden, dass das Unternehmen fortgeführt („going concern") wird. Außerdem sind alle Wertansätze nach dem **Vorsichtsprinzip** festzulegen: Vermögen und Gewinne sind eher zu niedrig, Schulden eher zu hoch anzusetzen. Einmal gewählte Bewertungsmethoden sollen beibehalten werden („Bilanzkontinuität"). Durch den Jahresabschluss soll ein „den tatsächlichen Verhältnissen entsprechendes Bild der Vermögens-, Ertrags- und Finanzlage" des Unternehmens vermittelt werden („**True and Fair View**").

Die Aufstellung einer Bilanz vollzieht sich in zwei Schritten: Zunächst ist zu klären, was bilanziert werden muss, anschließend ist der **Wert** der zu bilanzierenden Positionen zu bestimmen. Je nachdem, ob eine Position auf der Aktiv- oder der Passivseite der Bilanz eingestellt wird, spricht man von Aktivierung oder Passivierung.

Bei Vermögensgegenständen (Aktiva), die entgeltlich erworben wurden, sind die **Anschaffungskosten** anzusetzen. Bei selbst hergestellten Vermögensgegenständen werden die **Herstellungskosten** angesetzt, deren Bestandteile sich gemäß § 255 Absatz 2 HGB ergeben. Daneben sind bei der Bilanzierung von Vermögensgegenständen zum einen **Abschreibungen** (vgl. Kap. 4.3.1.6) und zum anderen niedrigere Börsen- oder Marktpreise zu berücksichtigen.

Für das gezeichnete Kapital auf der **Passivseite** der Bilanz ist der Nennbetrag anzusetzen (§ 283 HGB), für Verbindlichkeiten der Rückzahlungsbetrag (§ 253 Absatz 1 HGB). Für Rückstellungen (vgl. Kap. 4.3.1.7) muss der notwendige Betrag abgeschätzt und in die Bilanz eingestellt werden. Bei Rentenverpflichtungen, die in vielen Unternehmen eine größere Bilanzposition bilden, wird der nach versicherungsmathematischen Grundsätzen ermittelte Barwert angesetzt.

Eine Besonderheit besteht bei rechtlich selbständigen Unternehmen, die von einem anderen Unternehmen, dem so genannten „Mutterunternehmen", wirtschaftlich dominiert werden. Diese Unternehmen bilden einen **Konzern**. Da infolge der wirtschaftlichen Abhängigkeit die Aussagekraft der Einzelabschlüsse der beteiligten Unternehmen sehr begrenzt ist, hat das Mutterunternehmen für den Verbund zusätzlich einen **Konzernabschluss** aufzustellen. Dabei wird von der Fiktion ausgegangen, dass das Mutterunternehmen und alle seine Tochterunternehmen nicht nur eine wirtschaftliche, sondern auch eine rechtliche Einheit bilden (Einheitstheorie). Der Konzernabschluss entspricht also dem Jahresabschluss eines fiktiven „Großunternehmens", das alle Teilunternehmen umfassen würde. Auf Besonderheiten des Konzernabschlusses wird an dieser Stelle nicht weiter eingegangen (vgl. dazu *Schultz*, Basiswissen Rechnungswesen, S. 92 ff.).

Zur Erhaltung des Unternehmenskapitals, zur Steigerung der Gewinn- und Dividendenentwicklung, zur Minimierung der Steuerlast, aber auch zur Verbesserung des Ansehens des Unternehmens in der öffentlichen Meinung kann durch die Ausnutzung gesetzlich zulässiger Wahlrechte der Jahresabschluss bewusst gestaltet werden. Diese Gestaltung wird als **Bilanzpolitik** bezeichnet. Die Gestaltungsmöglichkeiten sind bei Personengesellschaften durch großzügigere Ansatz- und Bewertungsvorschriften umfangreicher als bei Kapitalgesellschaften.

4.3.2 Internes Rechnungswesen (Kostenrechnung)

Das im vorangegangenen Kapitel dargestellte externe Rechnungswesen ist vergangenheitsorientiert und an gesetzliche Vorschriften gebunden. Als Grundlage für den Entscheidungsprozess im Unternehmen ist das externe Rechnungswesen nur unzureichend geeignet, so dass in den meisten Unternehmen parallel zum externen Rechnungswesen ein internes Rechnungswesen besteht, dessen wichtigster Bestandteil die **Kostenrechnung (Betriebsbuchführung** oder im angelsächsischen Sprachraum „Management Accounting") bildet.

In einer Reihe von Veröffentlichungen wird dieser Bereich des Rechnungswesens als **„Kosten- und Leistungsrechnung"** bezeichnet. Da jedoch der Kostenaspekt im Vordergrund steht und die Ausführungen zur Leistungs- oder Erlösrechnung eine untergeordnete Rolle spielen, wird in der vorliegenden Veröffentlichung bewusst von „Kostenrechnung" gesprochen.

4.3.2.1 Aufgaben und Teilgebiete der Kostenrechnung

Die Kostenrechnung erfüllt folgende Aufgaben:

- **Planung und Steuerung** (Lenkung): Es sind Informationen für die Unternehmensführung zur Vorbereitung von Entscheidungen (beispielsweise Grundsatzentscheidungen, Preispolitik) zu sammeln.
- **Kontrolle:** Durch die Gegenüberstellung von tatsächlich vorliegenden Werten (Istgrößen) und von vorgegebenen Werten (Sollgrößen) sind Abweichungen zu ermitteln. Anschließend sind im Rahmen einer Abweichungsanalyse die Abweichungsursachen herauszufinden.
- Bereitstellung von **Kosteninformationen** für die Buchführung, beispielsweise durch die Bewertung von fertigen und unfertigen Beständen oder von aktivierungspflichtigen Eigenleistungen.
- **Dokumentation:** Durch die Kostenrechnung soll der tatsächlich ablaufende Unternehmensprozess abgebildet werden. Daneben sind angefallene Kosten und Leistungen zu ermitteln und die nach Produktarten aufgespaltene Entstehung des Erfolgs aufzuzeigen.

Da die Kostenrechnung nicht gesetzlich reglementiert ist, bildet ihre Ausgestaltung selbst einen Gegenstand der betrieblichen Entscheidungen. Bei der Ausgestaltung einer Kostenrechnung müssen auch die **„Kosten der Kostenrechnung"**, die im wesentlichen aus den Personalkosten der mit der Kostenrechnung betrauten Mitarbeiter und deren Arbeitsmittel (Computer, Büroausstattung) bestehen, beachtet werden: Die anfallenden Kosten sollten in einem sinnvollen Verhältnis zu dem entstehenden Nutzen stehen.

Aus den Aufgaben und den auszuführenden Tätigkeiten lassen sich gemäß Abb. 4.7 drei Teilgebiete der Kostenrechnung ableiten, die aufeinander aufbauende Stufen eines Systems bilden.

Kostenarten-rechnung		Kostenstellen-rechnung		Kostenträger-rechnung
Grundfrage: **Welche** Kosten sind angefallen?	→	Grundfrage: **Wo** sind Kosten angefallen?	→	Grundfrage: **Wofür** sind Kosten angefallen?

Abb. 4.7: Stufen der Kostenrechnung

Die erste Stufe bildet die **Kostenartenrechnung** (Kap. 4.3.2.3). Sie dient der Ermittlung, Systematisierung und Erfassung der Kosten (Grundfrage: **Welche** Kosten sind angefallen?). Dabei wird auf Werte der Buchführung zurückgegriffen, die durch Sonderrechnungen zu ergänzen oder zu modifizieren sind.

Im zweiten Schritt wird geklärt, **wo** die Kosten angefallen sind. Im Rahmen der **Kostenstellenrechnung** (Kap. 4.3.2.4) erfolgt eine Abgrenzung von Abrechnungsbereichen („Kostenstellen"), denen die in der Kostenartenrechung ermittelten Kosten zugeordnet werden.

Die Frage, **wofür** die Kosten angefallen sind, beantwortet die **Kostenträgerrechnung**. Sie kann in die beiden Bestandteile Kostenträgerstückrechnung und Kostenträgerzeitrechnung (Kurzfristige Erfolgsrechnung) untergliedert werden.

Die **Kostenträgerstückrechnung** (Kap. 4.3.2.5) dient der Kalkulation der Produktpreise durch eine Ermittlung der Stückkosten der erzeugten Güter.

Im Rahmen der **kurzfristigen Erfolgsrechnung** (Kap. 4.3.2.6) wird mit der Ermittlung des Betriebsergebnisses der Erfolg einer Periode bestimmt.

4.3.2.2 Kostenbegriff

In der Kostenrechnung sind Kosten und Erlöse die maßgeblichen Größen. Damit unterscheidet sich die Kostenrechnung von der Buchführung, bei der Aufwendungen und Erträge gegenüber gestellt werden. In den meisten Fällen entsprechen sich Aufwand und Kosten. Doch es gibt sowohl Aufwendungen, denen keine Kosten gegenüberstehen wie auch Kosten, denen keine Aufwendungen entsprechen. Dies liegt dran, dass in der Buchführung Vermögensveränderungen, in der Kostenrechnung jedoch ausschließlich betriebsbedingte („sachzielbezogene") Güterveränderungen betrachtet werden.* Die Ergebnisse von Buchführung und Kostenrechnung können aufgrund folgender Unterschiede voneinander abweichen:

- **Neutrale Aufwendungen** (= Aufwendungen, die keine Kosten darstellen): Neutrale Aufwendungen stellen keine Kosten dar, weil sie entweder keinen Sachzielbezug besitzen (**betriebsfremde Aufwendungen,** die außerhalb der normalen Geschäftstätigkeit angefallen sind, wie z. B. Spenden an karitative Einrichtungen), einer anderen Zeitperiode zuzurechnen sind (**periodenfremde Aufwendungen**) oder nicht durch den gewöhnlichen Geschäftsbetrieb entstanden sind (so genannter „**außerordentlicher Aufwand**" wie z. B. Brandschäden).

- **Kalkulatorische Kosten** (= Kosten, die keinen Aufwand oder Aufwand in anderer Höhe darstellen): Kalkulatorischen Kosten steht entweder kein Aufwand (wie bei z. B. kalkulatorischen Wagniskosten oder bei kalkulatorischen Mieten) oder ein Aufwand in anderer Höhe (bei kalkulatorischen Abschreibungen) gegenüber. Einzelheiten zu den kalkulatorischen Kosten finden sich in Kap. 4.3.2.3.

Kosten lassen sich nach verschiedenen Kriterien klassifizieren; so kann eine Unterscheidung nach der Zurechenbarkeit auf den Kostenträger, der Abhängigkeit vom Beschäftigungsgrad oder der Kostengüterart erfolgen.

---

* Aufwendungen entstehen durch einen mit Ausgaben verbundenen Güterverbrauch, während Kosten als bewerteter, sachzielbezogener Güterverzehr einer Periode definiert sind.

Nach der **Zurechenbarkeit**, lassen sich Einzelkosten und Gemeinkosten unterscheiden. **Einzelkosten** können direkt einer Bezugsgröße (z. B. einem erzeugten Produkt) zugerechnet werden. So bilden die Kosten für die Reifen eines Personenwagens eine Größe, die sich direkt diesem Erzeugnis zurechnen lässt. Neben Materialkosten zählen auch Akkordlöhne zu den Einzelkosten. Kosten, die in einem Unternehmen anfallen, die aber nicht einem Erzeugnis direkt zugerechnet werden können, tragen die Bezeichnung „**Gemeinkosten**". Darunter fallen Verwaltungskosten, Gehälter, Kosten für Strom, Heizenergie und Wasser, Telefongebühren oder Betriebsstoffe für Maschinen.

Einzelkosten können problemlos einer Kostenstelle und einem Kostenträger (Produkt) zugerechnet werden. Bei Gemeinkosten erfolgt hingegen im Rahmen der Kostenstellenrechnung mit einem geeigneten Verfahren eine Umlage. Dabei sollte sich die Zurechnung nach Möglichkeit am **Verursachungsprinzip** (Kasualitätsprinzip) orientieren, nach dem nur solche Kosten zugerechnet werden, die durch die Herstellung direkt verursacht wurden. Nur wenn dies nicht möglich ist, sollte auf andere Verteilungsverfahren wie das **Durchschnittsprinzip** (Verteilung über Durchschnittswerte oder Verteilungsschlüssel) zurückgegriffen werden.

Ein weiteres Unterscheidungsmerkmal von Kosten ist deren Abhängigkeit vom **Beschäftigungsgrad**. Der Beschäftigungsgrad spiegelt das Verhältnis zwischen der eingesetzten und der vorhandenen Kapazität eines Unternehmens wider. Er errechnet sich als Quotient aus eingesetzter Kapazität (oder Ist-Beschäftigung) und vorhandener Kapazität (oder Vollbeschäftigung). Es gilt:

$$\text{Beschäftigungsgrad} = \frac{(\text{Eingesetzte Kapazität}) \times 100}{\text{Vorhandene Kapazität}}$$

Unter Vollbeschäftigung wird in diesem Zusammenhang ein Beschäftigungsstand verstanden, bei dem die Ausbringungsmenge (bei gleich bleibender Kapazität) nicht mehr gesteigert werden kann. Die bestehende Kapazität ist dann vollständig ausgelastet. In der Unternehmenspraxis ist dies jedoch kaum der Fall; in Deutschland sind bei „gesunden" Unternehmen Auslastungsgrade von 70 bis 90 Prozent üblich. Die Kapazität kann auch durch die

mögliche **Ausbringungsmenge** oder die verfügbare Maschinenlaufzeit ausgedrückt werden. Abb. 4.8 verdeutlicht unterschiedliche
Kostenverläufe in Abhängigkeit von der Ausbringungsmenge.

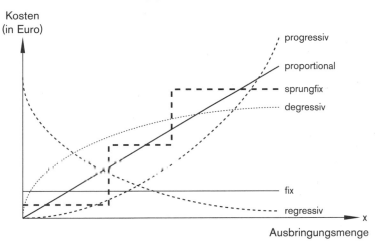

Abb. 4.8: Kostenverhalten in Abhängigkeit von der Ausbringungsmenge

Fixe Kosten sind vom Beschäftigungsgrad unabhängig. Darunter
fallen Gehälter, Zeitlöhne, Zinsen oder Versicherungsbeiträge.
Variable Kosten ändern sich hingegen in Abhängigkeit vom Beschäftigungsgrad. Je nach der Art der Veränderung lassen sich
verschiedene variable Kostenarten unterscheiden.

Bei einem proportionalen Kostenverlauf steigen die Kosten
mit zunehmender Ausbringungsmenge gleichmäßig (proportional) an. Dies ist bei Fertigungsmaterial der Fall, wenn es keinen
Mengenrabatt gibt.

Wie in Abb. 4.8 dargestellt lassen sich daneben progressive (z. B.
bei Überstundenzuschlägen), degressive (z. B. durch Lerneffekte)
und regressive Kosten (z. B. Heizkosten eines Hörsaals in Abhängigkeit von der Zuhöreranzahl) unterscheiden. Sprungfixe Kosten
sind für einen Bereich fix, springen jedoch ab einem bestimmten
Beschäftigungsgrad schlagartig auf einen höheren Betrag.

In Deutschland ist zu beobachten, dass der Anteil der Fixkosten an den Gesamtkosten der Unternehmen in den letzten Jahr-

zehnten auf mittlerweile fast 50 Prozent gestiegen ist. Dies ist bedenklich, weil dadurch der unternehmerische Entscheidungsspielraum stark eingeschränkt wird. Gründe für den Fixkostenanstieg sind die hohen Personalkosten, die zunehmende Bedeutung von indirekten Leistungsbereichen (z. B. Qualitätssicherung, EDV) und die Automatisierung der Produktion (hohe Abschreibungsbeträge).

Bei einer Gliederung von Kosten nach der **Kostengüterart** wird die Unterscheidung nach der Art der verbrauchten Produktionsfaktoren (z. B. Material-, Personal- und Dienstleistungskosten) vorgenommen, die in der Kostenartenrechnung (siehe folgendes Kapitel) eine große Bedeutung besitzt.

4.3.2.3 Kostenartenrechung

Die Erfassung und Gliederung (Klassifikation) der Kosten in Kostenarten stellt das Grundproblem der Kostenartenrechnung dar. Bei der Erfassung sollten Mengenkomponente (wie viel?) und Wertkomponente (welcher Wert?) getrennt betrachtet werden.

Nach der Art der verbrauchten Produktionsfaktoren lassen sich folgende **Kostenarten** unterscheiden:

- Materialkosten (Roh-, Hilfs- und Betriebsstoffe, Energiekosten, Zukaufteile, Büromaterial)
- Personalkosten (Löhne, Gehälter, Provisionen)
- Dienstleistungskosten (Dienstleistungen Dritter, z. B. Transportkosten)
- Kalkulatorische Kosten (Abschreibungen, Zinsen, Wagnisse, Unternehmerlohn, Miete)
- Öffentliche Abgaben (Steuern, Gebühren)

Jede Kostenart stellt andere Anforderungen an die Erfassung. In vielen Fällen kann auf Werte der Buchführung zurückgegriffen werden, die allerdings noch weiter aufzubereiten sind (z. B. Zerlegung in Einzel- und Gemeinkosten oder in variable und fixe Bestandteile). In Abb. 4.9 ist die Struktur der Kostenarten im Bereich des Maschinenbaus dargestellt. In anderen Branchen zeigen sich andere Aufteilungen. So ist der Dienstleistungsbereich durch eine Dominanz der Personalkosten (70 % und mehr) gekennzeichnet.

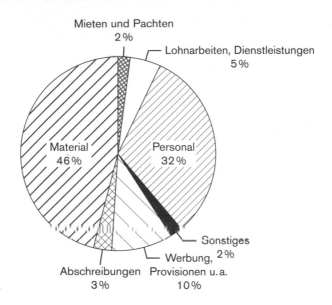

Mieten und Pachten
2%

Lohnarbeiten, Dienstleistungen
5%

Material
46%

Personal
32%

Sonstiges
Werbung, 2%
Provisionen u. a.

Abschreibungen
3%

10%

Abb. 4.9: Kostenstruktur im Maschinenbau (Eigene Darstellung auf der Basis von Zahlenangaben aus: *Statistisches Bundesamt,* Statistisches Jahrbuch, S. 196)

Im folgenden wird nur auf die kalkulatorischen Kosten näher eingegangen, da diese Kostenart eine Besonderheit der Kostenrechnung darstellt. In Abb. 4.9 sind diese Kosten nicht explizit ausgewiesen, sondern in den anderen Kategorien enthalten. **Kalkulatorische Kosten** haben die Aufgabe, die Genauigkeit der Kostenrechnung zu erhöhen, indem der tatsächliche Werteverbrauch und aperiodisch auftretende Verluste berücksichtigt werden. Es lassen sich folgende **kalkulatorische Kostenarten** unterscheiden:

Kalkulatorische Abschreibungen: Durch Abschreibungen sollen Anschaffungs- bzw. Herstellkosten von dauerhaften, aber begrenzt nutzbaren materiellen und immateriellen Gebrauchsgütern periodengerecht auf die Nutzungsdauer verteilt werden (vgl. Kap. 4.3.1.6). Während bei der Buchführung handels- und steuerrechtliche Vorschriften und Vorgaben zu beachten sind, ist das Unternehmen im Rahmen der Kostenrechnung bei der

Auswahl des Verfahrens und der Prämissen (z. B. Nutzungsdauer, Restwert) völlig frei. Im Gegensatz zu den bilanziellen Abschreibungen können kalkulatorische Abschreibungen den tatsächlichen Werteverzehr (z. B. durch Berücksichtigung von Preissteigerungen) der im Produktionsprozess eingesetzten Betriebsmittel (Anlagen, Maschinen, Geräte) erfassen.

Kalkulatorische Zinsen sind in der Kostenrechnung anzusetzen, wenn bei der Verzinsung des **Fremdkapitals** (z. B. Zinsen für Kredite) andere Zinssätze gewählt werden als im bilanziellen Bereich. Zusätzlich können bei Einzelunternehmen und Personengesellschaften auch für die Verzinsung des eingesetzten **Eigenkapitals** und für zinslos überlassenes Kapital kalkulatorische Zinsen berücksichtigt werden.

Kalkulatorische Wagnisse berücksichtigen spezielle Risiken, die nicht über Versicherungen abdeckbar sind. Dazu werden tatsächliche Schadensfälle periodisiert, indem aus den Werten der vergangenen Jahre ein Mittelwert als langfristiger Erfahrungswert errechnet wird. Dieser Mittelwert geht dann über die Gemeinkosten in die Selbstkosten ein und wird in die Verkaufspreise einkalkuliert. Dadurch wird erreicht, dass die Verkaufspreise einen stetigen Verlauf besitzen und nicht durch das zufällige Eintreten von Schadensereignissen Schwankungen unterworfen sind. Zu den kalkulatorischen Wagnissen zählen unter anderem das Vorräte- oder Beständewagnis (Schwund, Diebstahl, Veralten, Verrosten, „Vergammeln" von Lagerbeständen), das Anlagenwagnis (Ausfälle, Katastrophenverschleiß von Maschinen und Anlagen) oder das Ausschuss- oder Produktionswagnis (Kosten für Ausschussproduktion und Nachbearbeitung).

Kalkulatorischer Unternehmerlohn: Bei Einzelunternehmen und bei Personengesellschaften kann ein **kalkulatorischer Unternehmerlohn** für die Arbeitsleistung des Kapitaleigners im eigenen Unternehmen angesetzt werden. Die Höhe des kalkulatorischen Unternehmerlohns orientiert sich an dem Gehalt für eine vergleichbare Tätigkeit in einem anderen Unternehmen.

Kalkulatorische Miete: Bei Einzelunternehmen und bei Personengesellschaften ist es denkbar, dass Wirtschaftsgüter aus dem

Privatbesitz des Kapitaleigners (z. B. Gebäude, Fahrzeuge) in seinem Unternehmen eingesetzt werden. Dafür ist in der Kostenrechnung eine kalkulatorische Miete anzusetzen, deren Höhe sich aus dem Betrag ergibt, der aufgewendet werden müsste, wenn das überlassene Wirtschaftsgut von einem außenstehenden Dritten gemietet würde.

4.3.2.4 Kostenstellenrechnung

Im Rahmen der Kostenstellenrechnung werden die in der Kostenartenrechnung erfassten Gemeinkosten verursachungsgerecht auf betriebliche Teilbereiche (so genannte „Kostenstellen") verteilt. Damit wird sichtbar, wo in einem Unternehmen Kosten angefallen sind. Bereiche und Verfahren der Kostenstellenrechnung sind in Abb. 4.10 zusammengestellt.

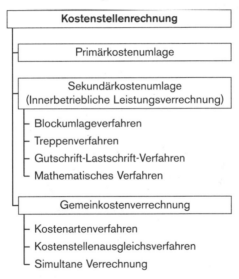

Abb. 4.10: Bereiche und Verfahren der Kostenstellenrechnung

Eine **Kostenstelle** lässt sich als rechnungstechnisch abgegrenzter betrieblicher Teilbereich definieren, in dem Kosten entstehen und dem Kosten zugerechnet werden können. Bevor eine Kostenstellenrechnung durchgeführt werden kann, ist das gesamte

Unternehmen in Kostenstellen zu untergliedern. Dabei ist darauf zu achten, dass die Kostenstellen die betrieblichen Prozesse möglichst realitätsnah abbilden. Die Abgrenzung der Kostenstellen orientiert sich in erster Linie an den betrieblichen Funktionsbereichen. Eine unternehmensspezifische Kostenstellengliederung wird als **Kostenstellenplan** bezeichnet.

Im Gegensatz zu Einzelkosten lassen sich Gemeinkosten nicht direkt einem erzeugten Produkt oder einer erstellten Leistung zurechnen. Zur Verteilung der Gemeinkosten müssen spezielle Verfahren angewandt werden. Bei der Verteilung von Gemeinkosten auf Kostenstellen lassen sich folgende Schritte unterscheiden:

Primärkostenumlage: Primäre Gemeinkosten stellen Kosten für unternehmens**extern** bezogene Güter und Leistungen dar. Dies sind Kosten für die Beschaffung von Anlagen und Maschinen, von Material und Zukaufteilen, aber auch Personalkosten.

Dabei sind direkt sowie nicht direkt zuordenbare Gemeinkosten zu unterscheiden. Direkt zurechenbare Kosten (z. B. Löhne, Gehälter, Abschreibungen) lassen sich problemlos der zugehörigen Kostenstelle zuordnen, da sie durch Belege dokumentiert sind.

Nicht direkt zurechenbare Gemeinkosten (wie von mehreren Kostenstellen genutzte Anlagen) müssen den Kostenstellen über geeignete Verteilungsschlüssel zugeordnet werden. Wenn möglich sollte ein direkter Zusammenhang bestehen, teilweise muss jedoch auf Abschätzungen über vereinfachende Annahmen (z. B. Abschätzung des Heizenergieverbrauchs über die Raumgröße oder die Anzahl der Heizkörper) zurückgegriffen werden.

Beispiel zur Primärkostenumlage: Ein Unternehmen bekommt für den Bezug von Fernwärme Kosten in Höhe von 18.000 € in Rechnung gestellt. Die Fernwärme wird von den drei Kostenstellen A (nutzt einen umbauten Raum von 5.000 m^3), B (10.000 m^3) und C (15.000 m^3) verbraucht. Die Energiekosten sind auf die drei Kostenstellen zu verteilen.

Zunächst ist ein geeigneter Verteilungsschlüssel zu wählen. Es bietet sich an, von dem durch die Abteilungen genutzten umbauten Raum auszugehen:

$$\frac{18.000\,€}{30.000\,m^3} = \frac{0,60\,€}{m^3}$$

Damit lässt sich folgende Zuordnung der Heizkosten festlegen:

Kostenstelle A: Heizkosten $= \dfrac{5.000\,m^3 \times 0,60\,€}{m^3} = 3.000\,€$

Kostenstelle B: Heizkosten $= \dfrac{10.000\,m^3 \times 0,60\,€}{m^3} = 6.000\,€$

Kostenstelle C: Heizkosten $= \dfrac{15.000\,m^3 \times 0,60\,€}{m^3} = 9.000\,€$

Sekundärkostenumlage (Innerbetriebliche Leistungsverrechnung): Sekundärkosten sind Gemeinkosten, die innerhalb eines Unternehmens entstanden sind und an andere Kostenstellen weiterverrechnet werden. Eine derartige Verrechnung erfolgt bei unternehmensinternen Servicebereichen (z. B. Reparaturwerkstätten) oder bei zentralen Einrichtungen. Die Aufgabe der Sekundärkostenumlage ist es, sämtliche Gemeinkosten, die bei diesen Servicebereichen, bei zentralen Einrichtungen oder bei sonstigen Vorkostenstellen angefallen sind, möglichst verursachungsgerecht auf Endkostenstellen umzulegen. Daher wird die Sekundärkostenumlage auch als „innerbetriebliche Leistungsverrechnung" bezeichnet. Zur Durchführung der Sekundärkostenumlage können verschiedene Verfahren eingesetzt werden, die im Regelfall unterschiedliche Ergebnisse liefern.

Ein exaktes Ergebnis liefert das **mathematische Verfahren**, wenn zuvor die primären Gemeinkosten exakt erfasst und die innerbetrieblichen Leistungsverflechtungen realitätsgetreu aufgezeichnet wurden. Allerdings ist das Verfahren aufwendig: Bei einer großen Zahl von Kostenstellen muss ein großes Gleichungssystem gelöst werden. Bei jeder Veränderung der Leistungsabgabe ist das Gleichungssystem neu aufzustellen und zu lösen.

Beim **Gutschrift-Lastschrift-Verfahren** wird statt mit exakten Verrechnungspreisen mit geschätzten Festwerten gerechnet. Dies bietet den beteiligten Kostenstellen Planungssicherheit, weil innerbetriebliche Leistungen mit bekannten Preisen abgerechnet werden. Die auftretenden Ungenauigkeiten müssen in Form einer Restumlage ausgeglichen werden.

Einfach anzuwenden ist das **Treppenverfahren**. Leistungsverflechtungen unter den Vorkostenstellen können allerdings nur in gewissem Umfang berücksichtigt werden. Wenn eine ideale Anordnung der Kostenstellen gewählt wird, kann eine hohe Genauigkeit der Kostenverrechnung erzielt werden.

Eine ausführlichere Erläuterung dieser Verfahren mit Beispielen findet sich bei *Schultz*, Basiswissen Rechnungswesen, S. 129 ff.

Gemeinkostenaufträge: Gemeinkostenaufträge liegen vor, wenn Endkostenstellen Leistungen erbringen, die nicht für den Absatz, sondern für andere Endkostenstellen bestimmt sind. Um eine Verzerrung der Kostenstruktur zu vermeiden, muss die leistende Kostenstelle um die Kosten des Gemeinkostenauftrags entlastet, die empfangende Kostenstelle hingegen belastet werden. Zur Durchführung dieser Verrechnung zwischen Endkostenstellen kann das Kostenartenverfahren, das Kostenstellenausgleichsverfahren und das Verfahren der simultanen Verrechnung eingesetzt werden.

4.3.2.5 Kostenträgerstückrechnung (Kalkulation)

Die Kalkulation oder Kostenträgerstückrechnung hat die Aufgabe, die angefallenen Kosten auf die Kostenträger möglichst verursachungsgerecht zu verteilen und anschließend die **Kosten je Mengeneinheit** („Stückkosten") zu ermitteln. **Kostenträger** sind die für den Absatz bestimmten Leistungen des Unternehmens, also die Produkte oder die Dienstleistungen. Wie bereits bei der Kostenstellenrechnung stellt das Hauptproblem der Kalkulation die verursachungsgerechte Zurechnung der Gemeinkosten dar.

Die Kosten, die zur Herstellung eines Kostenträgers erforderlich sind, bezeichnet man als **Herstellkosten**. Werden zusätzlich auch Verwaltungs- und Vertriebskosten einbezogen, ergeben sich die **Selbstkosten**.

Die Ergebnisse der Kalkulation bilden Grundlage für **preis- und programmpolitische Entscheidungen** des Unternehmens, für die kurzfristige Erfolgsrechnung sowie für weitergehende Analysen im Rahmen des Controlling.

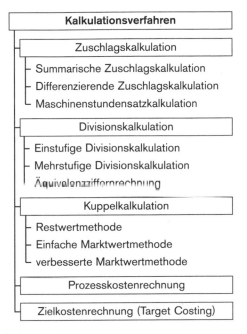

Abb. 4.11: Kalkulationsverfahren

Zur Durchführung der Kalkulation stehen verschiedene Verfahren zur Verfügung, die in Abb. 4.11 zusammengestellt sind. Die Auswahl eines Verfahrens ist im wesentlichen von den Produktionsverhältnissen (Organisation des Produktionsprozesses, Produktionsprogramm) abhängig. So benötigen Dienstleistungsunternehmen völlig andere Verfahren als Unternehmen des Maschinenbaus. Die wichtigsten Verfahren werden im folgenden nur kurz erwähnt. Eine ausführlichere Erläuterung mit Beispielen findet sich bei *Schultz,* Basiswissen Rechnungswesen, S. 139 ff.

Zuschlagskalkulation: Die Zuschlagskalkulation wird in Unternehmen mit **Einzel- oder Serienproduktion** eingesetzt (zur Einzel- und zur Serienproduktion vgl. Kap. 8.1.2). Dazu wird für jede Kostenstelle ein **Zuschlagssatz** ermittelt, der sich durch Division der gesamten Gemeinkosten einer Kostenstelle durch eine Bezugsgröße (z. B. Einzelkosten) ergibt. Ein Zuschlagssatz errechnet sich nach der Gleichung

$$\text{Zuschlagssatz} = \frac{\sum \text{Kosten}}{\text{Bezugsgröße}}$$

Als Bezugsgröße (Bezugsbasis) werden Einzelkosten (Lohneinzelkosten, Materialeinzelkosten), Fertigungszeiten, Maschinenlaufzeiten oder auch die Herstellkosten verwendet. Mit diesem Zuschlagssatz und der „Stück-Bezugsgröße" (z. B. Stückeinzelkosten) können die **Stückgemeinkosten** eines Produktes errechnet werden.

Es bestehen verschiedene Varianten der Zuschlagskalkulation, die sich durch die Art und den Differenzierungsgrad der Zuschlagssätze unterscheiden. Eine dieser Varianten ist die Maschinenstundensatzkalkulation, bei der für jede Maschine ein **Maschinenstundensatz** ermittelt wird, der die Kosten pro Maschinenlaufstunde widerspiegelt. In den Maschinenstundensatz gehen sämtliche maschinenabhängige Gemeinkosten wie Abschreibung, Energiekosten (Strom), Raumbedarf oder Instandhaltung ein.

Beispiel zur Maschinenstundensatzkalkulation: In der Kostenstelle „Dreherei" fallen in einer Periode Gemeinkosten in Höhe von 80.000 € an. Davon können einer Drehmaschine maschinenabhängige Gemeinkosten in Höhe von 30.000 € zugerechnet werden. Die Drehmaschine läuft in einer Periode 1.500 Stunden. Wie lautet der Maschinenstundensatz, welche Kosten hat ein Produkt P zu tragen, das 30 Minuten auf der Drehmaschine bearbeitet wird? Lösung:

Maschinenstundensatz: $\dfrac{30.000\,€}{1.500\,h} = \dfrac{20\,€}{h}$

Kostenanteil Produkt P: $\dfrac{20\,€}{h} \times 0,5\,h = 10\,€$

Bei Anwendung der Maschinenstundensatzkalkulation werden die Gemeinkosten der Kostenstelle um die maschinenabhängigen Gemeinkosten entlastet. Eventuell verbleibende Restkosten, die keiner Maschine zugeordnet werden können, lassen sich als Zuschlag auf die Fertigungslöhne verrechnen.

Divisionskalkulation: Die Divisionskalkulation ist das einfachste Kalkulationsverfahren. Sie wird eingesetzt, wenn ein einheitliches Produkt in großer Stückzahl, meist in **Massenfertigung**, hergestellt wird.

Das **Grundprinzip** der Divisionskalkulation basiert darauf, dass die gesamten Kosten durch die erstellten Leistungen dividiert werden. Es gilt also:

$$\text{Stück-Selbstkosten} = \frac{\text{Gesamte Kosten}}{\text{Produktionsmenge}}$$

Die Divisionskalkulation kann für eine Produktionsstufe (einstufige Divisionskalkulation), aber auch für mehrere hintereinander geschaltete Produktionsstufen (mehrstufige Divisionskalkulation) angewandt werden. Daneben ist es möglich, die Divisionskalkulationsvariante „**Äquivalenzziffernrechnung**" für die Kalkulation von Produkten einzusetzen, die einen hohen Ähnlichkeitsgrad besitzen (Sortenfertigung).

Beispiel zur einstufigen Divisionskalkulation: In einem kleinen Kraftwerk fallen pro Periode Gesamtkosten in Höhe von 280.000 € an. Es werden 3.500.000 kWh Energie erzeugt. Wie hoch sind die Selbstkosten pro Kilowattstunde (kWh)?

$$\text{Lösung:} \quad \frac{280.000\,€}{3,5\,\text{Mio kWh}} = \frac{0,08\,€}{\text{kWh}}$$

Kalkulation von Kuppelprozessen: Bei der Kuppelproduktion entstehen verfahrenstechnisch, technologisch oder natürlich bedingt zwangsläufig mehrere verschiedenartige Erzeugnisse (Kuppel- oder Spaltprodukte, vgl. Kap. 8.1.2). Eine verursachungsgerechte Kalkulation ist bei einem Kuppelprozess nicht möglich; statt dessen werden die anfallenden Kosten nach dem **Tragfähigkeitsprinzip** verteilt: Diejenigen Spaltprodukte, die sich gut verkaufen lassen, sollen die Kosten tragen und damit die übrigen, wenig rentablen Spaltprodukte mitfinanzieren. Spezielle Verfahren zur Kuppelkalkulation sind die **Restwertmethode** und die **Marktwertmethode**.

Prozesskostenrechnung: Die Prozesskostenrechnung stellt eine Ergänzung der bestehenden Kostenrechnungsinstrumente dar, durch die eine detaillierte Betrachtung der Gemeinkostenbereiche gefördert und damit deren Kostentransparenz erhöht wird. Vor allem für den Dienstleistungsbereich, in dem keine oder nur geringe Einzelkosten anfallen, erscheint die Prozesskostenrechnung ein interessantes Kalkulationsinstrument. Auch im industriellen Bereich lässt sich die Prozesskostenrechnung bei der Ermittlung der Herstellkosten zur Unterstützung der traditionellen Verfahren nutzen.

Die Prozesskostenrechnung wurde um 1985 als „Activity-Based-Costing" oder „Transaction Costing" in den USA entwickelt. Anlass für die Entwicklung des Verfahrens war der ständige Anstieg der Gemeinkosten in den vorangegangenen Jahrzehnten, der durch die zunehmende Automatisierung der Fertigung und die wachsende Bedeutung von indirekten Leistungsbereichen (z. B. Forschung und Entwicklung, Logistik, Controlling) verursacht wird.

Der Prozesskostenrechnung liegt die Annahme zu Grunde, dass bei bestimmten Aktivitäten (insbesondere im Verwaltungsbereich) die Kosten unabhängig von der Höhe traditioneller Zuschlagsbasen (wie Materialeinzelkosten, Lohneinzelkosten) sind und somit neue Verteilungsgrundlagen gesucht werden müssen. Bei der Prozesskostenrechnung wird zur Kostenverteilung von einem **Festbetrag pro Einzelaktivität** ausgegangen, da letztlich für jeden Auftrag die gleiche Arbeitskapazität benötigt wird. Dieser so genannte **Prozesskostensatz** stellt die durchschnittlichen Kosten für die einmalige Durchführung eines Prozesses dar. Je nach betrachtetem Prozess können dies die Kosten für das Schreiben einer Rechnung oder die Kontrolle des Wareneingangs sein.

Durch den Ansatz des Prozesskostensatzes wird jeder Auftrag in gleicher Höhe belastet. Diese Verrechnung ist verursachungsgerechter. Im Vergleich zur Zuschlagskalkulation führt dies jedoch zu einer stärkeren Gemeinkostenbelastung für kleinere Aufträge, die durch die hohe Prozesskostenbelastung unrentabel werden können.

Zielkostenrechnung (Target Costing): Während bei den bisher dargestellten Verfahren die Kosten für eine vorliegende konstruktive Lösung ermittelt werden, beschreitet die Zielkostenrechnung den umgekehrten Weg: Die zulässigen Kosten für ein Produkt werden aus den am Markt erzielbaren Preisen abgeleitet und anschließend als Kostenvorgabe bei der Entwicklung einer technischen Lösung eingesetzt. Die Zielkostenrechnung ist ein marktorientiertes Kostenrechnungsverfahren, das die Produktentwicklung eng an die Kostenstruktur ankoppelt.

Die dargestellten Kalkulationsverfahren dienen der Ermittlung der Selbstkosten eines erstellten Produktes. Die Festsetzung des **Verkaufspreises** orientiert sich an diesen Selbstkosten, die mit verschiedenen Aufschlägen versehen werden. Zur Preisbestimmung vgl. Kap. 9.3.2.2.

4.3.2.6 Kurzfristige Erfolgsrechnung

Die kurzfristige Erfolgsrechnung wird auch als Kostenträgerzeitrechnung oder als Betriebsergebnisrechnung bezeichnet. Sie hat die Aufgabe, durch die Gegenüberstellung von Kosten und Erlösen das **Betriebsergebnis** einer Periode zu ermitteln. Das Betriebsergebnis bildet die „ordentliche" Tätigkeit eines Unternehmens ab, also all das, was zum Unternehmenszweck gehört. Außerordentliche Einflüsse bleiben ebenso ausgeklammert, wie unternehmens- oder periodenfremde Ereignisse.

Die kurzfristige Erfolgsrechnung dient der laufenden Überwachung der Wirtschaftlichkeit eines Unternehmens. Es müssen kurze **Abrechnungszeiträume** gewählt werden, damit auf negative Einflüsse rasch reagiert werden kann. Zumeist wird das Betriebsergebnis monatlich ermittelt.

Zur Durchführung der kurzfristigen Erfolgsrechnung stehen **zwei Verfahren** zur Verfügung, das Gesamtkostenverfahren und das Umsatzkostenverfahren. Die beiden Verfahren unterscheiden sich bezüglich der Gliederungssystematik, der Behandlung von Lagerbestandsveränderungen bei unfertigen und fertigen

Erzeugnissen sowie der Aktivierung von Eigenleistungen (z. B. selbsterstellte Werkzeuge und Anlagen).

Die beiden Verfahren werden auch im Rahmen der Gewinn- und Verlustrechnung eingesetzt (vgl. Kap. 4.3.1.4). Dabei bestehen im formalen Aufbau und bei der prinzipiellen Vorgehensweise weder beim Gesamtkostenverfahren noch beim Umsatzkostenverfahren Unterschiede zwischen Buchführung und Kostenrechnung. Es ergeben sich jedoch unterschiedliche Ergebnisse, da bei der Gewinn- und Verlustrechnung Aufwendungen und Erträge, bei der kurzfristigen Erfolgsrechnung Kosten und Erlöse gegenüber gestellt werden (zur Abgrenzung von Aufwand und Kosten vgl. Kap. 4.3.2.2).

In der kurzfristigen Erfolgsrechnung bleiben unternehmens- oder periodenfremde sowie außerordentliche Einflüsse ausgeklammert, zudem fließen kalkulatorische Kostenarten ein. Da die kurzfristige Erfolgsrechnung als Bestandteil des internen Rechnungswesens **unabhängig von handels- und steuerrechtlichen Bestimmungen** ist, gewährt sie im Vergleich zur Gewinn- und Verlustrechnung einen **realistischeren Einblick** in die Erfolgssituation des Unternehmens. Sie erleichtert innerbetriebliche Analysen, da zufällige Ereignisse (wie Feuer oder andere Katastrophen) und betriebsindividuelle Besonderheiten (wie die Finanzierungsstruktur oder die unentgeltliche Überlassung von Räumlichkeiten) eliminiert werden. Ein wesentlicher Vorteil sind auch die **kürzeren Abrechnungsperioden** der kurzfristigen Erfolgsrechnung, durch die ein zeitnahes Reagieren der Unternehmensleitung ermöglicht wird.

4.3.2.7 Plankostenrechnung

Die bisherigen Ausführungen zur Kostenrechnung basieren auf Istkosten, das sind tatsächlich angefallene Kosten. Verfahren und Instrumente, die Istkosten verarbeiten, werden auch unter dem Begriff „**Istkostenrechnung**" zusammengefasst. Die Istkostenrechnung hat eine lange Tradition und ist in den Unternehmen weit verbreitet. Ein wesentlicher Nachteil ist jedoch deren Vergangenheitsorientierung und sich daraus ergebende Grenzen bei einem Einsatz der Ergebnisse im Rahmen der Unternehmensplanung.

Die Zahlen der **Plankostenrechnung** basieren nicht auf Vergangenheitswerten. **Plankosten** errechnen sich aus dem **Planwert** („wie teuer?") und der **Planmenge** („wie viel?"). Der Planwert leitet sich aus einer **Prognose für die Preise** der eingesetzten Güter (Material, Arbeitskraft, Maschinen) ab. Die Planmenge an Einsatzgütern, die zur Herstellung eines Produkts oder einer Leistung erforderlich ist, wird über technische Berechnungen oder Verbrauchsstudien auf analytischem Wege bestimmt.

Eine wesentliche Einflussgröße für die Ermittlung der Plankosten ist der **Beschäftigungsgrad**, der ein Maß für die Kapazitätsauslastung darstellt (vgl. Kap. 4.3.2.2). Neben dem Beschäftigungsgrad bestehen weitere Einflussgrößen (z. B. Auftragsgröße, Unternehmensgröße), die jedoch aus Praktikabilitätsgründen vernachlässigt werden.

Plankosten besitzen einen Vorgabecharakter und erfüllen damit eine **Lenkungsfunktion**. Zugleich ermöglichen sie eine wirksame **Kontrolle** durch **Soll-Ist-Vergleiche**. Dazu werden geplante Größen (Planmenge, Planpreis, Plankosten) den tatsächlich eingetretenen Größen (Istmenge, Istpreis, Istkosten) gegenüber gestellt. Daneben können Plankosten für Wirtschaftlichkeitsanalysen, Produktkalkulationen und für unternehmerische Entscheidungen eingesetzt werden.

Die **Kostenplanung** erfolgt getrennt für jede einzelne Kostenart. Bei der Planung der **Materialeinzelkosten** kann auf technische Unterlagen zurückgegriffen werden. Die Mengenkomponente lässt sich über Konstruktionszeichnungen, Stücklisten oder Rezepturen bestimmen. Als Wertkomponente werden geplante Beschaffungspreise angesetzt.

Die zur Fertigung notwendige Arbeitszeit lässt sich über arbeitswissenschaftliche Methoden (Analyse des Arbeitsablaufs nach dem REFA-System, durch Multimomentstudien oder das Work-Factor-Verfahren) oder über die erforderliche Maschinenlaufzeit ermitteln (dazu ausführlich Kap. 8.2.2). Zur Berechnung der **Lohneinzelkosten** erfolgt anschließend eine Multiplikation der ermittelten Planarbeitszeit mit Lohn- und Gehaltsstundensätzen, die Tarifverträgen entnommen werden können.

Bei der Planung von **Maschinen- und Gerätekosten** sind Planansätze für Energie- und Instandhaltungskosten, kalkulatorische Abschreibungen und anteilige Gebäudekosten zu berücksichtigen.

Je nachdem, in welchem Umfang Einflussgrößen variabel sind, lassen sich verschiedene Formen der Plankostenrechnung unterscheiden (starre und flexible Plankostenrechnung, Grenzplankostenrechnung), auf die hier nicht näher eingegangen wird (vgl. dazu *Schultz*, Basiswissen Rechnungswesen, S. 169 ff.).

Neben der Planung der Kosten spielt deren Kontrolle eine wichtige Rolle. Durch die **Kostenkontrolle** werden Abweichungen zwischen geplanten Größen und tatsächlich realisierten Istgrößen aufgedeckt. Daneben ist es wichtig, Ursachen für die Abweichungen zu ermitteln, damit Abhilfemaßnahmen eingeleitet, sowie die Planungen für zukünftige Perioden angepasst werden können.

Es bestehen folgende grundsätzlichen **Abweichungsarten:**

- **Preisabweichungen** treten durch Änderungen bei den Beschaffungspreisen sowie durch Lohn- und Gehaltssteigerungen auf. Sie lassen sich leicht durch eine Gegenüberstellung von Planwerten und Istwerten identifizieren. Preisabweichungen sind extern vorgegeben und daher nicht von dem Leiter der jeweiligen Kostenstelle zu vertreten, aber für das Unternehmen und dessen Preisgestaltung von großer Bedeutung.
- Die **Verbrauchsabweichung** ergibt sich durch Mehr- oder Minderverbrauch und Unwirtschaftlichkeiten in einer Kostenstelle. Da bei der Ermittlung der Verbrauchsabweichung ein gleich bleibendes Preisniveau zu Grunde gelegt wird, sind die Ursachen ausschließlich in der Kostenstelle selbst zu suchen; somit ist die Verbrauchsabweichung ein Indikator für die Wirtschaftlichkeit einer Kostenstelle.
- Die **Beschäftigungsabweichung** ist planungsbedingt und von der Kostenstelle nicht zu vertreten. Sie ergibt sich, wenn die geplante und die tatsächlich eingetretene Kapazitätsauslastung voneinander abweichen. Maßstab für die Abweichung sind unterschiedliche Beschäftigungsgrade (dazu vgl. Kap. 4.3.2.2).

Im Rahmen einer detaillierten Analyse können die Abweichungen in Spezialabweichungen zerlegt werden, die für Planungs- und Steuerungsaufgaben von großer Bedeutung sind.

4.3.2.8 Break-Even-Analyse

Die Break-Even-Analyse (Gewinnschwellenanalyse, Deckungs-punktanalysc) stellt eine besondere Form der Erfolgsplanung dar. Sie hat die Aufgabe, den Beschäftigungsgrad zu ermitteln, ab dem mit einem Produkt ein Gewinn erwirtschaftet wird. Dieser Punkt, an dem die Kosten genau den Erlösen entsprechen, wird als Gewinnschwelle oder als **Break-Even-Punkt** bezeichnet.

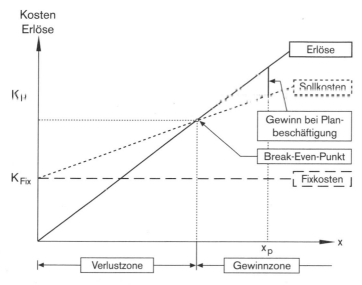

Abb. 4.12: Break-Even-Analyse

Die Break-Even-Analyse wird für jedes Produkt getrennt durch-geführt. Dabei müssen die Kosten in fixe und variable Bestand-teile aufgespalten sein. Vereinfachend wird davon ausgegangen, dass Verkaufspreis und variable Kosten konstant sind. Ferner bleiben Lagerbestandsveränderungen unberücksichtigt. Es gilt also Produktion gleich Absatz.

Für ein Produkt ist der Break-Even-Punkt erreicht, wenn die Erlöse genau den angefallenen Kosten entsprechen. Es gilt

$$(\text{Menge}) \times (\text{Stückpreis}) = K_{\text{Fix}} + (k_{\text{var}} \times \text{Menge})$$

103

Grafisch lässt sich dieser Sachverhalt als Schnittpunkt der Erlösgeraden und der Kostenfunktion interpretieren. Abb. 4.12 zeigt die Break-Even-Analyse in Diagrammdarstellung.

Die Produktionsmenge, ab der mit einem Produkt ein Gewinn erwirtschaftet wird („Break-Even-Menge"), errechnet sich nach Umformung der vorangegangenen Gleichung wie folgt:

$$\text{Break-Even-Menge} = \frac{K_{Fix}}{\text{Stückpreis} - k_{var}}$$

Durch die Break-Even-Analyse wird deutlich, wie sich die Gewinne für ein Produkt bei verschiedenen Beschäftigungsgraden verhalten. Bei Produkten, deren Gewinnschwelle bei einem hohen Kapazitätsauslastungsgrad liegt, entstehen bereits bei geringen Umsatzrückgängen Verluste. Die Break-Even-Analyse kann als Instrument zur Planung, aber auch zur Kontrolle und Beurteilung von einzelnen Produkten dienen, wie das folgende Beispiel zur Break-Even-Analyse zeigt:

Beispiel: Für die Eberstädter Schuhwerke liegen folgende Plandaten für das nächste Quartal vor: Netto-Verkaufspreis 50 €/Paar, Fixkosten 45.000 €, variable Selbstkosten 35 €/Paar, Maximalkapazität 25.000 Paare.

- Ab welcher Absatzmenge wird ein Gewinn erzielt?

$$x = \frac{K_{Fix}}{p - k_{var}} = \left(\frac{45.000}{50 - 35}\right) \text{Paare} = 3.000 \text{ Paare}$$

- Wie hoch ist der Gewinn bei Kapazitätsauslastung?

$$\text{Gewinn} = \text{Umsatzerlöse} - \text{Kosten} = (p \cdot x) - (K_{Fix} + k_{var} \cdot x)$$

$$= (50 \times 25.000 - 45.000 - 35 \times 25.000) \, € = 330.000 \, €$$

- Welcher Absatz ist erforderlich, damit ein Gewinn von 60.000 € erzielt wird? Auflösen der Gleichung für den Gewinn nach der Ausbringungsmenge x:

$$x = \left(\frac{G + K_{Fix}}{p - k_{var}}\right) = \left(\frac{60.000 + 45.000}{50 - 35}\right) \text{Paare}$$

$$x = 7.000 \text{ Paare}$$

4.3.2.9 Deckungsbeitragsrechnung

Die Deckungsbeitragsrechnung ist eine auf dem Teilkostenansatz basierende Erfolgsrechnung. Bei der **Teilkostenrechnung** werden nur die „**entscheidungsrelevanten**" **Kosten** direkt auf den Kostenträger verrechnet. Darunter werden die **variablen Kosten** verstanden, deren Höhe unmittelbar vom Beschäftigungsgrad oder der Ausbringungsmenge abhängig ist. Als nicht entscheidungsrelevant werden die fixen (d. h. unveränderlichen) Kostenbestandteile klassifiziert. Die fixen Kosten werden aber nicht vernachlässigt, sondern erst in einer späteren Phase berücksichtigt. Zunächst stehen bei Teilkostenrechnungen nur ein Teil der Kosten, und zwar die variablen Kosten im Mittelpunkt der Analyse.

Die einzelnen Verfahren der Deckungsbeitragsrechnung unterscheiden sich bezüglich des Umfangs und der Vorgehensweise bei der Kostenzurechnung auf die Kostenträger (Produkte). Es lassen sich drei verschiedene Verfahren differenzieren: Einstufige und mehrstufige Deckungsbeitragsrechnung sowie die Deckungsbeitragsrechnung auf der Basis von relativen Einzelkosten. Alle Verfahren greifen auf die Zahlen der Kostenarten-, Kostenstellen- und Kostenträgerstückrechnung zurück.

Bei der einstufigen und bei der mehrstufigen Deckungsbeitragsrechnung werden die Kosten für jede Produktart in fixe und variable Bestandteile untergliedert. Anschließend lässt sich für jede Produktart der **Deckungsbeitrag** ermitteln:

(Deckungsbeitrag) = (Erlöse) − (Variable Kosten)

Der Deckungsbeitrag stellt den Anteil dar, den diese Produktart zur Deckung der bestehenden Fixkosten leisten kann. Beim **Bruttodeckungsbeitrag** werden die gesamten Erlöse und variablen Kosten, die in einer Periode für eine Produktart angefallen sind, angesetzt. Werden die Größen auf eine Produktionseinheit bezogen, liegt ein **Stückdeckungsbeitrag** oder eine „**Deckungsspanne**" vor. Es gilt:

(Stückdeckungsbeitrag) = (Stückerlös) − (Variable Stückkosten)

Bei der **einstufigen Deckungsbeitragsrechnung** werden die Deckungsbeiträge für jede Produktart ermittelt und zu einem Gesamtdeckungsbeitrag zusammengefasst. Anschließend werden von diesem Betrag die Fixkosten ohne weitere Aufteilung in einem Betrag abgezogen, um das Betriebsergebnis der Periode zu ermitteln. Abb. 4.13 zeigt die Vorgehensweise.

Beispiel zur einstufigen Deckungsbeitragsrechnung: Die Pilz OHG stellt drei Produkte A, B und C her. Für eine Periode liegen die folgenden Angaben vor:
Produkt A: Erlös 3.500 €, variable Kosten 1.500 €, Fixkosten 500 €
Produkt B: Erlös 6.000 €, variable Kosten 3.000 €, Fixkosten
    1.000 €
Produkt C: Erlös 7.500 €, variable Kosten 4.000 €, Fixkosten
    2.500 €
Es sind die Bruttodeckungsbeiträge für die Produkte und das Betriebsergebnis zu ermitteln. Die Lösung ist in Abb. 4.13 zusammengestellt. Dabei sind die Fixkosten der drei Produkte zu einem Betrag (4.000 €) zusammenaddiert worden.

Produkt	A	B	C
Erlöse	3.500	6.000	7.500
– variable Kosten	1.500	3.000	4.000
= Produkt-Deckungsbeitrag	2.000	3.000	3.500
= Gesamt-Deckungsbeitrag	8.500		
– Fixkostenblock	4.000		
= Betriebsergebnis	4.500		

Abb. 4.13: Einstufige Deckungsbeitragsrechnung

Die einstufige Deckungsbeitragsrechnung lässt sich zur **Beurteilung** von einzelnen Produktarten und für **produktprogrammpolitische Entscheidungen** einsetzen, da unmittelbar deutlich wird, welchen Beitrag ein Produkt zur Erzielung des Gesamtergebnisses leistet. Der Absatz von Produkten mit hohen Deckungsbeiträgen kann durch Marketingmaßnahmen gefördert, Produkte mit niedrigen Deckungsbeiträgen können aus dem Produktionsprogramm genommen werden. Dabei sind jedoch Kapazitätsgrenzen und Kostensteigerungen, die beispielsweise durch Überstundenfertigungen entstehen, zu beachten.

Negative Deckungsbeiträge sollten zur Preiserhöhung oder, falls dies nicht möglich ist, zur Produktionseinstellung führen, da ansonsten mit jeder verkauften Einheit ein Verlust erzielt wird. Eine Ausnahme bilden Produkte, die zur Abrundung der Produktprogrammpalette unbedingt erforderlich sind.

Hauptkritikpunkt an der einstufigen Deckungsbeitragsrechnung ist die undifferenzierte, wenig verursachungsgerechte Zurechnung der Fixkosten. Dies führte zur Entwicklung der **mehrstufigen Deckungsbeitragsrechnung**, bei der die Fixkosten nicht als ein Block, sondern differenziert zugerechnet werden, damit eine möglichst verursachungsgerechte Verteilung erfolgt. Dazu wird der Fixkostenblock in mehrere **Fixkostenstufen** aufgespalten. Als Kriterien für die Aufspaltung können die Struktur des Produktionsprogramms (Produkte, Produktgruppen) und Abrechnungsbereiche des Unternehmens (Kostenstellen, Unternehmensbereiche) dienen. Die Anzahl der Stufen, nach denen die Fixkosten zerlegt und anschließend zugerechnet werden, ist von unternehmensspezifischen Gegebenheiten abhängig. Auf jeder Fixkostenstufe wird ein eigener Stufendeckungsbeitrag ermittelt. Als letzten Schritt erhält man das Betriebsergebnis des Unternehmens.

4.3.3 Sonstige interne Informationsquellen

Neben dem Rechnungswesen bestehen innerhalb eines Unternehmens weitere Informationsquellen, die quantitative und qualitative Informationen liefern.

Quantitative Informationen sind auf einer metrischen Skala messbar, lassen sich also durch Zahlen ausdrücken. Zu diesen Informationen zählen vor allem **Statistiken**, Zahlenaufstellungen und Zahlenreihen, die in den verschiedenen Funktionsbereichen des Unternehmens (z. B. Absatzstatistik) erstellt werden. Eine besondere Rolle spielen in der betriebswirtschaftlichen Statistik Vergleichszahlen und Verhältniszahlen.

Vergleichszahlen werden hinzugezogen, wenn verschiedene

Zeiträume oder verschiedene Unternehmensbereiche miteinander verglichen werden sollen. Daneben sind auch Soll-Ist-Vergleiche möglich, bei denen geplante Sollgrößen den tatsächlich eingetretenen Istwerten gegenüber gestellt werden.

Verhältniszahlen geben in Form von Kennzahlen Informationen verdichtet wieder. Einige dieser Kennzahlen sind an anderer Stelle dieses Buches dargestellt (z. B. Rentabilitätskennzahlen in Kap. 5.2.3.1).

Eine weitere interne Informationsquelle stellt die **Investitionsrechnung** dar (vgl. Kap. 5.6), die der Beurteilung von Investitionsalternativen dient.

Der Erwerb eines anderen Unternehmens oder einer Beteiligung, aber auch Sanierungsvorhaben bedingen einen zusätzlichen Informationsbedarf, der durch spezielle Sonderrechnungen gedeckt wird (vgl. Kap. 5.6.3 zur Unternehmensbewertung).

Einige Informationen lassen sich nicht in Zahlenform darstellen. Gleichwohl spielen diese so genannten **qualitativen Informationen** in Entscheidungsprozessen eine gewichtige Rolle. Ohne subjektive Einschätzungen, das angesammelte „Expertenwissen" („Knowhow") und Intuition kann ein Unternehmen nicht auskommen. Häufig wird versucht, dieses Wissen zu „mathematisieren" oder in Form von Expertensystemen EDV-technisch abzubilden. Aufgrund des qualitativen Charakters der zu Grunde liegenden Informationen sind derartige Versuche jedoch häufig zum Scheitern verurteilt. Am ehesten lässt sich dieses Wissen durch Befragung oder durch regelmäßige Expertenrunden nutzbar machen.

4.3.4 Externe Informationsquellen

Externe Informationen fließen dem Unternehmen „von außen" zu. Es sind dies Information, die aus den Medien, aus Presseberichten, Unternehmensberichten, vom Staat oder von Banken stammen und von einem Unternehmen registriert, ausgewertet und in das eigene Entscheidungskalkül einbezogen werden müssen. Unternehmensexterne Informationen lassen sich dem wirtschaftlichen, dem politischen oder dem gesellschaftlichen Umfeld eines Unternehmens zuordnen.

Das **wirtschaftliche Umfeld** lässt sich durch Informationen über gesamtwirtschaftliche Einflussgrößen darstellen, die sich aus von staatlichen Institutionen veröffentlichten Statistiken und aus den Prognosen von Wirtschaftsforschungsinstituten gewinnen lassen. Dazu zählen Daten über die bisherige und die voraussichtliche Entwicklung der Konjunktur, das Preis- und Einkommensniveau und die Inflation.

Beim **politischen Umfeld** ist eine nationale und eine internationale Komponente zu unterscheiden. Der Staat kann durch Gesetzesänderungen, insbesondere im Bereich der Steuergesetzgebung, aber auch durch erhöhte Anforderungen bei vorgeschriebenen Genehmigungsverfahren einen unmittelbaren Einfluss auf die zukünftige Entwicklung eines Unternehmens nehmen. Unternehmen, die international tätig sind, haben zusätzlich auch das politische Umfeld der jeweiligen Staaten zu berücksichtigen, mit denen Handelsbeziehungen bestehen. Die in einzelnen Staaten bestehenden Unwägbarkeiten werden auch als „**Länderrisiken**" bezeichnet. Dazu zählen Währungsrisiken, aber auch Risiken infolge der politischen Instabilität (häufige Regierungswechsel, Unruhen und Kriege) und durch eine bewusste Behinderung des Handels durch Export-, Import-, Konvertierungs- oder Zahlungsverbote.

Zum **gesellschaftlichen Umfeld** zählen bei internationalen Handelsbeziehungen soziokulturelle Unterschiede, die sich durch Mentalität, Religion und Lebensgewohnheiten ergeben. Das gesellschaftliche Umfeld im eigenen Land kann auch einen erheblichen Einfuß auf das eigene Unternehmen besitzen. Man denke nur an die Diskussionen zu den Themen „Kernenergie" oder „Gentechnik", die die Investitionstätigkeit in Deutschland maßgeblich beeinflusst haben.

Zur Gewinnung von externen Informationen lässt sich die Umwelt- oder Umfeldanalyse, die im englischsprachigen Schrifttum als „environmental scanning" bezeichnet wird, einsetzen. Schwerpunkt der **Umweltanalyse** eines Unternehmens bilden Informationen über die relevanten Märkte und die wichtigsten Konkurrenten des Unternehmens. Es lassen sich verschiedene Vorgehensweisen bei der Informationsbeschaffung unterscheiden, die von einem ungerichteten, eher zufälligen Informationserwerb („Undirected Viewing") bis hin zu einer gezielten Suche nach einer festen Vorgehensweise („Formal Search") reichen.

4.4 Informationsspeicherung

Wenn Verfügbarkeit und Verwendung der Information zeitlich auseinander fallen sind Informationen zu speichern („Lagerung von Informationen"). Als Speichermedium lassen sich natürliche Speicher (menschliches Gedächtnis) und künstliche Speicher (Schriftstücke, Mikrofilme, Magnetbänder, Computerdisketten, CD-Platten) unterscheiden. Kriterien für die Auswahl des Speichermediums sind

- Kapazität des Speichermediums (zu speichernder Informationsumfang)
- Kosten des Speichermediums
- Speicherdauer (Aufbewahrungszeit)
- Häufigkeit des Zugriffs auf die Informationen
- Möglichkeiten der Aktualisierung
- Sicherheit des Speichermediums

Die Möglichkeiten der Informationsspeicherung sind davon abhängig, ob es sich um formatierbare oder nicht-formatierbare Informationen handelt.

Formatierbare Informationen können in eine feste hierarchische Struktur gebracht werden, die eine automatisierte Interpretation erleichtert. Eine derartige Struktur weisen die Zahlen der Buchführung und der Kostenrechnung auf. Formatierbare Informationen lassen sich problemlos in Datenbanken abspeichern; Datenbanksysteme ermöglichen durch die Bereitstellung von Sortier-, Such- und Selektionsfunktionen einen gezielten Zugriff auf die gewünschte Information.

Nicht-formatierbare Informationen, die häufig auch als „Dokumente" bezeichnet werden, können geschriebene oder gesprochene Informationen in Form von Texten, Daten oder Bildern enthalten. Sie besitzen eine logische und eine inhaltliche Struktur, lassen sich jedoch infolge ihrer höheren Komplexität schwieriger als formatierbare Informationen speichern. Ihre Speicherung erfolgt konventionell (in Form von Aktenordnern oder anderen Ablagesystemen), auf Mikrofilm, auf Magnetspeichersystemen, in optischen Speichersystemen oder digitalisiert durch „eingescannte" Vorlagen.

Eine Form von nicht-formatierbaren Informationen stellen **Berichte** dar. Sie können Kennzahlen und Diagramme enthalten, daneben aber auch Informationen in Form von Texten und Abbildungen, in denen qualitative Sachverhalte für Unternehmensexterne oder Unternehmensangehörige dargestellt werden. Während **externe Berichte** (wie z. B. ein Geschäftsbericht) die Geschäftstätigkeit des Unternehmens dokumentieren sowie Anteilseigner, Geschäftspartner, Kreditgeber, den Staat und die interessierte Öffentlichkeit informieren, dienen **interne Berichte** (wie z. B. ein Verkaufsbericht) der Kontrolle (z. B. von Betriebsabläufen) oder der Entscheidungsvorbereitung.

Neben den künstlichen Speichermedien ist der „**menschliche Datenspeicher**" weiterhin unverzichtbar. Denn nicht jedes Erfahrungswissen lässt sich auf konventionelle oder digitale Weise speichern.

4.5 Informationsmanagement

Das Wachstum des technischen Fortschritts, des menschlichen Wissens und die rasante Entwicklung der Computer- und Kommunikationstechnik führen zur Überflutung mit überflüssigen Daten, wenn dem nicht durch ein gezieltes Management der Informationen entgegengewirkt wird. Durch das **Informationsmanagement** soll ein optimaler Einsatz der wertvollen Ressource Information erreicht werden. Dazu sind die gesammelten und gespeicherten Information so zu verwalten, aufzubereiten und zu präsentieren, dass sie zum richtigen Zeitpunkt an der richtigen Stelle bereit stehen. Durch die Einführung von EDV-Systemen und die Vernetzung der Arbeitsplatzrechner ist es möglich, dass an jedem Arbeitsplatz die erforderlichen Informationen abgerufen werden können, die zentral gespeichert und gepflegt werden. Auf die Möglichkeiten zur Verknüpfung von technisch und betriebswirtschaftlich ausgerichteten Systemen wird in Kap. 8.4 näher eingegangen.

Im folgenden werden zunächst Grundlagen der Informationsverarbeitung dargestellt. Anschließend wird auf Managementinformationssysteme eingegangen, die unter dem Einsatz der
Computer-Technik Entscheidungsunterstützung liefern. Wichtige Aufgaben bei der Ermittlung, Koordination und Weiterleitung
von Informationen erfüllt das Controlling, das im Rahmen der
Unternehmensführung in Kap. 3.4.2 vorgestellt wurde.

4.5.1 Informationsverarbeitung

Die Informationsverarbeitung eines Unternehmens ist in ein
Informationssystem eingebettet. Dabei lassen sich manuelle und
computergestützte Informationssysteme unterscheiden. **Manuelle
Informationssysteme** bedienen sich traditioneller Hilfsmittel wie
handschriftliche Aufzeichnungen oder die verbale Kommunikation. In vielen Fällen kommen jedoch **computergestützte Informationssysteme** zum Einsatz, bei denen Computer als Instrument
zur Erfassung, Speicherung aber auch zum Vergleichen, Übertragen und Umformen von Informationen eingesetzt werden.

Computergestützte Informationssysteme sind durch Elemente
der **Informationstechnik** gekennzeichnet. Zur Informationstechnik zählen die Hardware, die Software und Netzwerke. Als „Hardware" werden die „körperlichen" technischen Einrichtungen des
Informationssystems wie Rechner (Zentraleinheit), Bildschirm,
Tastatur und Drucker verstanden. Die Programme, die auf dem
Computer laufen, tragen die Bezeichnung „Software". Dabei
lassen sich das Betriebssystem, das die Grundfunktionen des
Rechners steuert, und Anwendungssoftware unterscheiden. Der
Einsatz unterschiedlicher Anwendungssoftware (wie Textverar-
beitungs-, Tabellenkalkulations- oder Datenbankprogramme)
ermöglicht einen benutzerspezifischen Einsatz des Rechners für
verschiedenartige Anwendungen.

4.5.2 Managementinformationssysteme

Spezielle, auf den Informationsbedarf von Führungspersonen
abgestimmte EDV-gestützte Informationssysteme werden als Managementinformationssysteme bezeichnet. Diese Systeme ermög-

lichen den Zugang zu verschiedenen Datenbanken und Informationsquellen. Nach der Ausrichtung des Systems lassen sich zwei Typen von Managementinformationssystemen unterscheiden:

- **Berichtsorientierte Systeme** dienen der Bereitstellung von Informationen, der Klassifikation und der Analyse von Sachverhalten.

- **Entscheidungsorientierte Systeme** liefern Prognosen und unterstützen in Form von Expertensystemen die Entscheidungsfindung.

Auf dem Markt befindliche Managementinformationssysteme bilden nur einen kleinen Teilbereich eines Unternehmens ab. Daneben gibt es auch größere Programmsysteme, die modulartig aufgebaut sind. Sie bieten für alle betrieblichen Funktionsbereiche Teillösungen („Module") an, die zu einem Gesamtsystem verknüpft werden können und so ein umfassendes Informationssystem bilden sollen. Derartige Konzepte werden auch als „Data Warehouse" bezeichnet. Die Schaffung von überzeugenden Systemen scheitert bislang an der Komplexität der Strukturen und an der Problematik, qualitative Informationen in einem derartigen System angemessen abzubilden.

Weiterführende Literatur: *Coenenberg, Adolf Gerhard:* Jahresabschluß und Jahresabschlußanalyse. 18. Auflage. Landsberg/Lech: Verlag Moderne Industrie 2001; *Eisele, Wolfgang:* Technik des betrieblichen Rechnungswesens. 7. Auflage. München: Vahlen 2002; *Schultz, Volker:* Basiswissen Rechnungswesen. Buchführung, Bilanzierung, Kostenrechnung, Controlling. 2. Auflage. München: dtv Band 50815, 2001.

5. Finanzwirtschaft

Die in einem Unternehmen ablaufenden Prozesse lassen sich in güterwirtschaftliche und finanzwirtschaftliche Vorgänge unterteilen. Der finanzwirtschaftliche Bereich eines Unternehmens befasst sich mit der **Beschaffung**, der **Verwaltung** und der optimalen **Verwendung von finanziellen Mitteln**, die das Unternehmen für Investitionen, aber auch für das alltägliche Geschäft benötigt. Unter finanziellen Mitteln werden Bargeld (Münzen, Banknoten), Buchgeld (Sichtguthaben bei Kreditinstituten), sonstige Bankguthaben sowie leicht veräußerbare Wertpapiere verstanden. Darüber hinaus zählt zur Finanzwirtschaft die Verwaltung und die Rückzahlung der beschafften Mittel.

Die güterwirtschaftlichen Prozesse eines Unternehmens können nur ablaufen, wenn in ausreichendem Maße finanzielle Mittel zur Verfügung stehen und die Zahlungsfähigkeit des Unternehmens ständig gewährleistet ist. Somit stellen die im folgenden erläuterten finanzwirtschaftlichen Aspekte die Grundlage für die sonstigen betrieblichen Abläufe eines Unternehmens dar.

5.1 Begriffliche Grundlagen

5.1.1 Kapital und Vermögen

Für den Begriff des Kapitals bestehen verschiedene Abgrenzungen. Während im Rahmen der Volkswirtschaftslehre Kapital neben Boden und Arbeit einen Produktionsfaktor bildet (vgl. Kap. 1.4), versteht man in der Betriebswirtschaftslehre unter **Kapital** die einem Unternehmen zur Verfügung stehenden finanziellen Mittel. Nach der Herkunft der Mittel lassen sich Eigenkapital und Fremdkapital unterscheiden.

Das **Eigenkapital** wurde durch die Anteilseigner in das Unternehmen eingebracht oder durch das Unternehmen selbst erarbeitet (z. B. nicht ausgeschüttete Gewinne). Eigenkapital steht dem Unternehmen ohne zeitliche Befristung zur Verfügung. Das **Fremdkapital** hat ein Unternehmen hingegen bei Gläubigern geliehen und steht dem Unternehmen nur für einen bestimmten Zeitraum zur Verfügung. Zum Fremdkapital zählen neben Hypotheken und Krediten auch offene Rechnungen (Verbindlichkeiten), die das Unternehmen noch zahlen muss, und Rückstellungen.

Dem Kapitalbegriff wird im Rahmen einer Bilanz das **Vermögen** gegenübergestellt (vgl. Kap. 4.3.1.3). Während die Kapitalseite angibt, woher die finanziellen Mittel stammen, zeigt die Vermögensseite auf, welche Vermögensgegenstände mit den zur Verfügung stehenden Mitteln erworben wurden. Kapital und Vermögen stellen somit zwei verschiedene Sichtweisen desselben Sachverhaltes dar. Deshalb müssen Kapital und Vermögen eines Unternehmens auch stets die gleiche Höhe aufweisen.

Das Vermögen eines Unternehmens wird in die beiden Bereiche Anlagevermögen und Umlaufvermögen unterschieden. Das **Anlagevermögen** verbleibt langfristig im Unternehmen. Dazu zählen Grundstücke, Gebäude, Produktionsanlagen, Geräte und Mobiliar. Zum **Umlaufvermögen** werden Positionen gerechnet, die nicht dauerhaft im Unternehmen verbleiben sollen wie Warenvorräte, unfertige Erzeugnisse oder der Bargeldbestand.

5.1.2 Finanzierung und Investition

Unter „**Finanzierung**" wird im Rahmen der Betriebswirtschaftslehre die Beschaffung von finanziellen Mitteln, also das Aufbringen von Kapital, verstanden. Im weiteren Sinne zählen zur Finanzierung neben der Kapitalbeschaffung auch alle Aktivitäten, die bei der Verwaltung und der Rückzahlung der Mittel (des Kapitals) anfallen. Die Finanzierung besitzt folgende **Zielsetzungen**:
• Versorgung des Unternehmens mit genügendem Kapital: Es muss das für Investitionen benötigte Kapital bereitgestellt werden und auch die Durchführung des laufenden Umsatzprozesses sichergestellt sein. Ferner muss das Unternehmen eine ausreichende (Eigen-)Kapitaldecke besitzen, um Verluste und außergewöhnliche Ereignisse abfangen zu können.
• Aufrechterhaltung der Liquidität: Das Unternehmen muss je-

derzeit in der Lage sein, seinen Zahlungsverpflichtungen nachzukommen.

- Rentabilität des vorhandenen Kapitals: Das eingesetzte Kapital
  soll gewinnbringend eingesetzt werden. Unter Beachtung der
  liquiditätspolitischen Vorgaben ist eine größtmögliche Rentabilität zu erzielen.

- Bewahrung der Eigenständigkeit: Die Unabhängigkeit des Unternehmens sollte gewahrt bleiben. Dazu muss Kapital vorhanden sein, um eine schleichende Unterwanderung von außen,
  Abhängigkeiten oder eine „feindliche Übernahme" des Unternehmens abwehren zu können.

Während bei der Finanzierung die Kapitalbeschaffung im
Vordergrund steht, stellt eine **Investition** eine Verwendung des
bereitgestellten Geldkapitals dar. Dabei erfolgt eine (zumindest
zeitweilige) Bindung des Kapitals, in dem es in (Anlage-)Ver-
mögen überführt wird. Der gegenteilige Prozess, also eine Umwandlung von bestimmten Vermögensgegenständen in Kapital,
wird als **Desinvestition** bezeichnet.

Nach Art des Investitionsobjektes lassen sich Sachinvestitionen
(z. B. Kauf von Maschinen, Grundstücken, Gebäuden), Finanz-
investitionen (Erwerb von Wertpapieren oder Unternehmens-
beteiligungen) und immaterielle Investitionen (Forschung und
Entwicklung, Ausbildung) unterscheiden.

5.1.3 Liquidität

Die Liquidität stellt die Fähigkeit eines Unternehmens dar, seinen Zahlungsverpflichtungen fristgerecht nachzukommen. Da
einerseits das im Rahmen des Finanzierungsprozesses bereitge-
stellte Kapital einem Unternehmen nur befristet zur Verfügung
steht, andererseits durch Investitionen und Zahlungsverpflichtungen das Geld unterschiedlich gebunden ist, muss durch eine
Liquiditätsplanung die Zahlungsfähigkeit eines Unternehmens
sichergestellt sein. Wenn die flüssigen Mittel nicht ausreichen,
um den fälligen Zahlungsverpflichtungen nachzukommen, liegt
Illiquidität vor. In diesem Fall sind zunächst leicht veräußerbare Vermögensgegenstände zu verkaufen oder zusätzliche Kredite

aufzunehmen. Wenn dadurch keine Liquidität hergestellt werden kann, liegt Zahlungsunfähigkeit des Unternehmens vor, die zur Einleitung eines Insolvenzverfahrens und gegebenenfalls sogar zum Vergleich oder Konkurs des Unternehmens führen kann. Daher ist die Sicherstellung der Liquidität eine wichtige Aufgabe der Finanzwirtschaft. Ein Hilfsmittel zur Erfüllung dieser Aufgabe stellen **Liquiditätskennzahlen** dar. Dazu werden verschiedene Kapitalpositionen den kurzfristigen Verbindlichkeiten des Unternehmens gegenübergestellt. Zu den kurzfristigen Verbindlichkeiten zählen offene Lieferantenrechnungen, die bereits fällig sind, oder in nächster Zeit fällig werdende Zahlungsverpflichtungen. Üblicherweise werden eine Liquidität ersten, zweiten und dritten Grades unterschieden, die sich wie folgt berechnen:

- **Liquidität ersten Grades** (Barliquidität, „Cash Ratio"):

$$\frac{\text{(Zahlungsmittel)}}{\text{(Kurzfristige Verbindlichkeiten)}} \times 100$$

- **Liquidität zweiten Grades** (Einzugbedingte Liquidität, „Quick Ratio"):

$$\frac{\text{(Zahlungsmittel + kurzfristige Forderungen)}}{\text{(Kurzfristige Verbindlichkeiten)}} \times 100$$

- **Liquidität dritten Grades** (Umsatzbedingte Liquidität, „Current Ratio"):

$$\frac{\text{(Umlaufvermögen)}}{\text{(Kurzfristige Verbindlichkeiten)}} \times 100$$

Die sich bei den Liquiditätsgraden ergebenden Prozentsätze ermöglichen einen Vergleich mit anderen Unternehmen und die Einschätzung der Liquiditätssituation des eigenen Unternehmens. Je höher die ermittelten Prozentsätze ausfallen, desto günstiger ist die Liquiditätssituation und damit die Zahlungsbereitschaft zu beurteilen. Damit die Zahlungsfähigkeit eines Unternehmens sichergestellt ist, sollte die Liquidität ersten Grades über 20 Prozent, die Liquidität zweiten Grades über 100 Prozent und die Liquidität dritten Grades über 150 Prozent liegen.

5.2 Finanzplanung und Finanzkontrolle

Die Finanzplanung dient der Sicherung des finanziellen Gleichgewichts eines Unternehmens. Dazu werden die innerhalb eines bestimmten Zeitraums (z. B. Monat, Quartal, Jahr) erwarteten Einnahmen den voraussichtlichen Ausgaben gegenübergestellt. Dies verdeutlicht, welcher Kapitalbedarf in den einzelnen Perioden besteht. Anschließend sind Maßnahmen festzulegen, die die Liquidität des Unternehmens bei gleichzeitiger Wahrung der Rentabilität gewährleisten.

5.2.1 Kapitalbedarf

Da bei einem Unternehmen zunächst Ausgaben (z. B. für Produktionsmittel) anfallen, aber sich erst mit zeitlichem Verzug Einnahmen durch den Verkauf der erstellen Produkte oder Dienstleistungen erzielen lassen, entsteht ein Bedarf an Kapital. Dieser **Kapitalbedarf** lässt sich aus internen Planvorgaben, die für Beschaffungs-, Investitions-, Produktions- und Absatzvorgänge vorliegen, ableiten. Zusätzlich beeinflussen externe Faktoren, wie das Lohn-, Preis- und Zinsniveau den Kapitalbedarf eines Unternehmens.

Bei der Ermittlung des Kapitalbedarfs ist zu unterscheiden, ob Anlage- oder Umlaufvermögen beschafft werden soll (zur Unterscheidung vgl. Kap. 4.3.1.2 oder 5.1.1). **Anlagevermögen** (wie Gebäude, Maschinen oder Geräte) soll dem Unternehmen dauerhaft zur Verfügung stehen. Wenn im Rahmen einer Investitionsplanung festgelegt wird, welche Maschinen gekauft werden sollen, kann der Kapitalbedarf für diese Beschaffung über die voraussichtlichen Anschaffungskosten ermittelt werden.

Um für eine Periode den **Kapitalbedarf des Umlaufvermögens** zu bestimmen, muss zusätzlich die **Kapitalbindungsdauer** einbezogen werden. Darunter ist der Zeitraum zu verstehen, für den Kapital bereit gestellt werden muss. Wenn ein Rohstoff gekauft wird, der zu einem Endprodukt weiterverarbeitet wird, umfasst die Kapitalbindungsdauer den Zeitraum zwischen der Bezahlung des Rohstoffs und dem Zahlungseingang für das Endprodukt.

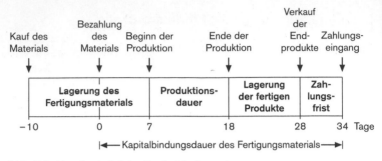

Abb. 5.1: Durchschnittliche Kapitalbindungsdauer

Beispiel Kapitalbindungsdauer: In einem Unternehmen wird Fertigungsmaterial gekauft und zehn Tage nach Wareneingang bezahlt. 17 Tage nach Wareneingang beginnt der Verarbeitungsprozess, der elf Tage dauert. Danach liegt das fertige Produkt zehn Tage im Lager, bis es verkauft wird. Der Käufer überweist den Rechnungsbetrag sechs Tage nach Kauf des Produkts. In Abb. 5.1 ist dieser Vorgang dargestellt. Die Kapitalbindungsdauer für das Fertigungsmaterial beträgt 34 Tage. Dabei bleiben die zehn Tage, die das Fertigungsmaterial vor Bezahlung im Lager gelegen hat, unberücksichtigt, da hierfür kein Kapital des produzierenden Unternehmens gebunden war.

Zur Ermittlung des Kapitalbedarfs für das Umlaufvermögen genügt es nicht, nur die Kapitalbindung für das Fertigungsmaterial zu berücksichtigen. Es sind die gesamten Selbstkosten (also Fertigungslöhne, Energiekosten, Verwaltungskosten u. a.) einzubeziehen. Denn bei jeder vorkommenden Kostenart wird Kapital gebunden, da die Kosten zu einem deutlich früheren Zeitpunkt entstehen als ein Erlös erzielt wird. Zur Bestimmung wird für jede Kostenart der **Aufwand eines durchschnittlichen Produktionstages** und die durchschnittliche Kapitalbindungsdauer angesetzt.

Beispiel Kapitalbedarf Umlaufvermögen: Zur Bestimmung des Kapitalbedarfs sollen die vier Kostenarten Materialkosten, Energiekosten, Fertigungslöhne und Verwaltungskosten berücksichtigt werden, für die der durchschnittliche Aufwand pro Tag gegeben ist (in der zweiten

Spalte in Abb. 5.2). Die Kapitalbindungsdauer (dritte Spalte) ergibt sich aus den Angaben des vorherigen Beispiels (vgl. Abb. 5.1). Bei den Energiekosten und den Fertigungslöhnen wird von einer Kapitalbindungsdauer von jeweils 27 Tagen ausgegangen, weil für die sieben Tage, an denen das Fertigungsmaterial im Lager lag, keine derartigen Kosten angefallen sind. Multipliziert man bei jeder Kostenart den durchschnittlichen Tagesaufwand ① mit der zugehörigen Kapitalbindungsdauer ② , ergibt sich der Kapitalbedarf ③, der sich in diesem Beispiel auf 375.200 € aufsummiert.

	Durchschnittlicher Aufwand pro Tag ①	Kapitalbindungsdauer (vgl. Abb. 5.1) ②	Errechneter Kapitalbedarf ③ = ① × ②
Fertigungsmaterial	4.000 €	34 Tage	136.000 €
Energiekosten	600 €	27 Tage	16.200 €
Fertigungslöhne	7.000 €	27 Tage	189.000 €
Gehälter Verwaltung	1.000 €	34 Tage	34.000 €
Summe	**12.600 €**		**375.200 €**

Abb. 5.2: Ermittlung des Kapitalbedarfs

5.2.2 Finanzplan

Wenn der Kapitalbedarf bekannt ist, muss dessen Deckung sichergestellt werden. Dies geschieht mit Hilfe von Finanzplänen.

Kurzfristige Finanzpläne, die auch als Liquiditätspläne bezeichnet werden, dienen zur Sicherstellung der Zahlungsbereitschaft (Liquidität) des Unternehmens. Dazu werden die geschätzten Einnahmen den voraussichtlichen Ausgaben in tabellarischer Form gegenübergestellt. Die Länge der Planungsperiode ist von der jeweiligen Branche und den Erfordernissen des Unternehmens abhängig. Üblich ist eine wochen- oder monatsweise Planung; in bestimmten Unternehmen kann sogar eine tageweise Finanzplanung erforderlich sein, wenn Zahlungsein- und -ausgänge starken kurzfristigen Schwankungen unterliegen.

Ziel der kurzfristigen Finanzplanung ist die Koordination der auftretenden Einzahlungs- und Auszahlungsströme. Diese Aufgabe wird auch als „**Cash Management**" bezeichnet. Es muss sichergestellt sein, dass das benötigte Kapital (notfalls durch Kreditaufnahme) zur Verfügung steht. Andererseits ist es wichtig, dass Zahlungsüberschüsse unter Berücksichtigung der anstehenden Auszahlungen optimal angelegt werden.

Abb. 5.3 zeigt das Beispiel für einen kurzfristigen Finanzplan. Für diese Pläne ist es charakteristisch, dass unmittelbar bevorstehende Perioden (hier: erstes Quartal) feiner aufgeteilt werden als spätere Perioden (hier: zweites, drittes und viertes Quartal).

Heitmann GmbH – Finanzplan –	1. Quartal			2. Quartal	3. Quartal	4. Quartal
	Jan.	Febr.	März			
Anfangsbestand liquide Mittel	20	60	0	0	30	40
+ voraussichtliche Einnahmen	180	80	120	410	430	510
– voraussichtliche Ausgaben	140	160	150	380	420	490
= Überdeckung/ Unterdeckung	60	–20	–30	30	40	60
Zusätzlicher, kurzfristiger Kapitalbedarf	-	20	30	-	-	-
Endbestand liquide Mittel	60	0	0	30	40	60

Abb. 5.3: Kurzfristiger Finanzplan (Angaben in 1.000 €)

Langfristige Finanzpläne erstrecken sich über Zeiträume von mehreren Jahren. In ihnen sind die geplanten Einnahmen und Ausgaben gegenübergestellt, die sich aus der voraussichtlichen Geschäftstätigkeit unter Berücksichtigung der Planungen aller Unternehmensbereiche ergeben. Insbesondere die finanziellen Auswirkungen von Bauprojekten, Unternehmenserweiterungen oder sonstigen Investitionen sind hier einzurechnen. Als Ergebnis ergibt sich wiederum der Kapitalbedarf, so dass die Unternehmensleitung frühzeitig Schritte einleiten kann, um die benötigten finanziellen Mittel zu beschaffen. Wenn deutlich wird, dass keine ausreichenden Mittel zur Finanzierung der Ausgaben aufgebrachten werden können, muss die Planung an die tatsächlichen Möglichkeiten angepasst werden.

5.2.3 Finanzkontrolle

Im Rahmen der Finanzkontrolle erfolgt ein Abgleich zwischen den tatsächlich vorliegenden Istwerten und den aufgestellten Planwerten (Sollgrößen). Bei größeren Abweichungen müssen sofort Maßnahmen ergriffen werden, um eine finanzielle Schieflage des Unternehmens zu vermeiden. Ferner sind die Abweichungsursachen zu ergründen. Neben der fortlaufenden Überwachung der Ein- und Auszahlungsströme sind **strukturelle Defizite aufzuzeigen**. Die gewonnenen Erkenntnisse sollten wiederum in künftige Planungsprozesse einfließen.

Hilfsmittel zur Finanzkontrolle sind Kennzahlen und darauf aufbauende Finanzierungsregeln. Im folgenden werden Rentabilitätskennzahlen (Kap. 5.2.3.1) und Bilanzstrukturkennzahlen (Kap. 5.2.3.2) vorgestellt. In diesen Zusammenhang gehören auch die Liquiditätskennzahlen, die bereits in Kapitel 5.1.3 erläutert worden waren. Wird die Finanzkontrolle mit diesen Instrumenten durchgeführt, spricht man von einer **statischen Finanzkontrolle**, da sich die Kontrolle auf einen bestimmten Zeitpunkt (z. B. den Bilanzstichtag) bezieht. Wird hingegen ein Zeitraum (eine Periode) betrachtet, liegt eine **dynamische Finanzkontrolle** vor, auf die in Kap. 5.2.3.3 eingegangen wird.

5.2.3.1 Rentabilitätskennzahlen

Die Rentabilität ist ein Maßstab für die Ertragskraft eines Unternehmens. Sie stellt das Verhältnis einer Erfolgsgröße (z. B. Gewinn oder Jahresüberschuss) zu dem für die Erzielung des Erfolgs eingesetzten Kapital dar. Bei der **Gesamtkapitalrentabilität** wird die Erfolgsgröße auf das insgesamt eingesetzte Kapital bezogen. Es gilt der Zusammenhang

$$\frac{\text{Jahresüberschuss} \times 100}{\text{Gesamtkapital}}$$

Diese Kenngröße, die auch als **Return on Investment (ROI)** oder als Unternehmensrentabilität bezeichnet wird, verdeutlicht, wie rentabel das gesamte im Unternehmen arbeitende Kapital eingesetzt wurde.

Die **Eigenkapitalrentabilität** zeigt den Prozentsatz, mit dem sich das eingesetzte Eigenkapital in einer Periode verzinst. Aufgrund des zu tragenden unternehmerischen Risikos sollte die Verzinsung bei einem rentablen Unternehmen über den marktüblichen Zinssätzen liegen. Die Eigenkapitalrentabilität errechnet sich

$$\frac{\text{Jahresüberschuss} \times 100}{\text{Eigenkapital}}$$

Als Eigenkapital wird zumeist das durchschnittliche Eigenkapital angesetzt, das sich aus dem Mittelwert des Eigenkapitals am Anfang und am Ende der Periode ergibt.

Die **Umsatzrentabilität** verdeutlicht, wie viel Gewinn je Einheit Umsatz erzielt wird. Sie gilt als wichtige Kennzahl zur Beurteilung der Ertragskraft eines Unternehmens, sowohl im Branchen- wie im Zeitvergleich.

$$\frac{\text{Jahresüberschuss} \times 100}{\text{Umsatzerlöse}}$$

In Abb. 5.4 ist der Verlauf von Eigenkapital- und Umsatzrentabilität in Deutschland dargestellt.

In diesem Zusammenhang findet sich auch die Bezeichnung „**Rendite**". Darunter wird die Verzinsung einer Investition oder Kapitalanlage verstanden, also letztlich der erzielte Überschuss, bezogen auf das eingesetzte Kapital. Umgangssprachlich werden die Begriffe „Rentabilität" und „Rendite" gleichbedeutend angewendet.

5.2.3.2 Bilanzstrukturkennzahlen

Um das **finanzielle Gleichgewicht** eines Unternehmens zu beurteilen, wird auf Bilanzstrukturkennzahlen zurückgegriffen. Dabei werden bestimmte Bilanzpositionen in ein Verhältnis zueinander gesetzt. Für die sich daraus ergebenden Kenngrößen liegen Erfahrungswerte vor, die als „Finanzierungsregeln" bezeichnet werden.

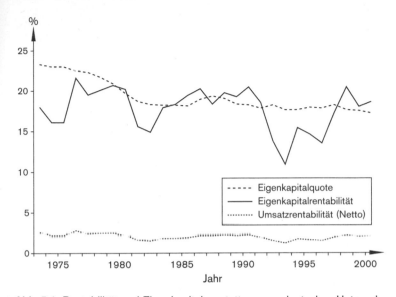

Abb. 5.4: Rentabilität und Eigenkapitalausstattung von deutschen Unternehmen (Eigene Darstellung auf der Basis von Daten aus: *Institut der deutschen Wirtschaft*, Zahlen zur wirtschaftlichen Entwicklung der Bundesrepublik Deutschland, Tab. 72 und *Institut der deutschen Wirtschaft*, Deutschland in Zahlen, S. 49)

Die Finanzierungsregeln lassen sich in horizontale und vertikale Bilanzstrukturkennzahlen unterscheiden. Diese Unterscheidung knüpft an die Struktur einer Bilanz (vgl. dazu Kap. 4.3.1.3) an. Bei horizontalen Kennzahlen erfolgt eine Gegenüberstellung von Positionen der linken und der rechten Bilanzseite (d. h. von Aktiv- und Passivseite bzw. von Vermögen und Kapital), während bei vertikalen Kennzahlen die Vermögensstruktur oder Kapitalstruktur betrachtet wird, also Positionen innerhalb einer Bilanzseite in ein Verhältnis gesetzt werden.

Bei den **horizontalen Finanzierungsregeln** wird das Verhältnis zwischen dem Vermögen eines Unternehmens und dessen Finanzierung betrachtet. Gemäß der **goldenen Finanzierungsregel** soll die Fristigkeit des finanzierten Vermögens stets mit der Fristigkeit des dazu eingesetzten Kapitals übereinstimmen (sog. Fristenparallelität). Das bedeutet, dass eine Maschine, die im Unternehmen zehn Jahre eingesetzt werden soll, nur durch Kapital finanziert werden sollte, dass dem Unternehmen ebenfalls zehn Jahre oder länger (und keinesfalls kürzer) zur Verfügung steht. Es wäre ein Verstoß gegen diese Finanzierungsregel, wenn die Maschine zunächst durch Kapital finanziert würde, das dem Unternehmen nur für zwei Jahre zur Verfügung steht.

Aus der goldenen Finanzierungsregel abgeleitet ist die **goldene Bilanzregel**, die ein wichtiges Kriterium bei der Gewährung von Krediten darstellt. Gemäß dieser Regel soll das Anlagevermögen eines Unternehmens durch Eigenkapital und langfristig überlassenes Fremdkapital gedeckt sein. Diese Tatsache wird durch den **Anlagendeckungsgrad**

$$\frac{(\text{Eigenkapital} + \text{langfristiges Fremdkapital}) \times 100}{\text{Anlagevermögen}}$$

abgebildet. Der Anlagendeckungsgrad zeigt, in welchem Umfang das Anlagevermögen durch Kapital, das dem Unternehmen langfristig zur Verfügung steht, finanziert ist. Bei einem Anlagendeckungsgrad von mehr als 100 Prozent ist eine Überdeckung durch langfristige Mittel gegeben. Je stärker die 100-Prozent-Marke überschritten wird, desto höher ist die finanzielle Stabilität und somit die Kreditwürdigkeit eines Unternehmens. Als Richtwert gilt ein Anlagendeckungsgrad von 120 bis 160 Prozent.

Im Rahmen der **vertikalen Finanzierungsregeln** erfolgt eine Analyse der Aktiv- und der Passivseite der Bilanz. Die Aktivseite der Bilanz eines Unternehmens beleuchten **Vermögensstrukturkennzahlen** wie Anlagenintensität, Vorratsintensität oder das Investitionsverhältnis. Die **Anlagenintensität** setzt das Anlagevermögen des Unternehmens in ein Verhältnis zum Gesamtvermögen

$$\frac{\text{Anlagevermögen} \times 100}{\text{Gesamtvermögen}}$$

während die **Vorratsintensität** die Warenvorräte betrachtet:

$$\frac{\text{Warenvorräte} \times 100}{\text{Gesamtvermögen}}$$

Das **Investitionsverhältnis** setzt die beiden Blöcke der Aktivseite in ein Verhältnis:

$$\frac{\text{Umlaufvermögen} \times 100}{\text{Anlagevermögen}}$$

Kapitalstrukturkennzahlen geben Hinweise über die Zusammensetzung der Passivseite der Bilanz und damit über die Finanzierungs- oder Verschuldungspolitik eines Unternehmens. Die **Eigenkapitalquote** zeigt den Grad der finanziellen Abhängigkeit des Unternehmens. Sie errechnet sich aus Eigenkapital und Bilanzsumme gemäß der Formel

$$\frac{\text{Eigenkapital} \times 100}{\text{Bilanzsumme}}$$

Die Eigenkapitalquote, die auch als Eigenfinanzierungsgrad bezeichnet wird, besitzt eine große Bedeutung für die Beurteilung der Kreditwürdigkeit und der finanziellen Stabilität eines Unternehmens: Je höher die Eigenkapitalquote, desto kreditwürdiger und krisenfester ist ein Unternehmen. In Abb. 5.4 ist die Entwicklung der Eigenkapitalquote der deutschen Unternehmen in den letzten Jahren dargestellt. Dabei handelt es sich um einen Durchschnittswert für alle Wirtschaftszweige, von dem einzelne Branchen erheblich abweichen können.

Der **Verschuldungsgrad** gibt an, welchen Anteil das Fremdkapital am Eigenkapital besitzt. Er errechnet sich aus dem Quotienten

$$\frac{\text{Fremdkapital}}{\text{Eigenkapital}}$$

Der Verschuldungsgrad sollte höchstens den Wert 2,0 annehmen, das Fremdkapital sollte also nicht mehr als doppelt so groß wie das Eigenkapital sein. Manche Autoren halten diesen Wert für viel zu hoch; sie fordern, dass bei einem „gesunden" Unternehmen Fremd- und Eigenkapital in einem ausgewogenen Verhältnis zueinander stehen, d.h. ein Verschuldungsgrad von 1,0 vorliegt.

Bilanzstrukturkennzahlen sind ein Instrument der Finanzkontrolle, dienen zudem aber auch der **Bilanzanalyse**. Für Personen, die außerhalb des Unternehmens stehen (z. B. potentielle Kreditgeber) stellen sie häufig die einzige Möglichkeit zur Analyse des Unternehmens dar. Aussagekraft gewinnen die einzelnen Kennzahlen erst durch einen Vergleich mit Werten aus früheren Perioden oder mit anderen Unternehmen. Ein Kennzahlenvergleich zwischen den Unternehmen einer Branche oder einer Region ermöglicht eine Positionierung des eigenen Unternehmens.

Übungsbeispiel: Besorgen Sie sich die Geschäftsberichte von zwei Unternehmen einer Branche (z. B. Automobilindustrie), ermitteln Sie die dargestellten Kennzahlen für die letzten beiden Geschäftsjahre und führen Sie eine statische Finanzkontrolle durch. Wie hat sich die Gesamtkapitalrentabilität verändert, wie der Anlagendeckungsgrad? Wie verhalten sich die Kenngrößen des einen Unternehmens im Vergleich zum anderen?

5.2.3.3 Dynamische Finanzkontrolle

Bei der **dynamischen Finanzkontrolle** wird nicht wie bei den zuvor beschriebenen statischen Kennzahlen ein bestimmter Zeitpunkt analysiert, sondern es erfolgt die Betrachtung eines **Zeitraums** (einer Periode). Dazu lassen sich verschiedene **Hilfsmittel** einsetzen:

- **Finanzpläne:** Finanzpläne (vgl. Kap. 5.2.2) zeigen den voraussichtlichen Kapitalbedarf einer Periode auf. Durch Verknüpfung der Planzahlen mit den eingetretenen Istzahlen lassen sich Veränderungen aufzeigen und daraus wiederum Steuerungsmaßnahmen ableiten.
- **Kapitalflussrechnung:** Die Kapitalflussrechnung dokumentiert periodenbezogen Zu- und Abflüsse von finanziellen Mitteln. Ferner werden die Herkunft der zur Verfügung stehenden finanziellen Mittel (z. B. durch Erwirtschaftung oder durch Kreditaufnahme) und deren Verwendung (z. B. für Investitionen) gegenübergestellt.
- **Finanzrechnung:** Die Finanzrechnung erläutert die Veränderung des Geldvermögens, indem Ausgaben und Einnahmen periodengerecht gegenübergestellt werden. Dazu wird ein **Jah-**

resfinanzplan aufgestellt, der unter Berücksichtigung der am Jahresanfang vorhandenen Geldbestände und geschätzten Werten für Einzahlungen und Auszahlungen den Geldbestand am Jahresende bestimmt. Einzahlungen und Auszahlungen ergeben sich aus dem laufenden Umsatzprozess, aus außerordentlichen Vorgängen sowie aus Investitionsvorhaben des Unternehmens.

- **Cash-Flow-Analyse:** Die Cash-Flow-Analyse basiert auf dem dynamischen **Verschuldungsgrad**, der definiert wird als

$$\frac{\text{Effektivverschuldung} \times 100}{\text{Cash Flow}}$$

Der dynamische Verschuldungsgrad gibt an, wie viele Jahre es dauern würde, um aus dem Cash Flow heraus die Schulden des Unternehmens vollständig zu begleichen. Ein Richtwert, der ursprünglich aus dem Bereich der chemischen Industrie stammte, besagt, dass der dynamische Verschuldungsgrad den Wert von 3,5 nicht überschreiten sollte.

Der **Cash Flow** (= „Kassenfluss", besser: Substanzzufluss) zeigt, welche finanziellen Mittel ein Unternehmen in einer Periode erwirtschaftet hat. Es handelt sich um den Teil der Umsatzeinnahmen, der nicht kurzfristig wieder zu Ausgaben führt, sondern für die Schuldentilgung oder für Investitionen verwendbar ist („Umsatzüberschuss"). Zur Bestimmung des Cash Flow dient folgende Gleichung:

Jahresüberschuss

+ nicht zahlungswirksame (liquiditätswirksame) Aufwendungen (z. B. Abschreibungen, Wertberichtigungen, Erhöhung Pensionsrückstellungen)

− nicht zahlungswirksame (liquiditätswirksame) Erträge (z. B. Rückstellungsauflösung, Auflösung Wertberichtigung)

= Cash Flow

Bezüglich der Festlegung, welche Aufwendungen zum Jahresüberschuss hinzuzuzählen bzw. welche Erträge abzuziehen sind, finden sich in der betriebswirtschaftlichen Literatur die unterschiedlichsten Aussagen. In der einfachsten Form errechnet sich der Cash Flow aus der **Summe** von **Jahresüberschuss** und **Abschreibungen**. Je höher der Cash Flow, desto günstiger wirkt sich das auf die Beurteilung der Ertragskraft und der Liquidität des Unternehmens aus.

Im Rahmen der dynamischen Finanzkontrolle kann zum einen die Veränderung des dynamischen Verschuldungsgrades, zum anderen aber auch die Veränderung des Cash Flow betrachtet werden.

5.3 Finanzierungsarten (Kapitalbeschaffung)

Zur Beschaffung von Kapital können verschiedene Wege beschritten werden. In Abb. 5.5 sind die verschiedenen Finanzierungsarten systematisch dargestellt. Dabei folgt eine Gliederung nach der **Herkunft des Kapitals** in die Bereiche Außen- und Innenfinanzierung sowie in finanzierungsähnliche Vorgänge. Bei der Außenfinanzierung, die auch als externe Finanzierung bezeichnet wird, erfolgt ein Kapitalzufluss von außerhalb des Unternehmens stehenden Personen oder Unternehmen. Bei der Innen- oder internen Finanzierung erwirtschaftet das Unternehmen das benötigte Kapital selbst aus seinem Umsatzprozess.

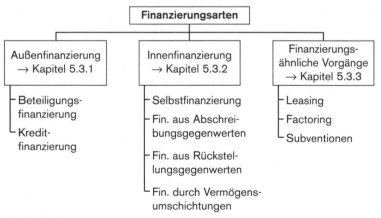

Abb. 5.5: Finanzierungsarten

Neben dieser Systematisierung, der auch der weitere Text folgt, bestehen weitere Gliederungsansätze. So können nach der **Rechtsstellung des Kapitalgebers** Eigenfinanzierung und Fremdfinanzierung unterschieden werden. Bei der **Eigenfinanzierung** erhöht sich das Eigenkapital. Das zusätzliche Kapital wird durch Personen, die bereits am Unternehmen beteiligt sind oder durch das Unternehmen selbst aufgebracht. Eine **Fremdfinanzierung** erfolgt über Kredite oder Darlehen. Eine weitere Differenzierung ist nach der **Dauer der Kapitalüberlassung** möglich; hierbei lassen sich kurz-, mittel- und langfristige Finanzierungen unterscheiden.

5.3.1 Außenfinanzierung (externe Finanzierung)

Bei der Außenfinanzierung wird dem Unternehmen Kapital „von außen" zugeführt. Wird das Kapital in Form von zusätzlichem Eigenkapital durch alte oder neue Anteilseigner aufgebracht, liegt eine Beteiligungsfinanzierung vor. Müssen hingegen Kredite oder Darlehen aufgenommen werden, spricht man von einer Kreditfinanzierung.

5.3.1.1 Beteiligungsfinanzierung

Bei der Beteiligungsfinanzierung, die auch als Einlagenfinanzierung bezeichnet wird, erhält das Unternehmen **zusätzliches Eigenkapital** durch bisherige oder neue Anteilseigner zur Verfügung gestellt. Daher stellt die Beteiligungsfinanzierung ebenso wie die Selbstfinanzierung (vgl. Kapitel 5.3.2.1) eine Form der **Eigen**finanzierung dar. In welcher Weise die Anteilseigner das Kapital zur Verfügung stellen können hängt von der Rechtsform des Unternehmens (vgl. Kap. 2.1) ab.

Durch die Bereitstellung des zusätzlichen Eigenkapitals entstehen dem Unternehmen keine laufenden Aufwendungen. Zudem bildet ein hoher Eigenkapitalanteil ein positives Kriterium für die Kreditwürdigkeitsprüfung der Banken. Somit ist es für Unternehmen sehr günstig, sich auf diese Weise zu finanzieren.

Bei einem **Einzelunternehmen** wird dem Unternehmen zusätzliches Eigenkapital zur Verfügung gestellt, indem der Einzelunternehmer seine Privateinlagen erhöht. Ähnlich ist es auch bei **Personengesellschaften** (OHG, KG): Das zusätzliche Eigenka-

pital wird durch die Gesellschafter des Unternehmens aufgebracht. Hierbei ist es grundsätzlich möglich, dass neue Gesellschafter zu den bisherigen Anteilseignern hinzutreten und eine
Kapitaleinlage tätigen.

Da Kapitalgeber nicht immer zur Haftung und zur Übernahme der Geschäftsführung eines Unternehmens bereit sind und
dies zudem von den bisherigen Gesellschaftern gegebenenfalls
auch nicht gewünscht wird, ist eine Beteiligungsfinanzierung
bei offenen Handelsgesellschaften (OHG) problematisch. Die
Rechtsform einer **Kommanditgesellschaft** (KG) bietet hier die
Möglichkeit, dass Gesellschafter in Form der Kommanditisten
aufgenommen werden können, die zusätzliches Eigenkapital
zur Verfügung stellen, aber sowohl von einer über die Einlage
hinausgehenden Haftung als auch von der Geschäftsführung
ausgeschlossen sind.

Bei einer **Gesellschaft mit beschränkter Haftung** (GmbH) haften alle Gesellschafter lediglich mit ihrer Einlage. Im Rahmen
einer Beteiligungsfinanzierung kann Eigenkapital durch Einlagen der bestehenden oder durch die Aufnahme von zusätzlichen
Gesellschaftern zugeführt werden.

Bei allen bisher vorgesellten Unternehmensformen besteht
das Problem, dass einer Finanzierung über Beteiligungen enge
Grenzen gezogen sind. Denn zum einen sind nur wenige Personen bereit, sich als Gesellschafter unmittelbar an einem Unternehmen zu beteiligen. Zum anderen ist auch die Zahlungsbereitschaft der seitherigen Anteilseigner begrenzt. Daher leiden diese
Unternehmen tendenziell unter einer schlechten Eigenkapital-
versorgung. Eine weitere Schwierigkeit besteht darin, dass ein
Gesellschafter sein Eigenkapital der Gesellschaft durch Kündigung wieder entziehen kann. Zwar kann die gesetzliche Kündigungsfrist von sechs Monaten (nach § 132 HGB) vertraglich verlängert werden, doch die Gefahr eines Eigenkapitalentzugs darf
nicht unterschätzt werden.

Wesentlich einfacher ist eine Beteiligungsfinanzierung für **Aktiengesellschaften,** die zur Beteiligungsfinanzierung über die Bör-
sen auf die Kapitalmärkte zugreifen können. Eine Aktie stellt einen standardisierten, handelbaren Unternehmensanteil dar, der

im Regelfall jederzeit an einen anderen Interessenten verkauft werden kann. Allerdings besteht kein Rückzahlungsanspruch gegen die Aktiengesellschaft. Daher steht dem Unternehmen nach der Ausgabe („Emission") der Aktien der Gegenwert dauerhaft zur Verfügung.

Ein Zufluss von Eigenkapital kann bei einer Aktiengesellschaft zum einen bei der Unternehmensgründung, zum anderen durch eine Kapitalerhöhung erfolgen. Einer Kapitalerhöhung muss von der Hauptversammlung der Aktiengesellschaft mit Dreiviertel-Mehrheit zugestimmt werden. Es lassen sich verschiedenen Formen der Kapitalerhöhung unterscheiden, wobei nur die ordentliche Kapitalerhöhung eine Beteiligungsfinanzierung darstellt und im folgenden näher betrachtet wird.

Bei der **ordentlichen Kapitalerhöhung**, die auch als „Kapitalerhöhung gegen Einlagen" bezeichnet wird, erfolgt eine Ausgabe von zusätzlichen („neuen" oder „jungen") Aktien gegen Barzahlung oder gegen Sacheinlage. Der Bezugskurs der neuen Aktien muss mindestens dem Nennwert entsprechen, kann aber auch darüber liegen. Bei einer Ausgabe der Aktien über dem Nennwert wird die Differenz (das so genannte Aufgeld oder Agio) in die Kapitalrücklage eingestellt. Diesen Sachverhalt verdeutlicht das folgende Beispiel:

Beispiel: Eine Aktiengesellschaft führt eine ordentliche Kapitalerhöhung durch. Es werden 2 Mio. Aktien zum Nennwert 5 € ausgegeben. Der Ausgabekurs liegt über dem Nennwert und beträgt 7,50 €. Dies bedeutet, dass dem Unternehmen 15 Mio. € zufließen. Davon erhöhen 10 Mio. € das Eigenkapital (= 2 Mio. × 5 €), während das Agio in Höhe von 5 Mio. € in die Kapitalrücklage eingestellt wird.

Neben den erläuterten Formen der Beteiligungsfinanzierung ist es auch möglich, Genussscheine auszugeben. Genussscheine sind an der Börse handelbare Papiere, die dem Inhaber in Form einer jährlichen Ausschüttung am Gewinn teilhaben lassen. Gesellschafterrechte, wie sie Aktionäre besitzen, verbriefen Genussscheine jedoch nicht.

5.3.1.2 Kreditfinanzierung

Bei der Kredit- oder Fremdfinanzierung wird dem Unternehmen Fremdkapital zugeführt. Für die Überlassung dieses Kapitals hat das Unternehmen Zinsen zu zahlen. Nach der Dauer der Kapitalüberlassung können kurz-, mittel- und langfristige Kreditfinanzierungen unterschieden werden, wobei die Grenze zwischen diesen beiden Bereichen fließt. Es ist üblich, Kredite mit einer Laufzeit von bis zu einem Jahr dem kurzfristigen und Kredite mit einer Laufzeit ab vier Jahren dem langfristigen Bereich zuzuordnen.

Kurzfristig überlassenes Fremdkapital sind Lieferantenkredite, Kundenkredite und kurzfristige Bankkredite. Diese Kredite besitzen eine Laufzeit von wenigen Tagen bis hin zu einigen Monaten.

Ein **Lieferantenkredit** entsteht, wenn ein Lieferant nicht auf sofortiger Zahlung besteht, sondern für die Zahlung eine Frist (d. h. ein „Zahlungsziel") gesetzt hat. Üblich sind Fristen von 20 oder 30 Tagen. Sind an diese Frist keine weiteren Bedingungen geknüpft, stellt das konsequente Ausnutzen derartiger Zahlungsziele eine kostengünstige Variante der Außenfinanzierung dar: Obwohl die Lieferung bereits erfolgt ist, erfolgt die Zahlung aufgrund der Zahlungsbedingungen zu einem späteren Zeitpunkt, so dass der Lieferant dem Unternehmen einen zinslosen Kredit gewährt.

Häufig sehen die Zahlungsbedingungen jedoch vor, dass bei Barzahlung oder bei Zahlung innerhalb einer bestimmten Frist (z. B. innerhalb von 10 Tagen) ein Preisnachlass in Höhe von zwei oder drei Prozent gewährt wird. Dieser Nachlass, der auch als **Skonto** bezeichnet wird, soll einen Anreiz dafür bieten, dass der Kunde möglichst pünktlich oder vorzeitig zahlt. Der Skontoabzug sollte möglichst in Anspruch genommen werden, denn er ist ein ziemlich teurer Kredit, wie das folgende Zahlenbeispiel belegt:

Beispiel: Eine Rechnung über 30.000 € ist innerhalb von 30 Tagen zu zahlen. Bei einer Zahlung innerhalb von 10 Tagen gewährt der Lieferant zwei Prozent Skonto. Die Skontogewährung lässt sich auch

---

so interpretieren, dass für eine Laufzeit von 20 Tagen (d. h. vom 11. bis zum 30. Tag) zwei Prozent Zinsen zu zahlen sind. Dies scheint auf den ersten Blick günstig, doch es darf nicht unbeachtet bleiben, dass Zinssätze ansonsten auf den Zeitraum von einem Jahr bezogen sind, hier jedoch der Bezugszeitraum nur 20 Tage beträgt. Rechnet man die zwei Prozent für 20 Tage auf ein Jahr hoch, ergibt sich eine Zinsbelastung von **36,5 Prozent** (= 2 % × 365 Tage ÷ 20 Tage)!

Bei einem **Kundenkredit** erhält das Unternehmen einen zinslosen Kredit von seinen Kunden, indem diese bei einer Bestellung eine Anzahlung leisten oder während der Herstellung des Produktes Abschläge zahlen. Diese Vorgehensweise ist vor allem im Maschinen- und Anlagenbau und bei allen Formen der Einzelfertigung üblich. Durch einen Kundenkredit wird zum einen ein Teil der Planungs-, Konstruktions- und Herstellkosten des Produktes finanziert, zum anderen gibt die Anzahlung dem Unternehmen die Sicherheit, dass die bestellten Güter nach Fertigstellung auch tatsächlich abgenommen werden. Neben einer Finanzierungsfunktion besitzt ein Kundenkredit somit die Aufgabe, das unternehmerischen Risiko zu vermindern.

Banken und andere Kreditinstitute stellen kurzfristige Kredite in verschiedener Weise zur Verfügung. Den meisten Lesern wird von ihrem eigenen Girokonto der Überziehungskredit bekannt sein. Bei dieser im Geschäftsleben als **Kontokorrentkredit** bezeichneten Finanzierungsform räumt das Kreditinstitut dem Unternehmen das Recht ein, sein Konto um einen vom Kreditinstitut festgesetzten Höchstbetrag zu überziehen. Die Überziehung ist jederzeit möglich; Zinsen sind jeweils nur für den Betrag zu zahlen, um den das Konto überzogen wurde. Der Zinssatz für Kontokorrentkredite ist abhängig vom allgemeinen Zinsniveau. Er schwankt zwischen 10 und 15 %. Zusätzlich können als Sicherheit für die Kreditgewährung Vermögenswerte des Unternehmens, wie Grundstücke, Produktionsanlagen oder Wertpapiere dienen. Beim **Lombardkredit** erfolgt eine Verpfändung von leicht veräußerbaren Vermögensgegenständen (z. B. Edelmetalle, Waren).

Ein im Handelsverkehr übliches Finanzierungsinstrument stellt der **Wechsel** dar (ausführlich dazu vgl. *Schultz,* Basiswissen Rechnungswesen, S. 40 ff.). Unter einem Wechsel versteht man ein Wertpapier, das bestimmte, in § 1 des Wechselgesetzes exakt definierte Bestandteile enthält und das die Zahlung einer Schuld zu einem bestimmten Zeitpunkt zusichert. Wechsel werden unter Geschäftspartnern ausgestellt und können weitergegeben oder an ein Kreditinstitut verkauft werden. Dcr Aufkauf des Wechsels durch eine Bank wird als **Wechselkredit**, der dabei fällige Zinssatz als Diskont bezeichnet.

Die Zinsbelastung durch die bislang dargestellten Möglichkeiten einer kurzfristigen Kreditfinanzierung sind recht hoch. Bei einem dauerhaften Außenfinanzierungsbedarf sollte ein Unternehmen versuchen, das notwendige Kapital durch zinsgünstigere **langfristige Kredite** oder **Darlehen** bereitgestellt zu bekommen. Ein Darlehen ist eine Form des Kredits, die in den §§ 607 ff. BGB geregelt ist. Zumeist wird eine feste Laufzeit (z. B. vier Jahre) vereinbart, wobei die Tilgung des Darlehens in regelmäßigen Zahlungen oder in einer Summe bei Laufzeitende erfolgen kann.

Die Möglichkeiten einer langfristigen Kreditgewährung sind von den vorhandenen Sicherheiten abhängig. So werden langfristige Bankkredite häufig durch Grundstücke oder Wertpapiere abgesichert. Bei einer Absicherung über Grundvermögen spricht man von einem **Hypothekardarlehen** oder Hypothekarkredit. Dazu wird im Grundbuch ein Pfandrecht in Form einer Grundschuld (nach § 1191 BGB) oder einer Hypothek (nach § 1113 BGB) eingetragen. Damit ist sichergestellt, dass dem Kreditgeber (Gläubiger) im Falle der Zahlungsunfähigkeit oder des Konkurses des Kreditnehmers (Schuldners) ein Gegenwert erhalten bleibt, aus dem er seine Forderung befriedigen kann.

Großunternehmen besitzen die Möglichkeit, (Industrie-)**Schuldverschreibungen**, die auch als (Industrie-)**Anleihen** oder (Industrie-)**Obligationen** bezeichnet werden, zur langfristigen Fremdfinanzierung herauszugeben. Eine Anleihe stellt eine Mischform zwischen einem Darlehen und einem Wertpapier dar. Die Standardversion einer Anleihe besitzt eine feste Laufzeit (zumeist zehn Jahre), eine feste Verzinsung und einen festen Rückzahlungswert. Das Gesamtvolumen (der „Emissionsbetrag") einer Anleihe wird in so genannte „Teilschuldverschreibungen" gestückelt. Diese Stückelungen (z. B. Nennwerte von 100€, 500€ oder 1.000€) werden über den Wertpapiermarkt anonym gehandelt. Sie können jederzeit veräußert werden, wobei sich der Preis aus Angebot und Nachfrage ergibt. Den Rückkauf der Anleihe durch das emittierende Unternehmen kann ein Anleihenerwerber nicht verlangen; die Rückzahlung der Anleihe erfolgt erst bei Laufzeitende.

Neben der Standardvariante einer Anleihe haben sich im Laufe der Zeit eine Reihe von **Sonderformen** gebildet, wie z. B.:

- Wandelanleihen (es ist eine Umwandlung der Anleihen in Aktien des Unternehmens zu einem im Voraus festgelegten Tauschverhältnis möglich)
- Optionsanleihen (Anleihen enthalten zusätzlich ein Bezugsrecht für Aktien des Unternehmens)
- Gewinnschuldverschreibungen (zur festen Verzinsung besteht zusätzlich ein Anspruch auf einen Anteil des Gewinns)
- Zero-Bond oder Nullkupon-Anleihen (es erfolgt keine laufende Verzinsung; die Anleihen werden zu einem niedrigeren [„abgezinsten"] Kurs ausgegeben und nach Laufzeitende zum vollen Kurs zurückgezahlt)
- Floating-Rate-Anleihen (Anleihen mit variablem Zinssatz, der sich an die aktuelle Zinsentwicklung anpasst)

Eine Finanzierung über Anleihen ist dann sinnvoll, wenn größere Beträge aufgenommen werden müssen, die ein einzelnes Kreditinstitut nicht aufbringen kann oder möchte. Durch die Einschaltung des Wertpapiermarktes kann das Unternehmen die Liquidität sowohl von privaten als auch von institutionellen Anlegern (wie z. B. Versicherungen, Banken) zur Finanzierung nutzen. Die Zinsen, die ein Unternehmen seinen Anleihegläubigern zahlen muss, sind zumeist niedriger als die Zinsen, die für einen entsprechenden Bankkredit zu zahlen wären. Allerdings kommen für eine Anleiheemission noch etwa vier Prozent des Emissionsbetrags für „Begebungskosten" (Provisionen für die Börseneinführung u. a.) hinzu. Da Anleihen zumeist durch die Eintragung einer Hypothek abgesichert werden, besteht bezüglich der Absicherung kein Unterschied zu einer Kreditaufnahme.

Eine weitere Variante der langfristigen Kreditfinanzierung ist das **Schuldscheindarlehen**. Hierbei wird ohne Einschaltung der Börse ein individueller Darlehensvertrag zwischen einem Unternehmen und einem Kapitalgeber geschlossen. Der Darlehensempfang wird durch einen Schuldschein bescheinigt. Als Kapitalgeber treten zumeist Versicherungsunternehmen oder Sozialversicherungsträger auf, die auf diese Weise die ihnen zur Verfügung stehenden Kapitalien anlegen. Da für die Kapitalgeber eine sichere Anlage im Vordergrund steht, können derartige Großkredite nur an Großunternehmen gewährt werden, die über ausreichende Sicherheiten verfügen und als sehr kreditwürdig gelten.

5.3.2 Innenfinanzierung (interne Finanzierung)

Während bei den in Kapitel 5.3.1 erläuterten Finanzierungsformen dem Unternehmen zusätzliches Kapital von außen zugeführt wird, stammt das zusätzliche Kapital bei der Innen- oder internen Finanzierung aus dem eigenen Umsatzprozess des Unternehmens.

5.3.2.1 Selbstfinanzierung

Bei der Selbstfinanzierung entsteht ein Finanzierungseffekt, indem **Gewinne** des Unternehmens nicht ausgeschüttet, sondern **einbehalten** werden. Dies kann auf drei Wegen geschehen:

- **Offene Selbstfinanzierung:** Der Gewinn wird offen ausgewiesen, verbleibt aber vollständig oder teilweise im Unternehmen. Bei Personengesellschaften geschieht dies, indem die Anteilseigner auf eine Entnahme verzichten. Bei Kapitalgesellschaften kann eine Selbstfinanzierung entweder durch die Bildung von offenen Rücklagen (d.h. von sog. Gewinnrücklagen, die als Bestandteil des Eigenkapitals offen in der Bilanz ausgewiesen werden) oder durch einen Gewinnvortrag in das folgende Geschäftsjahr erfolgen.
- **Stille Selbstfinanzierung:** Der ausgewiesene Gewinn ist durch die Bildung von stillen Rücklagen gemindert. Stille Rücklagen werden teilweise bewusst durch die Unterbewertung von Vermögensgegenständen oder die Überbewertung von Schul-

den, teilweise aber auch unbewusst (Schätzfehler, Preisschwankungen) gebildet.

- **Temporäre Selbstfinanzierung:** In dem Zeitraum zwischen Gewinnentstehung und Gewinnausschüttung steht der Gewinn dem Unternehmen noch zur Verfügung und kann im Rahmen der Selbstfinanzierung genutzt werden. Der Finanzierungseffekt lässt sich durch geschickte Wahl des Bilanzstichtages, des Bilanzvorlagetermins oder der Terminierung der Hauptversammlung vergrößern.

Für Unternehmen aller Art stellt die Selbstfinanzierung eine ideale Finanzierungsform dar. Das Kapital steht sofort ohne eine aufwendige Beantragung zur Verfügung, es entstehen keine zukünftigen Belastungen (wie z. B. Zinsen) und es müssen keine sonstigen Verpflichtungen eingegangen werden. Zudem wird die Eigenkapitalbasis des Unternehmens gestärkt; dies wirkt sich wiederum positiv auf dessen Kreditwürdigkeit aus. Allerdings ist die Selbstfinanzierung nur anwendbar, wenn ein ausreichender Gewinn zur Verfügung steht und die Anteilseigner nicht dessen vollständige Ausschüttung verlangen.

5.3.2.2 Finanzierung aus Abschreibungsgegenwerten

Bei dem Erwerb einer Maschine muss ein Unternehmen sofort den vollen Kaufpreis zahlen. Als Aufwand wird jedoch nicht der volle Betrag, sondern ein Teilbetrag verbucht, der die Bezeichnung „Abschreibung" trägt (zum Thema „Abschreibungen" vgl. Kap. 4.3.1.6). Durch Abschreibungen wird der Kaufpreis periodengerecht auf die voraussichtliche Nutzungsdauer verteilt. Die jährlichen Abschreibungsteilbeträge mindern den Gewinn, so dass nach Ablauf der Nutzungsdauer ein Betrag in Höhe des ursprünglichen Maschinenkaufpreises für einen Neukauf („Ersatzinvestition") zur Verfügung steht. Aus diesen Abschreibungsgegenwerten resultiert ein **Kapitalfreisetzungseffekt**, der sich am besten an einem Beispiel verdeutlicht lässt.

Beispiel zum Kapitalfreisetzungseffekt: Es wird eine Maschine für 3.000 € erworben. Die Nutzungsdauer beträgt drei Jahre. Bei einer linearen Abschreibung ist somit ein jährlicher Abschreibungsbetrag

---

von 1.000 € anzusetzen. Nach dem Ablauf von drei Jahren ist die Maschine verschlissen, so dass eine Ersatzinvestition erforderlich ist.

Jahr	01	02	03	04
Abschreibungsbetrag	1.000 €	1.000 €	1.000 €	1.000 €
Ersatzinvestition	-	-	-	-3.000 €
Kapitalfreisetzung lfd. Jahr	1.000 €	1.000 €	1.000 €	1.000 €

Abb. 5.6: Kapitalfreisetzung bei Abschreibungen

Abb. 5.6 zeigt, dass durch die Abschreibungen in jedem Jahr eine Kapitalfreisetzung von jeweils 1.000 € entsteht, falls dieser Betrag durch die Umsatzeinnahmen „verdient" wird. (Wenn ein Unternehmen nur Verluste produziert, wird auch kein Kapital freigesetzt!) Das freigesetzte Kapital wird aber in den ersten drei Jahren noch nicht für eine Ersatzinvestition benötigt, da diese erst zu Beginn des vierten Jahres erfolgt. Somit können die durch die Abschreibungen „vorgemerkten" Mittel in den ersten drei Jahren zeitweilig für andere Finanzierungszwecke eingesetzt werden. Erst im vierten Jahr muss ein Kapital in Höhe von 3.000 € für den Neuerwerb einer Maschine bereitstehen; falls sich der Preis für die Ersatzmaschine erhöht hat, ein entsprechend höherer Betrag.

Neben diesem temporären Finanzierungseffekt der Abschreibungsgegenwerte lässt sich ein **Kapazitätserweiterungseffekt** nachweisen, der in der Literatur auch als **Lohmann-Ruchti-Effekt** bezeichnet wird. Dieser Effekt tritt ein, wenn die durch die Abschreibungswerte freigesetzten Mittel sofort wieder in neue Maschinen investiert werden. Unter der Voraussetzung, dass
- die Beschaffungspreise für die Maschinen nicht steigen,
- die Nutzungsdauer für alle Maschinen gleich ist,
- eine Kapazitätserweiterung sinnvoll und die zusätzlich produzierten Produkte auch absetzbar sind,
- Gewinne erzielt werden sowie
- vergleichsweise kleine Aggregate zugekauft werden können,

ergibt sich die maximal mögliche Kapazitätserweiterung nach der Gleichung

$$\text{Kapazitätserweiterungsfaktor} = \frac{2 \times n}{n + 1}$$

wobei **n** die **Nutzungsdauer** der Maschinen darstellt. Das bedeutet, dass sich bei einer Nutzungsdauer von vier Jahren ohne
zusätzliches Kapital (nur aus Abschreibungsgegenwerten!) die
Maschinenanzahl um den Faktor 1,6 steigern lässt.

Bei einer Anfangsausstattung von vier Maschinen würde dies
eine Erweiterung auf sechs Maschinen bedeuten. In Abb. 5.7 ist
dieser Erweiterungseffekt dargestellt. Diese Abbildung basiert
auf den Annahmen des folgenden Beispiels.

Beispiel zum Kapazitätserweiterungseffekt (Lohmann-Ruchti-Effekt):
Ein Unternehmen besitzt eine Grundausstattung von vier neuen, gleichartigen Maschinen. Eine Maschine kostet 6.000 €. Die Nutzungsdauer
beträgt vier Jahre, der jährliche Abschreibungsbetrag 1.500 € (lineare
Abschreibung). Aus den aufgelaufenen Abschreibungsbeträgen werden unmittelbar im Folgejahr neue Maschinen erworben, die ebenfalls
6.000 € kosten.

Jahr	Anzahl der Maschinen (jeweils am Jahresanfang) Zu-gang	Ab-gang	Be-stand	Gesamt-wert der Maschinen	Abschrei-bungsbe-trag	Für Neuinves-titionen zur Verfügung stehender Betrag	Neu-investition (erfolgt un-mittelbar zu Beginn des Folgejahres)
01	4	0	4	24.000 €	6.000 €	6.000 €	6.000 €
02	1	0	5	24.000 €	7.500 €	7.500 €	6.000 €
03	1	0	6	22.500 €	9.000 €	10.500 €	6.000 €
04	1	0	7	19.500 €	10.500 €	15.000 €	12.000 €
05	2	4	5	21.000 €	7.500 €	10.500 €	6.000 €
06	1	1	5	19.500 €	7.500 €	12.000 €	12.000 €
07	2	1	6	24.000 €	9.000 €	9.000 €	6.000 €
08	1	1	6	21.000 €	9.000 €	12.000 €	12.000 €
09	2	2	6	24.000 €	9.000 €	9.000 €	6.000 €

und so weiter…

Abb. 5.7: Kapazitätserweiterungseffekt bei Abschreibungen

Abb. 5.7 zeigt die Entwicklung über einen Zeitraum von neun Jahren. Je nach aufgelaufenen Abschreibungsbeträgen können eine oder zwei Maschinen erworben werden, so dass zeitweilig bis zu sieben Maschinen vorhanden sind. Durch die Aussonderung des Anfangsbestandes nach vier Jahren fällt der Bestand auf fünf Maschinen zurück, um sich schließlich bei sechs Maschinen einzupendeln. Eine weitere Steigerung aus Abschreibungsgegenwerten ist nun nicht mehr möglich.

Durch die sofortige Investition der Abschreibungsgegenwerte wurde nicht nur die Anzahl der Maschinen von vier auf sechs erweitert, es ergab sich auch eine ausgewogenere Alterszusammensetzung des Maschinenparks.

5.3.2.3 Finanzierung aus Rückstellungsgegenwerten

Rückstellungen werden für einen künftigen Aufwand des Unternehmens gebildet, bei dem die genaue Höhe oder der Fälligkeitstermin unbekannt ist (vgl. Kap. 4.3.1.7). Eine Rückstellung mindert den Gewinn des Unternehmens. Der entsprechende Gegenwert kann nicht ausgeschüttet werden, sondern verbleibt im Unternehmen. Er kann, so lange er nicht anderweitig in Anspruch genommen wird, zur Finanzierung des Unternehmens eingesetzt werden. Es ergibt sich ein ähnlicher Finanzierungseffekt wie der Kapitalfreisetzungseffekt bei Abschreibungen (vgl. Kap. 5.3.2.2).

Besonders deutlich tritt der Effekt bei langfristigen Rückstellungen, insbesondere bei Pensionsrückstellungen, auf. Gibt ein Unternehmen seinen Mitarbeitern eine Zusage für eine betriebliche Alterszusatzversorgung („Betriebsrente"), muss das Unternehmen ab dem Zeitpunkt der jeweiligen Zusage **Pensionsrückstellungen** bilden. Die Inanspruchnahme erfolgt jedoch erst, wenn der Mitarbeiter in Ruhestand geht oder auf andere Weise einen Anspruch auf Auszahlung erhält. In der Zwischenzeit (die oft Jahrzehnte betragen kann!) lassen sich die Rückstellungsgegenwerte zur Finanzierung einsetzen. Je größer der Zeitraum zwischen Entstehung des Pensionsanspruchs und dem Auszahlungstermin ist, desto günstiger wirkt sich dies auf den Finanzierungseffekt für das Unternehmen aus.

Unternehmen, die überwiegend junge Mitarbeiter beschäftigen, haben einen starken Finanzierungseffekt durch Pensionsrückstellungen. Je größer der Anteil der Mitarbeiter ist, die in den Ruhestand getreten sind und Betriebsrente ausgezahlt bekommen, desto stärker reduziert sich der Effekt; wenn die Pensionszahlungen für Mitarbeiter im Ruhestand eine Höhe erreichen, die der Rückstellungsbildung für die aktiven Mitarbeiter entspricht, tritt kein Finanzierungseffekt mehr auf. Dieser Fall liegt bei Unternehmen vor, die eine überalterte Mitarbeiterschaft besitzen oder deren Mitarbeiterzahl stark reduziert wurde.

5.3.2.4 Finanzierung durch Vermögensumschichtungen

Kapital lässt sich durch den Verkauf von nicht betriebsnotwendigen Vermögensteilen gewinnen. Dazu zählen nicht genutzte Grundstücke, Gebäude, Anlagen oder Maschinen, aber auch Wertpapiere, Patente und Lizenzen. Durch Umstrukturierungsmaßnahmen oder eine Veränderung des Produktionsprogramms können diese Vermögensgegenstände überflüssig werden, so dass eine Veräußerung sinnvoll erscheint. Insbesondere bei einer angespannten Liquiditätslage sehen sich Unternehmen häufig zum Verkauf von Vermögensteilen genötigt.

Auch Rationalisierungsmaßnahmen lassen bislang notwendige Vermögensteile überflüssig werden. Neben dem Verkauf einzelner Vermögensteile kann ein Finanzierungseffekt durch die Reduzierung der Lagerbestände (Vorräte), den Abbau des Forderungsbestandes durch konsequentes Eintreiben von offenen Forderungen oder durch eine Verkürzung von Zahlungsfristen und das Streichen von „Ladenhütern" aus dem Sortiment erreicht werden.

5.3.3 Finanzierungsähnliche Vorgänge

Die folgenden Instrumente lassen sich nicht eindeutig den Bereichen Außen- oder Innenfinanzierung zuordnen. Gleichwohl besitzen sie einen Finanzierungseffekt. Deshalb werden sie unter dem Oberbegriff „Finanzierungsähnliche Vorgänge" zusammengefasst.

5.3.3.1 Leasing

Der Begriff des „Leasing" stammt aus den USA und hat in den letzten Jahren auch in Deutschland weite Verbreitung gefunden. Beim Leasing handelt es sich um das Vermieten von Sachanlagevermögen (Geräte, Maschinen und Anlagen, aber auch Grundstücke, Gebäude und ganze Produktionsstätten) durch spezielle Leasing-Gesellschaften (indirektes Leasing) oder durch den Hersteller der Produkte (direktes Leasing). Der Leasinggeber beschafft und finanziert die Sachanlagevermögensgegenstände und stellt sie dem Leasingnehmer gegen die Zahlung einer Leasinggebühr leihweise zur Verfügung. Grundlage für das Leasinggeschäft bildet ein **Leasingvertrag**, in dem folgendes geregelt ist:

- **Laufzeit:** Die Laufzeit kann von wenigen Monaten (bei hochwertigen Konsumgütern und Maschinen) bis hin zu 30 Jahren (bei Industrieanlagen und Grundstücken) reichen.
- **Leasingraten:** In die Leasingraten sind alle Aufwendungen einkalkuliert, die dem Leasinggeber entstehen (Zinsen für Finanzierung des Leasinggegenstandes, Versicherungen, ggf. Wartungskosten, Verwaltungskosten). Außerdem enthalten sie einen Gewinnanteil. Das bedeutet, dass das Leasing für den Leasingnehmer ungünstiger ist als eine Innenfinanzierung. Wenn jedoch im Rahmen der Innenfinanzierung nicht genügend Mittel zur Verfügung stehen und deshalb eine Außenfinanzierung erforderlich ist, muss abgewogen werden, ob ein Kredit aufgenommen oder statt dessen der Anlagegegenstand geleast werden soll.
- **Modalitäten nach Ende der Vertragszeit:** Je nach Vertragsgestaltung kann nach Ende der Laufzeit der Vertragsgegenstand vom Leasingnehmer zum Restwert gekauft oder an den Leasinggeber zurückgegeben werden. Häufig besteht auch ein Wahlrecht.

Durch Leasing muss ein Unternehmen für die Beschaffung eines Anlagegutes weniger Kapital aufbringen, der Finanzierungsbedarf ist zum Zeitpunkt der Beschaffung geringer. Da bei vielen Unternehmen die Finanzierungsmöglichkeiten begrenzt sind, stellt das Leasen von Anlagegütern eine mögliche Alternative dar, um trotz knapper Mittel expandieren zu können. Zudem ist der

Abschluss eines Leasingvertrages meist leichter möglich als die Aufnahme eines Kredites.

Ein weiterer Vorteil ergibt sich bei kurzfristigen Leasingverträgen, wenn nach Vertragsablauf der Leasinggeber den Leasinggegenstand zurücknimmt: Dem Leasingnehmer stehen dann stets neue Maschinen oder Geräte zur Verfügung, wobei dieser Vorteil wiederum über die Leasinggebühren bezahlt wird. Wenn Leasing-Unternehmen Preisvorteile bei der Beschaffung der Leasinggegenstände (z. B. aufgrund großer Beschaffungsmengen) erzielen können, werden gegebenenfalls Angebote unterbreitet, die für den Leasingnehmer sogar günstiger als ein Neukauf sein können.

Eine Variante des Leasing stellt das **Sale-and-Lease-back-Verfahren** dar. Dabei verkauft ein Unternehmen ein Bürogebäude oder eine Produktionsanlage an ein Leasingunternehmen und least das Gebäude oder die Anlage mit einem langfristigen Leasingvertrag zurück. Auf diese Weise wird dem Unternehmen sofort ein größerer Betrag an finanziellen Mitteln zugeführt, der zur Sicherstellung der Liquidität oder für Investitionen eingesetzt werden kann.

5.3.3.2 Factoring

Beim Factoring werden die Forderungen, die ein Unternehmen gegenüber seinen Kunden besitzt, an ein Factor-Unternehmen verkauft. Das Factor-Unternehmen übernimmt dann die Funktionen der Debitorenbuchhaltung, also das Eintreiben der Forderungen und das Mahnwesen. Die Kosten für diese Dienstleistungen betragen 0,5 bis drei Prozent des übertragenen Forderungsbetrags. Darüber hinaus ist es möglich, dass gegen eine entsprechende Gebühr auch das Ausfallrisiko („Delcredere-Risiko") durch den Factor übernommen wird.

Die bislang beschriebene Form des Factoring stellt lediglich eine Auslagerung eines Teils der Buchhaltung dar. Ein echter Finanzierungseffekt tritt jedoch nur dann ein, wenn der Factor bereits bei Übernahme der Forderung den Betrag dem ursprünglichen Forderungsinhaber zur Verfügung stellt, diesem also einen Vorschuss gewährt. Dieser Vorschuss stellt letztlich einen Kredit dar, für den als Sicherheit die bestehenden Forderungen dienen.

Die dafür veranschlagten Gebühren liegen etwas über den bank-
üblichen Zinssätzen für Kredite.

5.3.3.3 Subventionen

Subventionen stellen staatliche Zuschüsse dar, die für bestimmte
Zwecke gewährt werden. So können durch nationale Regierungen,
aber auch durch supranationale Einrichtungen (z. B. die EU) beim
Vorliegen bestimmter Sachverhalte Subventionen gewährt werden.
Diese Subventionen haben einen unmittelbaren Finanzierungsef-
fekt, wobei sie zumeist nur zweckbestimmt gewährt werden.

Um diese Form der Finanzierung nutzen zu können, muss ein
Unternehmen prüfen, ob die Voraussetzungen für die Gewährung
einer Subvention erfüllt sind. Falls dies zutrifft, ist ein entsprechender Antrag zu stellen. Subventionen werden für so unterschiedliche Bereiche wie Existenzgründung, Förderung strukturschwacher
Regionen, Umweltschutz oder Arbeitsmarktpolitik (z. B. Förderung der Einstellung von Langzeitarbeitslosen) gewährt.

5.4 Investitionsarten

Der Begriff „Investition" leitet sich von dem lateinischen Wort
„investiere" (d. h. einkleiden) ab. Durch eine Investition wird ein
Unternehmen mit Vermögensgegenständen ausgestattet. Kapital-
grundlage für die Investition stellen die durch Finanzierungsvor-
gänge bereitgestellten Mittel dar.

Im weiteren Sinne können Investitionen alle Bereiche des
Unternehmensvermögens betreffen und teilweise sogar darüber hinausgehen, wenn beispielsweise von einer Investition in
das „Humanvermögen" (Human Capital) eines Unternehmens
gesprochen wird. Im engeren Sinne beschränkt sich der Investitionsbegriff auf die Beschaffung von materiellem Anlagevermögen eines Unternehmens. Den folgenden Ausführungen ist dieser
enge Investitionsbegriff zu Grunde gelegt.

Zur Abgrenzung von Investitionsarten lassen sich verschiedene
Kriterien heranziehen. Dabei ist insbesondere die Unterscheidung
bezüglich des Investitionsobjektes und bezüglich des Investiti-
onsanlasses von Bedeutung.

Nach dem **Investitionsobjekt** werden (entsprechend der Gliederung einer Bilanz) die Bereiche Sachanlagen und Finanzanlagen unterschieden: Eine Investition im Bereich des Sachanlagevermögens wird auch als **Realinvestitionen** bezeichnet, während die Beschaffung einer Finanzanlage eine **Finanzinvestition** darstellt. Die Struktur der Realinvestitionen ist in Abb. 5.8 dargestellt.

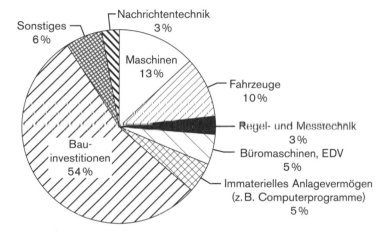

Abb. 5.8: Zusammensetzung der Realinvestitionen in Deutschland im Jahre 2000 (Gesamtbetrag: 438 Mrd. €; eigene Darstellung auf der Basis von Daten aus: *Institut der deutschen Wirtschaft,* Deutschland in Zahlen, S. 23)

Folgende **Investitionsarten** lassen sich bei Realinvestitionen nach dem **Investitionsanlass** („Investitionsmotiv") unterscheiden:
- Errichtungsinvestition (Gründungsinvestition): Investition bei der Gründung eines Unternehmens zum Aufbau der Anlagen-, Maschinen- und Geräteausstattung
- Neuinvestition: Beschaffung einer neuen Maschine*, die in keinerlei Bezug zum bisherigen Produktionsprogramm steht.
- Ersatzinvestition: Ersatz einer alten oder defekten Maschine

---

* Aus Vereinfachungsgründen wird hier und bei den folgenden Investitionsarten von „Maschinen" gesprochen; es kann sich jedoch um alle Formen von Anlagengütern, z. B. um Geräte, Maschinen oder Anlagen handeln.

durch eine neue, gleichartige Maschine. Kapazität und Produktivität der Maschine bleiben unverändert.

- Rationalisierungsinvestition (Verbesserungsinvestition): Austausch von bestehenden, funktionierenden Maschinen, um Einsparungen durch eine kostengünstigere Produktion zu erzielen (z. B. durch geringeren Energieverbrauch) oder um höherwertige Produkte herstellen zu können.
- Umstellungsinvestition: Ersatz der alten Maschinen durch neue, andersartige Maschinen, die zugleich eine Umstellung des Produktionsprogramms ermöglichen.
- Erweiterungsinvestition: Beschaffung zusätzlicher Maschinen, um die Kapazität zu steigern.
- Diversifikationsinvestition: Investition in Maschinen, die eine Erweiterung (Diversifikation) des bestehenden Produktprogramms erlauben.

5.5 Durchführung von Investitionsprojekten

Investitionsentscheidungen besitzen für ein Unternehmen langfristige Auswirkungen; durch Investitionen wird nicht nur Kapital für längere Zeit gebunden, es ergeben sich auch Folgekosten und Einschränkungen für andere Bereiche des Unternehmens. Zudem hängt der künftige Erfolg eines Unternehmens unmittelbar mit dessen Investitionspolitik zusammen. Da die für Investitionen zur Verfügung stehenden Mittel begrenzt sind, ist eine Auswahl zu treffen, welche Projekte realisiert werden sollen und welche nicht. Diese Entscheidung trifft die Unternehmensleitung entweder direkt oder indirekt durch die Vorgabe von Investitionsleitlinien und Investitionsbudgets, über die die einzelnen Unternehmensbereiche dann eigenständig entscheiden können.

Bei größeren Investitionsprojekten ergeben sich in Anlehnung an die Phasen von Managementprozessen (vgl. Kap. 3.2) folgende Teilschritte:

Investitionsplanung und Entscheidungsvorbereitung: Zunächst sind Bereiche mit einem möglichen Investitionsbedarf herauszuarbeiten. Ansatzpunkte können Absatzschätzungen, das Alter der Maschinen- und Geräteausstattung, Kapazitätsengpässe, Qualitätsmängel oder Unwirtschaftlichkeiten (z. B. hohe Produktionskosten) sein. Nicht zuletzt kommen auch Anregungen aus dem Bereich der Forschung und Entwicklung.

Im zweiten Schritt wird der so ermittelte Bedarf auf seine Realisierbarkeit hin überprüft. Dazu sind technische, wirtschaftliche und soziale Aspekte zu berücksichtigen. In Form einer Machbarkeitsstudie werden Informationen aus allen betroffenen Bereichen des Unternehmens zusammengefasst. So hat der Absatzbereich Aussagen über das Absatzpotential des betroffenen Bereichs abzugeben, die Produktion muss die Einbindung der neuen Anlage in das Produktionskonzept sicherstellen und der Einkauf hat die Auswirkungen für seinen Bereich abzuschätzen.

Im Rahmen einer wirtschaftlichen Machbarkeitsstudie ist der Kapitalbedarf zu ermitteln und eine Wirtschaftlichkeitsrechnung unter Anwendung der in Kap. 5.6 beschriebenen Verfahren durchzuführen. Die vorliegenden Informationen werden dann in einem **Investitionsantrag** zusammengefasst, der dem Entscheidungsträger vorgelegt wird.

Investitionsentscheidung: Bei der Investitionsentscheidung hat sich der Entscheidungsträger an den aufgestellten Investitionsleitlinien zu orientieren. Oberstes Ziel ist die optimale Verwendung des im Unternehmen eingesetzten Kapitals.

Wenn mehrere Investitionsalternativen zur Auswahl stehen wird mit den klassischen Verfahren der Investitionsrechnung versucht, die einzelnen Alternativen quantitativ zu bewerten. In den Entscheidungsprozess sollten möglichst auch wertmäßig nicht quantifizierbare Faktoren, die als Unwägbarkeiten (sog. „Imponderabilien") den wirtschaftlichen Erfolg beeinflussen, einbezogen werden. Dazu können Verfahren wie die Nutzwertanalyse (vgl. Kap. 5.6.4.2) eingesetzt werden, bei denen auch qualitative Größen in die Beurteilung einfließen.

Investitionsdurchführung: In Abhängigkeit von der Größe des Projektes und dem geplanten Eigenanteil, den das Unternehmen an der Investition selbst erstellt, ergeben sich unterschiedliche Anforderungen und Zeiträume für die Realisierung der Investition.

Investitionskontrolle: Bei der Investitionskontrolle werden die Ausführung der Investitionsmaßnahmen und deren Ergebnis überprüft. Das Ergebnis ist an den Angaben zu messen, die im Rahmen der Investitionsplanung im Investitionsantrag fixiert worden waren. In einer Soll-Ist-Analyse sind Abweichungen aufzuzeigen und bei künftigen Investitionsplanungen zu berücksichtigen.

5.6 Verfahren zur Beurteilung von Investitionsalternativen

Investitionsrechnungen werden durchgeführt, um die Vorteilhaftigkeit und Wirtschaftlichkeit von einzelnen Investitionsalternativen zu überprüfen. Als Maßstab dient die durch eine Investition erzielbare **Kapitalverzinsung**. Dazu werden die Einnahmen, die durch das Investitionsobjekt erzielt werden können, den Investitionsausgaben gegenüber gestellt. Zur Ermittlung der Kapitalverzinsung stehen verschiedene Verfahren zur Verfügung, die sich in statische Verfahren, dynamische Verfahren und in simultane Optimierungsmodelle unterteilen lassen (vgl. Abb. 5.9).

Während bei **statischen und dynamischen Verfahren** der Investitionsrechnung lediglich einzelne Kriterien betrachtet werden, versuchen **simultane Optimierungsmodelle** alle möglichen finanziellen Zusammenhänge zu berücksichtigen. Dies führt zu sehr aufwendigen Modellen, die infolge der Komplexität der Entscheidungssituation dennoch nicht alle Determinanten enthalten können. In der Praxis werden diese Modelle nur wenig eingesetzt, da es vielen Praktikern fraglich erscheint, ob sich der Aufwand für ihre Entwicklung lohnt. An dieser Stelle wird auf die simultanen Optimierungsmodelle nicht näher eingegangen.

Eine besondere Form der Investition ist der Erwerb eines Unternehmens. Zur Beurteilung von Unternehmenserwerben wird auf eigene Verfahren zurückgegriffen, die in Kap. 5.6.3 dargestellt werden.

Zur Bewertung von Investitionsalternativen kann es sinnvoll sein, die „klassischen" Verfahren der Investitionsrechnung um weitere Verfahren zu ergänzen, die auch qualitative Aspekte berücksichtigen. Einige dieser Ansätze werden in Kap. 5.6.4 als „Sonstige Beurteilungsverfahren" erläutert.

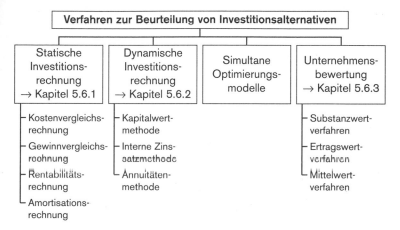

Abb. 5.9: Verfahren zur Beurteilung von Investitionsalternativen

5.6.1 Statische Investitionsrechnungsverfahren

Bei den statischen Investitionsrechnungsverfahren bleibt der zeitliche Aspekt von Ein- und Auszahlungen zur Finanzierung einer Investition unberücksichtigt. Es wird davon ausgegangen, dass jede Periode mit denselben Durchschnittswerten zu belasten ist. Dadurch ergeben sich einfache Verfahren, die infolge ihrer Einfachheit und Übersichtlichkeit in der Unternehmenspraxis weit verbreitet sind. Als Verfahren werden die Kostenvergleichsrechnung (Kap. 5.6.1.1), Gewinnvergleichsrechnung (Kap. 5.6.1.2), die Rentabilitätsrechnung (Kap. 5.6.1.3) und die Amortisationsrechnung (Kap. 5.6.1.4) unterschieden.

Zur Erläuterung der Verfahren dient ein einfaches, durchgängiges Beispiel mit zwei zu vergleichenden Investitionsalternativen A und B, das auf den in Abb. 5.10 zusammengestellten Grunddaten basiert. Dieser Abbildung kann auch entnommen werden, welches Verfahren welche Eingangsdaten benötigt.

Eingangsdaten	werden benötigt für folgendes Verfahren:				Alternative A	Alternative B
	Kosten-vergleich	Gewinn-vergleich	Renta-bilitäts-rechng.	Amorti-sations-rechng.		
Anschaffungs-kosten				X	250.000 €	330.000 €
Abschreibung pro Periode	X	X	X	X	25.000 €	33.000 €
Sonstige Kapitalkosten pro Periode	X	X	X	X	35.000 €	37.000 €
Betriebskosten pro Periode	X	X	X	X	80.000 €	95.000 €
Ausbringungs-menge pro Periode	X	X	X	X	200.000 Stück	250.000 Stück
Erzielbarer Erlös pro Stück		X	X	X	1,20 €	0,95 €

Abb. 5.10: Grundlegende Zahlen zum Beispiel zur statischen Investitionsrechnung

5.6.1.1 Kostenvergleichsrechnung

Bei der Kostenvergleichsrechnung werden ausschließlich die Kosten von Investitionsalternativen verglichen. Andere Einflussgrößen, wie z. B. die erzielbaren Erlöse, bleiben unberücksichtigt. Es gilt die Prämisse, dass die anderen Einflussgrößen bei allen Alternativen identisch sind. Am günstigsten wird diejenige Alternative beurteilt, bei der die Kosten am geringsten sind.

In den Kostenvergleich werden fixe (ausbringungs**un**abhängige) **Kapitalkosten** (Abschreibungen und Zinszahlungen) und variable (ausbringungsabhängige) **Betriebskosten** (wie Löhne, Material-, Energie-, Instandhaltungs- und Raumkosten) einbezogen. Der Kostenvergleich kann sich entweder auf einen Zeitabschnitt (Periodenvergleich) oder auf eine bestimmte Ausbringungsmenge (Stückkostenvergleich) beziehen.

Das **Periodenkostenvergleichsverfahren** darf nur angewendet werden, wenn die betrachteten Alternativen die gleiche Kapazität (Ausbringungsmenge) besitzen.

Beispiel zur periodenbezogene Kostenvergleichsrechnung: Zunächst wird davon ausgegangen, dass die Alternativen A und B die gleiche Produktionskapazität besitzen. Aus den Kapital- und Betriebskosten (gemäß den Daten aus Abb. 5.10) errechnen sich folgende Werte:
Periodenkosten Alternative A:

$$K^A = 25.000\,€ + 35.000\,€ + 80.000\,€ = 140.000\,€$$

Periodenkosten Alternative B:

$$K^B = 33.000\,€ + 37.000\,€ + 95.000\,€ = 165.000\,€$$

Somit wäre Alternative A zu bevorzugen.

Wenn verschiedene Anlagenvarianten jeweils unterschiedliche Kapazitäten aufweisen, ist ein **Stückkostenvergleich** durchzuführen. Dazu werden zunächst die Periodenkosten ermittelt und diese dann durch die Ausbringungsmenge dividiert.

Beispiel zur stückkostenbezogenen Kostenvergleichsrechnung: Alternative A und B besitzen unterschiedliche Produktionskapazitäten. Es werden die im vorherigen Beispiel ermittelten Periodenkosten durch die Ausbringungsmenge dividiert:
Stückkosten Alternative A:

$$k^A = \frac{140.000\,€}{200.000\,\text{Stück}} = \frac{0,70\,€}{\text{Stück}}$$

Stückkosten Alternative B:

$$k^A = \frac{165.000\,€}{250.000\,\text{Stück}} = \frac{0,66\,€}{\text{Stück}}$$

Auf Grundlage der Stückkosten ist Alternative B zu bevorzugen.

Die Aufteilung der fixen und variablen Kostenbestandteile kann bei verschiedenen Investitionsalternativen erheblich abweichen. Wenn die Anlage nicht mit voller Auslastung gefahren werden soll, müssen zusätzliche Analysen (z. B. Break-Even-Analyse) durchgeführt werden, um die tatsächliche Stückkostenbelastung bei Standard- oder Minimalauslastung zu ermitteln.

5.6.1.2 Gewinnvergleichsrechnung

Die Gewinnvergleichsrechnung erweitert die Kostenvergleichsrechnung, indem Erlöse in die Analyse einbezogen werden. Somit lassen sich auch Investitionsalternativen, bei denen unterschiedliche Stückerlöse erzielbar sind, miteinander vergleichen. Dies kann der Fall sein, wenn Produkte, die mit der einen Investitionsvariante produziert wurden, eine wesentlich bessere Qualität besitzen und dadurch zu einem höheren Preis verkauft werden können. Sind die Stückerlöse jedoch bei allen Investitionsalternativen identisch, ergeben sich bei der Gewinnvergleichsrechnung die gleichen Ergebnisse wie bei der Kapitalvergleichsrechnung.

Die für den Vergleich relevante Größe bildet der durch die Investition erzielbare **Periodengewinn**, der sich gemäß der Gleichung

$$\text{Gewinn} = \text{Erlöse} - \text{Kosten}$$

errechnet. Diejenige Investitionsalternative, die den höchsten erzielbaren Gewinn verspricht, wird als günstigste Variante ausgewählt.

Zur Anwendung des Verfahrens muss der Erlös bestimmt werden, der durch das Investitionsobjekt erzielbar ist. Die Zurechnung des Produkterlöses zu einer Anlage ist jedoch problematisch, da auch andere Anlagen oder Bereiche des Unternehmens in den Produktionsprozess eingebunden sind. Zudem werden häufig auf einer Anlage verschiedenartige Produkte gefertigt.

Beispiel zur Gewinnvergleichsrechnung: Aus den Erlösen sowie aus Kapital- und Betriebskosten (gemäß den Daten aus Abb. 5.10) errechnen sich folgende Werte:

• Alternative A:

Periodengewinn:

$$G^A = \frac{1{,}20\,\text{€}}{\text{Stück}} \times 200.000\,\text{Stück} - 140.000\,\text{€} = 100.000\,\text{€}$$

Stückgewinn:

$$g^A = \frac{100.000 \ €}{200.000 \ Stück} = \frac{0,50 \ €}{Stück}$$

• Alternative B:

Periodengewinn:

$$G^B = \frac{0,95 \ €}{Stück} \times 250.000 \ Stück - 165.000 \ € = 72.500 \ €$$

Stückgewinn:

$$g^B = \frac{72.500 \ €}{250.000 \ Stück} = \frac{0,29 \ €}{Stück}$$

Mit Alternative A lässt sich, da die erzeugten Produkte einen höheren Stückerlös aufweisen, sowohl ein höherer Perioden- als auch ein höherer Stückgewinn erzielen. Daher ist diese Investitionsvariante zu bevorzugen.

Ein Problem ergibt sich, wenn die einzelnen Investitionsalternativen unterschiedliche Laufzeiten besitzen. Damit wird das Kapital nicht nur in einer unterschiedlichen Höhe, sondern auch in einer unterschiedlichen Zeitlänge gebunden. Um zu vergleichbaren Ergebnissen zu kommen, sind „Gesamt-Gewinnvergleichsrechnungen" zu erstellen, bei denen auch die Kosten und Erlöse des Differenzbetrages, der so genannten „Differenzinvestition", berücksichtigt werden. Eine andere Möglichkeit ist die Berücksichtigung der Rentabilität des eingesetzten Kapitals. Dies geschieht im Rahmen der Rentabilitätsrechnung.

5.6.1.3 Rentabilitätsrechnung

Die Rentabilitätsrechnung stellt eine Weiterentwicklung von Kosten- und Gewinnvergleichsrechnung dar. Ihr Einsatz ist immer dann sinnvoll, wenn die einzelnen Investitionsalternativen einen unterschiedlichen Kapitalbedarf besitzen. Als Entscheidungskriterium gilt die Investitionsrentabilität, die sich aus dem Quotienten von durchschnittlichem Periodengewinn und durchschnittlichem Kapitaleinsatz errechnet:

$$\text{Investitionsrentabilität} = \frac{(\text{Durchschnittlicher Periodengewinn}) \times 100}{(\text{Durchschnittlicher Kapitaleinsatz})}$$

Beispiel zur Rentabilitätsrechnung: Das auf Abb. 5.10 basierende Beispiel wird fortgesetzt. Die in Kap. 5.6.1.2 errechneten Gewinne und die in Kap. 5.6.1.1 errechneten Kapitaleinsätze können unmittelbar in die Gleichung eingesetzt werden:

Investitionsrentabilität $\quad I^A = \dfrac{100.000\ \text{\euro} \times 100}{140.000\ \text{\euro}} = 71\%$

Investitionsrentabilität $\quad I^B = \dfrac{72.500\ \text{\euro} \times 100}{165.000\ \text{\euro}} = 44\%$

Alternative A ist zu bevorzugen.

5.6.1.4 Amortisationsrechnung

Bei der Amortisationsrechnung (Pay-back-Methode, Pay-off-Methode) wird die Zeitdauer ermittelt, die zur Wiedergewinnung des Investitionsbetrages durch aus der Investition erzielte Einnahmeüberschüsse erforderlich ist. Dieser Zeitraum wird auch als Amortisationszeit (Wiedergewinnungszeit) bezeichnet. Je kürzer die Amortisationszeit, desto günstiger ist eine Investitionsalternative zu beurteilen.

Geht man von einem **regelmäßigen** Rückfluss der Einnahmeüberschüsse aus, errechnet sich die Amortisationszeit A nach der Gleichung

$$A = \frac{(\text{Kapitaleinsatz})}{(\text{Periodengewinn} + \text{Periodenabschreibung})}$$

Bei **unregelmäßigen** Rückflüssen muss eine Kumulationsrechnung durchgeführt werden, bei der die erwarteten Einnahmeüberschüsse der einzelnen Perioden aufaddiert werden.

Beispiel zur Amortisationsrechnung: Das auf Abb. 5.10 basierende Beispiel wird fortgesetzt. Der Kapitaleinsatz wurde bereits in Kap. 5.6.1.1 und der Periodengewinn in Kap. 5.6.1.2 errechnet. Die Periodenabschreibung ist unmittelbar in Abb. 5.10 angegeben, so dass sich folgende Amortisationszeiten ergeben:

$$\text{Amortisationszeit} \quad A^A = \frac{250.000\,€}{\dfrac{100.000\,€}{\text{Jahr}} + \dfrac{25.000\,€}{\text{Jahr}}} = 2,0\,\text{Jahre}$$

$$\text{Amortisationszeit} \quad A^B = \frac{330.000\,€}{\dfrac{72.500\,€}{\text{Jahr}} + \dfrac{33.000\,€}{\text{Jahr}}} = 3,1\,\text{Jahre}$$

Alternative A ist zu bevorzugen, da sie sich nach kürzerer Zeit amortisiert.

5.6.1.5 Beurteilung der statischen Investitionsrechnungsverfahren

Die statischen Investitionsrechnungsverfahren haben einen einfachen Aufbau, sind leicht nachvollziehbar und gehen von wenigen Eingangsgrößen aus. Daher werden sie in der Praxis gerne eingesetzt. Allerdings besitzen alle statischen Verfahren grundlegende Mängel, die einem Anwender bewusst sein sollten:

- Es werden nur wenige Einflussgrößen betrachtet. Bei den übrigen Einflussgrößen wird davon ausgegangen, dass sie vernachlässigbar oder bei allen Investitionsalternativen identisch sind.
- Es bleibt unbeachtet, dass der zeitliche Verlauf von Auszahlungen und Einzahlungen bei den einzelnen Investitionsalternativen recht unterschiedlich sein kann. Dies hat Auswirkungen auf die Zinsbelastung des Unternehmens.
- Es wird mit Durchschnittswerten gearbeitet („Einperiodenbetrachtung"), die den wahren Sachverhalt stark vereinfacht abbilden.

- Die Aufteilung in fixe und variable Kostenbestandteile bleibt unberücksichtigt.
- Die Zurechnung von Gewinnen zu einzelnen Investitionsobjekten ist schwierig.
- Künftige Kosten- und Erlösentwicklungen bleiben unberücksichtigt.
- Das Unternehmensumfeld (z. B. andere, sich in Projektierung befindliche Investitionsprojekte) bleibt unbeachtet.

Daher eignen sich die statischen Investitionsrechnungsverfahren vor allem bei kleineren, überschaubaren Investitionsvorhaben.

5.6.2 Dynamische Investitionsrechnungsverfahren

Die dynamischen oder finanzmathematischen Verfahren der Investitionsrechnung berücksichtigen den **zeitlichen Verlauf von Zahlungsströmen**, die in Zusammenhang mit einer Investition stehen. Dazu werden für die voraussichtlichen Einzahlungen und Auszahlungen Zahlungsreihen gebildet und diese abgezinst.

Die Berechnung der Abzinsung erfolgt unter Hinzuziehung der Zinseszinsrechnung. Bei der **Abzinsung** (oder Diskontierung) wird für eine künftige Zahlung der **Gegenwartswert (Barwert)** errechnet, indem der Betrag der in t Jahren anfallenden Zahlung Z_t mit einem Abzinsungsfaktor q multipliziert wird:

$$Z_0 = Z_t \times q = Z_t \times (1+i)^{-t}$$

Dabei bedeuten:

Z_0 = Barwert
Z_t = Betrag der im Jahr t anfallenden Zahlung
t = Jahr der Zahlung
q = Abzinsungsfaktor (Diskontierungsfaktor) $q = (1+i)^{-t}$
i = Zinssatz in Dezimalangabe (für 5 % ist 0,05 anzugeben)

Beispiel zur Barwertermittlung: Für eine Zahlung von 4.000 €, die in drei Jahren erfolgen wird, soll der Barwert ermittelt werden. Der Zinssatz betrage 8 %.

Lösung: $Z_0 = 4.000 € \times (1+0,08)^{-3} = 4.000 € \times 0,7938 = 3.175 €$

Bei der Durchführung der Investitionsrechnung wird nun für jede Periode, in der das Investitionsvorhaben voraussichtlich genutzt wird, der entsprechende Barwert der Ein- und Auszahlungen errechnet. Neben laufenden Auszahlungen und Einzahlungen sind auch die Anschaffungsausgaben und der bei Verkauf der Anlage erzielbare Liquidationserlös zu berücksichtigen.

Als Verfahren der dynamischen Investitionsrechnung lassen sich Kapitalwertmethode (Kap. 5.6.2.1), interne Zinssatzmethode (Kap. 5.6.2.2) und Annuitätenmethode (Kap. 5.6.2.3) unterscheiden. Alle drei Verfahren basieren auf den gleichen Grundprinzipien, wobei das Entscheidungskalkül an verschiedenen Ansatzpunkten ansetzt.

5.6.2.1 Kapitalwertmethode

Bei der Kapitalwertmethode wird der Kapitalwert der Investitionsalternativen bestimmt und verglichen. Der **Kapitalwert** stellt die Differenz aller abgezinsten Einzahlungen und Auszahlungen eines Investitionsprojektes dar. Er drückt die durch die Investition ausgelöste Vermehrung (oder Verminderung) des Geldvermögens unter Berücksichtigung einer festgelegten Verzinsung aus.

Der Kapitalwert K_0, der auf den Investitions- oder Planungszeitpunkt $t = 0$ bezogen ist, errechnet sich aus der Differenz aller auf den Zeitpunkt $t = 0$ abgezinsten Einzahlungen e_t und Auszahlungen a_t (für die Perioden $t = 1$ bis n) sowie dem Anfangsinvestitionsbetrag I_0 und dem Zinssatz i gemäß der folgenden Formel:

$$K_0 = \sum (e_t - a_t) \times (1+i)^{-t} - I_0$$

Maßgeblichen Einfluss auf das Ergebnis besitzt der angenommene Kalkulationszinssatz i. Er stellt die Mindestverzinsung des bei der Investition eingesetzten Kapitals dar. Seine Höhe orientiert sich entweder an dem entsprechenden Finanzierungszinssatz oder an der Verzinsung, die bei einer anderweitigen Anlage der Finanzmittel erzielt werden könnte.

Ergibt die Berechnung einen Kapitalwert von Null, wird exakt die festgesetzte Mindestverzinsung i erreicht. Wenn der Kapitalwert eine positive Größe einnimmt, sind die abgezinsten Einzahlungen größer als die abgezinsten Auszahlungen. Das bedeutet, dass diese Investition für das Unternehmen vorteilhaft ist; die effektive Verzinsung des eingesetzten Kapitals liegt dann über der geforderten Mindestverzinsung. Beim Vergleich mehrerer Alternativen ist diejenige Alternative am günstigsten, die den größten positiven Kapitalwert besitzt.

Abb. 5.11 verdeutlicht anhand der Zahlen des Beispiels (s. u.) den Verlauf der Nettozahlungen (= Differenz von Einzahlungen und Auszahlungen, d. h. $e_t - a_t$) und die Auswirkung der Abzinsung. Der auf den Zeitpunkt $t = 0$ abgezinste Betrag ist jeweils als schraffierter Balken neben dem Istbetrag der Periode dargestellt. Unter „Gesamt" erfolgt die Aufsummierung aller Periodenwerte. Bei einer statischen Betrachtung, also ohne Berücksichtigung des zeitlichen Verlaufs der Zahlungsströme, käme man auf einen Einzahlungsüberschuss von 40.000 €; der Kapitalwert K_0 liegt mit etwa 10.000 € durch die frühzeitig auftretenden Auszahlungen und die erst später erfolgenden Zahlungseingänge deutlich darunter.

Beispiel zur Kapitalwertmethode: Folgendes Investitionsprojekt ist zu beurteilen: Kaufpreis 105.000 €, davon sind 70.000 € bei Kauf und 35.000 € nach einem Jahr zu zahlen. Die Anlage wird auf 5 Jahre linear abgeschrieben und besitzt einen Restwert von 10.000 €. Aus der laufenden Produktion sollen im ersten Jahr nach dem Kauf Einzahlungsüberschüsse von 20.000 €, im zweiten Jahr 25.000 € und in den restlichen Jahren von jeweils 30.000 € erzielt werden. Der Zinssatz beträgt 8 %.

Lösung:

$$K_0 = (e_1 - a_1) \times (1{,}08)^{-1} + (e_2 - a_2) \times (1{,}08)^{-2} + (e_3 - a_3) \times (1{,}08)^{-3}$$
$$+ (e_4 - a_4) \times (1{,}08)^{-4} + (e_5 - a_5) \times (1{,}08)^{-5} - I_0$$

$$K_0 = \big[(20.000 - 35.000) \times 1{,}08^{-1} + 25.000 \times 1{,}08^{-2}$$
$$+ 30.000 \times 1{,}08^{-3} + 30.000 \times 1{,}08^{-4}$$
$$+ (30.000 + 10.000) \times 1{,}08^{-5} - 70.000\big] €$$
$$= \big[-13.889 + 21.433 + 23.815 + 22.051 + 27.223 - 70.000\big] €$$
$$= 10.633 €$$

Der positive Kapitalwert zeigt, dass es sich um ein rentables Investitionsprojekt handelt, bei dem die effektive Verzinsung des eingesetzten Kapitals mehr als 8 % beträgt.

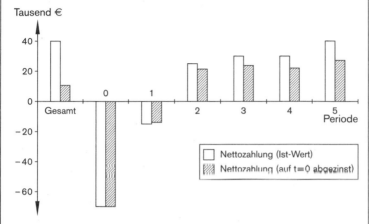

Abb. 5.11: Kapitalwertmethode: Verlauf der Nettozahlungen (als Istgröße und als abgezinster Betrag)

Ob eine Investition als vorteilhaft oder nicht beurteilt wird, hängt sehr stark vom festgesetzten Kalkulationszinssatzes i ab. Wenn anstelle der acht Prozent eine zwölfprozentige Verzinsung gefordert wird, ergibt sich für das obige Beispiel das folgende Ergebnis:

$$K_0 = \left[\left(20.000 - 35.000\right) \times 1,12^{-1} + 25.000 \times 1,12^{-2}\right.$$
$$+ 30.000 \times 1,12^{-3} + 30.000 \times 1,12^{-4}$$
$$\left. + \left(30.000 + 10.000\right) \times 1,12^{-5} - 70.000\right] €$$
$$= \left[-13.393 + 19.930 + 21.353 + 19.066 + 22.697 - 70.000\right] €$$
$$= -347 €$$

Somit wurde aus einem rentablen Investitionsvorhaben, das eine effektive Verzinsung von mehr als 11 Prozent erwirtschaftet, ein unrentables Vorhaben, nur weil die vorgegebene Verzinsung von 12 Prozent knapp nicht erzielt wurde! Dieser Aspekt muss bei der Entscheidungsfindung beachtet werden, damit vorteilhafte Projekte nicht aufgrund unrealistischer Zinsannahmen verworfen werden.

5.6.2.2 Interne Zinssatz-Methode

Die Interne Zinssatz-Methode, die im betriebswirtschaftlichen Schrifttum auch unter der Bezeichnung „Interne Zinsfuß-Methode" auftaucht, stellt eine Abwandlung der Kapitalwertmethode dar. Es soll der Zinssatz ermittelt werden, bei dem sich ein Kapitalwert von genau Null ergibt. Dazu wird die Gleichung der Kapitalwertmethode gleich Null gesetzt:

$$\sum \left(e_t - a_t\right) \times \left(1 + i\right)^{-t} - I_0 = 0$$

Anschließend muss diese Gleichung nach dem Zinssatz i aufgelöst werden. Diese Umformung ist nicht einfach; daher wird zumeist mit Iterations- oder Näherungsverfahren gearbeitet.

Als Ergebnis erhält man die effektive Verzinsung der Investition, die auch als **interne Verzinsung** bezeichnet wird. Sie gibt an, mit welchem Zinssatz das in einem Investitionsprojekt gebundene Kapital verzinst wird und ist somit ein Maßstab für dessen Rentabilität.

Vorteilhaft ist eine Investition, wenn der ermittelte interne Zinssatz über der geforderten Mindestverzinsung liegt. Bei dem Beispiel aus dem vorherigen Kapitel beträgt die interne Verzinsung 11,86 Prozent. Beim Vergleich mehrerer Alternativen ist diejenige Alternative am günstigsten, die den höchsten internen Zinssatz besitzt.

5.6.2.3 Annuitätenmethode

Auch die Annuitätenmethode stellt eine Variante der Kapitalwertmethode dar. Während bei der Kapitalwertmethode von den tatsächlichen Ein- und Auszahlungsreihen ausgegangen wird, erfolgt bei der Annuitätenmethode eine Umrechnung in durchschnittliche (jährliche) Teilbeträge, die als **Einzahlungsüberschüsse** oder **Annuitäten** bezeichnet werden. Bei einer positiven Annuität ist eine Investition lohnend.

Die Annuität A berechnet sich aus dem Kapitalwert K_0, dem Zinssatz i und der Investitionslaufzeit n gemäß folgender Gleichung:

$$A = K_0 \times w = \frac{K_0 \cdot i \cdot (1+i)^n}{(1+i)^n - 1}$$

Der Term w wird auch als Wiedergewinnungsfaktor bezeichnet. In Fortsetzung des Beispiels aus Kap. 5.6.2.1 ergeben sich folgende Werte:

Beispiel: Der Kapitalwert K_0 wurde in Kap. 5.6.2.1 mit 10.633 € berechnet. Die Annuität für die fünf Jahre der Investitionslaufzeit beträgt bei einem Zinssatz von 8 %:

$$A = \frac{K_0 \cdot i \cdot (1+i)^n}{(1+i)^n - 1}$$

$$= \frac{10.633 \text{ €} \times 0,08 \times (1,08)^5}{(1,08)^5 - 1} = 2.663 \text{ €}$$

Dadurch, dass der Kapitalwert in Jahresbeträge umgerechnet wird, lassen sich verschiedene Investitionsvorhaben, die eventuell unterschiedliche Laufzeiten besitzen, leichter vergleichen.

5.6.2.4 Beurteilung der dynamischen Investitionsrechnungsverfahren

Die Verfahren der dynamischen Investitionsrechnung besitzen einen besseren Praxisbezug als die statischen Verfahren, da der Zeitpunkt der Entstehung einer Ein- oder Auszahlung berücksichtigt wird. Dazu ist es allerdings erforderlich, Einzahlungs- und Auszahlungsreihen zu kennen oder abzuschätzen. Schätzungen der voraussichtlichen Zahlungen zum Zeitpunkt der Investitionsplanung sind ungenau und beinhalten die Gefahr, dass erhebliche Ungenauigkeiten eintreten können. Zudem ist die Zuordenbarkeit von Zahlungsströmen zu einzelnen Investitionsobjekten häufig nicht gegeben.

Auch die Festlegung des Kalkulationszinssatzes i basiert auf einer Schätzung. Wie gezeigt besitzt der Kalkulationszinssatz eine große Auswirkung auf das Ergebnis. Wird ein zu hoher Zinssatz festgesetzt, können Investitionsalternativen als unrentabel ausgesondert werden, in denen eigentlich Zukunftspotential steckt.

Insgesamt stellen die Investitionsrechnungsverfahren eine Entscheidungshilfe dar; ihre Ergebnisse dürfen aber nicht überbewertet werden, da in die Ergebnisse ausschließlich monetäre Ziele einfließen. Stets sind weitere qualitative Kriterien in die Entscheidung einzubeziehen, die sich zum Zeitpunkt der Investitionsplanung nicht quantifizieren lassen.

5.6.3 Verfahren zur Unternehmensbewertung

Eine besondere Variante einer Investition stellt der Erwerb eines gesamten Unternehmens dar. Hierbei können die bisher vorgestellten Verfahren nicht angewandt werden, da der gegenwärtige Wert und das künftige Potential eines gesamten Unternehmens abgeschätzt werden muss, um daraus einen Kaufpreis ableiten zu können. Der Wert eines Unternehmens liegt zwischen dem **Liquidationserlös** (Erlös, der bei einer Zerschlagung des Unternehmens und dem anschließenden Verkauf des Vermögens erzielt würde), den **Wiederbeschaffungskosten** und (bei Aktiengesellschaften) dem **Börsenkurswert**. Im folgenden werden verschiedene Ansätze zur Bestimmung des Unternehmenswertes erläutert.

5.6.3.1 Substanzwertverfahren

Der Substanzwert oder Reproduktionswert eines Unternehmens stellt den Betrag dar, der für die Neuerrichtung des Unternehmens aufgewendet werden müsste. Der **Teilsubstanzwert** errechnet sich aus den in der Bilanz aufgeführten Vermögenswerten (d. h. aus den Positionen der Aktivseite), wobei anstelle der bilanziellen Wertansätze aktuelle Wiederbeschaffungspreise angesetzt werden. Bei dieser Ermittlung bleiben aber wichtige Aspekte, die den Wert eines Unternehmens ausmachen, unberücksichtigt. Der Wert des Unternehmens wird auch durch seinen Standort, die Managementqualität, seine Produktpalette, die Qualifikation der Mitarbeiter oder das Forschungs-Know-how beeinflusst. Diese Einflussgrößen werden als **Geschäftswert** oder Goodwill bezeichnet, dessen Ermittlung recht schwierig ist. Die Summe aus Geschäftswert und Teilsubstanzwert heißt **Vollsubstanzwert**.

Beim Substanzwertverfahren erfolgt die Ermittlung des Teilsubstanzwertes. Diese Größe kann als nachrechenbare, objektive Größe einen groben Orientierungsrahmen für Investitionsentscheidungen bilden. Einzige Größe für die Entscheidung sollte er jedoch nicht sein.

5.6.3.2 Ertragswertverfahren

Der Ertragswert eines Unternehmens ist der Barwert oder der Kapitalwert zukünftiger Erträge. Im Rahmen des Ertragswertverfahrens werden Gewinngrößen zur Bestimmung des Ertragswertes angesetzt. Er errechnet sich aus dem abgezinsten voraussichtlichen Liquidationserlös L und den abgezinsten erwarteten Periodengewinnen G_t des Unternehmens:

$$\text{Ertragswert} = L \times (1+i)^{-n} + \sum (G_t) \times (1+i)^{-t}$$

Sowohl die Periodengewinne als auch der Liquidationserlös müssen abgeschätzt werden. Bei der Abschätzung des Periodengewinns orientiert man sich an voraussichtlichen Zahlungen, die der Investor aus dem zu bewertenden Unternehmen erhalten kann, also z. B. Ausschüttungen in Form von Dividendenzahlungen oder Kapitalrückzahlungen. Der Periodengewinn wird gemindert durch voraussichtliche Zahlungen (z. B. „Kapitalspritzen"), die der Investor tätigen muss. Die Festlegung des Zinssatzes i orientiert sich am landesüblichen Zinsniveau, wobei Risikozuschläge (z. B. Kapitalrisiko) eingerechnet werden sollten.

Aus der Gleichung wird deutlich, dass das Ertragswertverfahren stark an die Kapitalwertmethode (vgl. Kap. 5.6.2.1) angelehnt ist. Die Probleme dieses Verfahrens gelten somit auch für das Ertragswertverfahren. Die Festlegung der künftigen Gewinne basiert auf unsicheren Abschätzungen, der angenommene Zinssatz hat einen erheblichen Einfluss auf das Ergebnis. Nicht-monetäre Aspekte bleiben unberücksichtigt.

5.6.3.3 Mittelwertverfahren

Das Mittelwertverfahren ist in Deutschland weit verbreitet und wird daher auch als „Praktikerverfahren" bezeichnet. Es verknüpft das Substanzwert- mit dem Ertragswertverfahren, indem der Unternehmenswert als arithmetischer Mittelwert von Teilsubstanz- und Ertragswert bestimmt wird:

$$\text{Mittelwert} = \frac{\text{Teilsubstanzwert} + \text{Ertragswert}}{2}$$

Dieser Ansatz basiert auf der Überlegung, dass der Unternehmenswert im Regelfall höher als der Teilsubstanzwert, aber niedriger als der Ertragswert ist. Daher wird aus Vereinfachungsgründen der Mittelwert errechnet und als Unternehmenswert festgesetzt. Das Verfahren ist nicht anwendbar, wenn der Ertragswert unter dem Teilsubstanzwert liegt.

5.6.4 Ergänzende Beurteilungsverfahren

Die bislang vorgestellten Verfahren besitzen den Mangel, dass sie auf nicht-monetäre (qualitative) Kriterien nicht eingehen und dass sie davon ausgehen, dass die zu Grunde liegende Datenbasis sicher ist. Zur Entscheidungsfindung sind aber auch qualitative Größen einzubeziehen. Ferner sind die eingehenden Daten abgeschätzt, also im höchsten Maße unsicher.

Im folgenden werden Verfahren vorgestellt, die sich in verschiedenen Bereichen der Betriebswirtschaft, insbesondere auch bei der Beurteilung von Investitionsprojekten, einsetzen lassen.

5.6.4.1 Sensitivitätsanalyse

Die Sensitivitätsanalyse wird bei Planungsprozessen eingesetzt, um die Unsicherheit der Datenbasis zu überprüfen. Die bislang dargestellten Verfahren der Investitionsrechnung gehen von einer sicheren Datenbasis aus. Durch die Sensitivitätsanalyse lässt sich ermitteln, welchen Einfluss eine **Veränderung der Einflussparameter** besitzt.

Die Sensitivitätsanalyse ergänzt die Ergebnisse eines anderen Verfahrens (z.B. eines der bisher dargestellten Investitionsrechnungsverfahren), indem die systematische Veränderung von einem oder mehreren Einflussparametern durchgespielt wird. Damit wird deutlich, wie empfindlich die einzelnen Gleichungen auf Veränderungen reagieren und welchen Einfluss dies auf die Ergebnisgröße besitzt.

So können bei der Kapitalwertmethode (vgl. Kap. 5.6.2.1) der Kalkulationszinssatz, aber auch die angenommenen Einzahlungen und Auszahlungen verändert werden. Die Auswertung der Ergebnisse im Rahmen der Sensitivitätsanalyse kann unter zwei grundsätzlichen Fragestellungen erfolgen:

• Zielgrößenveränderung: Wie verändert sich die Zielgröße (z. B. Kapitalwert K_0) bei der Veränderung der Eingangsgrößen?

• Betrachtung „kritischer Werte": Welche Veränderung der Eingangsgrößen sind gerade noch zulässig, so dass sich die Zielgröße innerhalb bestimmter, gerade noch akzeptierbarer Grenzwerte (z. B. positiver Kapitalwert) bewegt?

Zusätzlich können Wahrscheinlichkeitsannahmen für das Eintreten von bestimmten Eingangsgrößen oder der Kombination bestimmter Eingangsgrößen einbezogen werden. Aufgrund der Ergebnisse der Sensitivitätsanalyse muss dann entschieden werden, ob das Investitionsprojekt trotz der aufgezeigten Risiken realisiert werden soll.

5.6.4.2 Nutzwertanalyse

Die Nutzwertanalyse, deren Vorgehensweise auch als „Scoringmodell" bezeichnet wird, dient zur Beurteilung von Handlungsalternativen. Im Gegensatz zu den Verfahren der Investitionsrechnung, bei denen eine Beurteilung von verschiedenen (Investitions-)Alternativen auf rein monetärer Basis vorgenommen wird, lassen sich bei der Nutzwertanalyse auch qualitative Größen in den Entscheidungsprozess einbeziehen.

Die Nutzwertanalyse eignet sich sowohl zum Vergleich von verschiedenen Realisierungsalternativen oder Projekten als auch zur Beurteilung von Einzelvorhaben. Entscheidungskriterium ist der Nutzwert. Diejenige Alternative, für die der höchste Nutzwert ermittelt wird, ist am günstigsten.

Der Nutzwert wird in einem mehrstufigen Verfahren bestimmt:

- Festlegung der **Beurteilungskriterien**: Die Beurteilungskriterien werden aus den Zielsetzungen und den gestellten Anforderungen abgeleitet. Dabei lassen sich sowohl quantitative als auch qualitative Kriterien berücksichtigen.
- Festlegung der **Kriteriengewichte**: Da nicht alle Kriterien die gleiche Bedeutung haben, ist für jedes Kriterium dessen Einfluss auf die Gesamtentscheidung festzulegen.
- Bestimmung der **Kriterienerfüllung**: Auf einer mehrstufigen Skala (z. B. fünf oder zehn Stufen) wird für jede Alternative und jedes Kriterium der Grad der Kriterienerfüllung in Form eines Punktwertes bestimmt.
- Errechnen des **Nutzwertes**: Der Nutzwert für eine Alternative errechnet sich aus der Aufsummierung der gewichteten Punktwerte.

Der Vorteil der Nutzwertanalyse besteht darin, dass eine Entscheidung systematisch, unter Berücksichtigung von qualitativen Einflussgrößen und unter Einbeziehung eines mehrdimensionalen Zielsystems („Zielvielfalt") getroffen werden kann. Die Entscheidung wird wesentlich durch die einbezogenen Kriterien und die Festlegungen der Kriteriengewichte bestimmt. Damit kann das Ergebnis subjektiv beeinflusst werden, ohne dass dies allen Beteiligten deutlich wird.

5.6.4.3 Szenariotechnik

Mit der Szenariotechnik sollen Wege der künftigen Entwicklung aufgezeigt werden. Unter einem **Szenario** wird die Darstellung einer möglichen künftigen Situation und des Weges, der zu dieser Situation führt, verstanden.

Die Szenariotechnik ist ein Instrument aus dem Bereich der strategischen Planung, das im Rahmen eines Investitionsentscheidungsprozesses eingesetzt werden kann. Durch die Szenariotechnik wird aufgezeigt, welche Entwicklungsalternativen vorliegen und welche Möglichkeiten bestehen, durch gezielte Maßnahmen Einfluss auf die Entwicklung zu nehmen.

Ein Szenario ist kein mathematisches Modell, sondern ein qualitativer, beschreibender Ansatz. Szenarien lassen sich auf unterschiedlichen Betrachtungsebenen einsetzen. Die Szenario-technik greift auf Informationen zurück, die das Controlling des Unternehmens liefert. Neben unternehmensinternen Daten sind auch Informationen aus dem Unternehmensumfeld von großer Bedeutung.

Bei der Erstellung eines Szenarios lassen sich drei **Phasen** unterscheiden:

- Analysephase: Beschreibung der Ausgangssituation und der Rahmenbedingungen. Aufzeigen von Problembereichen.
- Prognosephase: Abschätzen von künftigen Entwicklungen, Aufzeigen von überraschenden Ereignissen, Festlegen von Entscheidungskriterien.
- Synthesephase: Zusammensetzung der ermittelten Entwicklungswege zu einem Szenario.

Anschließend werden die Ergebnisse in den Planungs- und Entscheidungsprozess des Unternehmens integriert. Dabei sind die ermittelten Szenarien ständig auf einem aktuellen Stand zu halten. Aufgrund ihres qualitativen Charakters besitzt die Szenariotechnik nur eine geringe Genauigkeit und Präzision.

Weiterführende Literatur: *Perridon, Louis/Steiner, Manfred:* Finanzwirtschaft der Unternehmung. 11. Auflage. München: Vahlen 2002; *Süchting, Joachim:* Finanzmanagement. Theorie und Politik der Unternehmensfinanzierung. 6. Auflage. Wiesbaden: Gabler 1995; *Wöhe, Günter/Bilstein, Jürgen:* Grundzüge der Unternehmensfinanzierung. 9. Auflage. München: Vahlen 2002.

6. Personalwirtschaft

Betriebswirtschaftlich gesehen bildet die menschliche Arbeitsleistung ebenso einen „Produktionsfaktor" wie Betriebsmittel und Werkstoffe (vgl. Kap. 1.4). Schnell wird jedoch deutlich, dass zwischen Menschen und Maschinen erhebliche Unterschiede bestehen: Ein Mensch als Lebewesen und Individuum hat einen eigenen Willen, stellt Anforderungen und besitzt Bedürfnisse. Er stellt nicht seine gesamte Leistungsfähigkeit in den Dienst des Unternehmens und er kann eigenständig entscheiden, ob er für das Unternehmen tätig werden möchte oder ob er seine Mitarbeit durch Kündigung beendet. Diese Eigenschaften des „Produktionsfaktors Mensch" bedingen, dass neben betriebswirtschaftlichen Aspekten auch andere Disziplinen (wie z. B. Soziologie und Psychologie) einzubeziehen sind.

Im betriebswirtschaftlichen Sprachgebrauch werden in Unternehmen tätige Menschen als „Personal" bezeichnet. Der Bereich der Personalwirtschaft ist dafür verantwortlich, dass das für die betrieblichen Aufgaben benötigte Personal mit der erforderlichen Qualifikation und Leistungsfähigkeit zur Verfügung steht. Ferner zählen die verwaltungsmäßige Betreuung, die Entlohnung, aber auch die Personalentwicklung zum Aufgabenbereich der Personalwirtschaft.

6.1 Personalbereitstellung

Die Personalbereitstellung gilt als Kernaufgabe der Personalwirtschaft. Sie gliedert sich in Form einer personalwirtschaftlichen Wertschöpfungskette in mehrere Phasen: Zunächst muss der Personalbedarf ermittelt werden (Kap. 6.1.1); anschließend erfolgt die Personalbeschaffung (Ausschreibung, Auswahl, u. a.; Kap. 6.1.2). Nach der Einstellung wird der neue Mitarbeiter umfassend eingearbeitet und in das Unternehmen integriert (Kap. 6.1.3).

6.1.1 Personalbedarfsermittlung

Im Rahmen der Personalbedarfsermittlung sind die personellen Kapazitäten, die zur Durchführung der betrieblichen Aufgaben erforderlich sind, zu bestimmen. In die Ermittlung des Personalbcdarfs gehen laufende Tätigkeiten, aber auch zukünftige Aufgabenfelder, die sich aus den Anforderungen und Planungen der verschiedenen betrieblichen Funktionsbereiche ergeben, ein. Einfluss auf den Personalbedarf besitzen unter anderem Kapazitätsveränderungen im Produktions- oder Absatzbereich (z. B. Produktionssteigerungen), technologische Neuerungen oder die Altersstruktur der Belegschaft des Unternehmens.

Der **Personalbedarf** ist eine vielgestaltige Größe: Er besitzt einen quantitativen, qualitativen, zeitlichen und örtlichen Aspekt. Der zeitliche Aspekt (zu welchem Zeitpunkt und für welchen Zeitraum wird zusätzliches Personal benötigt?) und der örtliche Aspekt (Einsatzort des Personals) bedürfen keiner näheren Erläuterung, die beiden anderen Aspekte werden im folgenden beschrieben.

Der **quantitative Personalbedarf** ist eine reine Mengengröße. Er gibt an, wie viele Arbeitskräfte zur Ausführung der anstehenden Aufgaben erforderlich sind, sagt aber nichts über die Anforderungen, die an die Mitarbeiter gestellt werden, aus.

Zu seiner Ermittlung können verschiedene Methoden angewandt werden. Bei repetitiven Tätigkeiten, die im Produktionsbereich oder bei Routinebüroarbeiten vorliegen, lässt sich der Personalbedarf aus den Bearbeitungszeiten für die einzelnen Tätigkeiten hochrechnen. Die Kenntnis dieser Vorgabezeiten lässt sich über arbeitswissenschaftliche Methoden (z. B. Zeiterfassung, Multimoment- und REFA-Studien) gewinnen (zur Ermittlung von Vorgabezeiten vgl. Kap. 8.2.2). Nicht anwendbar ist eine derartige Vorgehensweise bei kreativen Tätigkeiten oder bei Leitungsaufgaben. Hier muss eine Abschätzung des Personalbedarfs über Erfahrungswerte erfolgen. In Abhängigkeit von der Leitungsaufgabe gibt es Hinweise, wie viele Mitarbeiter einer Führungskraft unterstellt sein können, so dass eine Beaufsichtigung noch möglich ist (sog. „Leitungsspanne"). Die Fortschreibung von vorhandenen Stellenplänen, die behutsam an sich wandelnde Anforderungen angepasst werden, ist ein Weg, den viele Unternehmen bei der Personalbedarfsermittlung beschreiten.

Einfluss auf den quantitativen Personalbedarf haben Fehlzeiten, die sich aufgrund gesetzlicher oder tariflicher Bestimmungen sowie durch individuelle Einflüsse (Krankheit, Weiterbildung, unentschuldigte Fehlzeiten) ergeben. In einem Land, in dem die tarifliche Wochenarbeitszeit 42 Stunden beträgt, sind weniger Arbeitskräfte erforderlich als in einem anderen Land, bei dem eine 35-Stunden-Woche eingeführt wurde.

Je häufiger Mitarbeiter ein Unternehmen verlassen, desto größer ist dessen Personalbedarf. Indikator für die Wechselhäufigkeit ist die **Fluktuationsrate**, die sich gemäß der Gleichung

$$\text{Fluktuationsrate} = \frac{\text{(Anzahl der Austritte)}}{\text{(Durchschnittliche Beschäftigtenzahl)}}$$

errechnet. Da die Kosten für die Neueinstellung und die Einarbeitung von Mitarbeitern sehr hoch sind, sollte die Fluktuationsrate möglichst niedrig gehalten werden. Auf Gründe, die zur Beendigung eines Arbeitsverhältnisses führen können, wird in Kap. 6.5 näher eingegangen.

Die Ermittlung des **qualitativen Personalbedarfs** dient der Bestimmung der Anforderungen, die an die einzelnen Stellen bzw. deren Inhaber zu richten sind. Dazu wird für jede Stelle eine **Arbeitsplatzbeschreibung** („Stellenbeschreibung") erstellt, die sich inhaltlich in drei Bereiche gliedert:

- Organisatorische Einordnung (Bezeichnung der Stelle, Einordnung in die betriebliche Organisation, hierarchische Unterstellung, Entscheidungs- und Weisungskompetenzen, Zusammenarbeit mit anderen Stellen und Kommunikation innerhalb des Unternehmens)
- Zu erfüllende Aufgaben (Beschreibung der regelmäßig und unregelmäßig anfallenden Tätigkeiten)
- Leistungsanforderungen (Anforderungen an den Stelleninhaber wie erforderliche Kenntnisse, fachliche Qualifikation, Geschicklichkeit, geistige Fähigkeiten, körperliche Belastbarkeit, Führungsfähigkeiten)

Das Vorhandensein einer Arbeitsplatzbeschreibung ermöglicht die optimale Besetzung einer Stelle. Sie hilft beim Einarbeiten neuer Mitarbeiter, aber auch bei der Einweisung von Vertretungskräften. Arbeitsplatzbeschreibungen erleichtern die Beurteilung von Mitarbeitern und können bei der Festsetzung von Löhnen und Gehältern hilfreich sein. Die Erstellung einer Arbeitsplatzbeschreibung basiert auf einer Arbeitsanalyse, bei der die Tätigkeiten detailliert erfasst werden. Die Erstellung ist sehr aufwendig; Anpassungen an Veränderungen müssen zeitnah nachvollzogen werden.

In der Unternehmenspraxis sind quantitativer und qualitativer Personalbedarf miteinander verknüpft und daher stets gemeinsam zu ermitteln.

6.1.2 Personalbeschaffung

Die Personalbeschaffung hat die Aufgabe, freie Stellen befristet oder unbefristet zu besetzen. Der Bedarf an Arbeitskräften lässt sich entweder durch Neueinstellungen (externe Personalbeschaffung) oder durch interne Maßnahmen befriedigen. Die Palette der **internen Maßnahmen** reicht von der Anordnung von Mehrarbeit (in Form von Überstunden) über eine Umorganisation der Arbeitsabläufe bis hin zu Umsetzung von Mitarbeitern. Zeichnet sich der Personalbedarf in einem bestimmten Bereich langfristig ab, können Mitarbeiter langfristig auf die künftige Aufgabe vorbereitet werden. Eine systematische **Personalentwicklung** fördert den Nachwuchs im eigenen Unternehmen und bereitet ihn zielgerichtet auf künftige (Leitungs-) Aufgaben vor.

Bei der **externen Personalbeschaffung** werden Bewerber über den freien Arbeitsmarkt gewonnen. Dies erfolgt durch Sichtung der unaufgefordert eingehenden Bewerbungen (sog. „Blindbewerbungen") oder durch gezielte Werbemaßnahmen, mit denen geeignete Bewerber auf das Unternehmen aufmerksam gemacht werden sollen. Dazu können Anzeigen in Zeitungen und Fachzeitschriften geschaltet oder es kann auf den Stellenservice des Arbeitsamtes zurückgegriffen werden. Zusätzlich wenden sich viele Unternehmen direkt an die jeweiligen Ausbildungseinrichtungen (z. B. Universitäten, Fachhochschulen) oder schalten Personalberater ein.

Das Unternehmen muss abwägen, ob der Personalbedarf intern oder extern gedeckt werden soll. Für eine **interne Stellenbesetzung** sprechen mehrere Gründe:

- Geringere Kosten, da eine externe Ausschreibung entfällt und die Einarbeitung schneller möglich ist.
- Der Bewerber ist der Unternehmensleitung bereits bekannt, so dass seine Beurteilung leichter möglich ist.
- Motivation der Mitarbeiterschaft, wenn innerbetriebliche Aufstiegs- und Wechselmöglichkeiten bestehen.
- § 93 des Betriebsverfassungsgesetzes, nach dem der Betriebsrat im Vorfeld der Besetzung einer freien Stelle fordern kann, dass zunächst eine innerbetriebliche Ausschreibung erfolgen muss.

Allerdings verursacht jede interne Umsetzung eine andere freie Stelle, die dann besetzt werden muss (falls diese Stelle nicht überflüssig ist und wegrationalisiert werden kann). Argumente für eine **externe Personalbeschaffung** sind:

- Einbringung von zusätzlichen Kenntnissen, Erfahrungen und Ideen in das Unternehmen.
- Unvoreingenommenheit des neuen Mitarbeiters gegenüber Problemlösungen und Strukturen. Betriebsblindheit wird vermieden.
- Vermeidung einer Konkurrenzsituation, zu der es kommen kann, wenn sich mehrere interne Bewerber um eine Stelle bewerben.

Eine Empfehlung, welcher der beiden Wege beschritten werden soll, kann nicht gegeben werden. Es ist immer von der jeweiligen Entscheidungssituation, insbesondere auch von dem vorhandenen internen Bewerberpotential abhängig. Eine starre Festlegung des Unternehmens auf einen der beiden Wege sollte vermieden werden.

Liegen Bewerbungen vor, ist es die Aufgabe der Personalwirtschaft, den geeignetsten Kandidaten auszuwählen. Dazu wird eine **Eignungsanalyse** durchgeführt, bei der die Leistungsfähigkeit, der Leistungswille sowie das Entwicklungspotential des Bewerbers ermittelt werden soll. Einen ersten Einstieg bilden die eingereichten oder (bei internen Kandidaten) vorliegenden Unterlagen. Aufgrund der Bewerbungsunterlagen, die üblicherweise aus einem Anschreiben, einem Lebenslauf und Zeugniskopien bestehen, kann eine erste Selektion erfolgen. Bereits die Art der Zusammenstellung und der Präsentation, aber auch die inhaltliche Analyse lassen Rückschlüsse auf die einzelnen Bewerber zu und ermöglichen eine Vorselektion. Um die Vorselektion zu erleichtern, verwenden viele Unternehmen eigene Fragebogen, auf denen die Bewerber biographische Daten in ein vorgegebenes Raster eintragen müssen.

Bei den nächsten Auswahlschritten setzen die Unternehmen verschiedene Verfahren ein, die aus der Erfahrung heraus entstanden sind ("empirische" Verfahren) oder einen wissenschaftlichen Hintergrund besitzen. Weit verbreitet sind **Vorstellungsgespräche**, bei denen unternehmensseitig versucht wird, das Bild, das die Bewerbungsunterlagen bieten, abzurunden. Die Vertreter des Unternehmens lernen den Bewerber, dessen verbale Ausdrucksfähigkeit und dessen Ausstrahlung kennen. Zugleich bietet das Vorstellungsgespräch dem Bewerber die Möglichkeit, nähere Auskünfte über den Arbeitsplatz und die Unternehmenskultur zu erhalten.

Insbesondere bei Berufsanfängern wird versucht, durch **Eignungstestverfahren** die Leistungsfähigkeit, die Begabung oder den Charakter der Bewerber näher zu erkunden. Mit Leistungstests lassen sich die Geschicklichkeit, die Ausdauer und andere physische Eigenschaften eines Bewerbers überprüfen. Teilweise werden auch Arbeitsproben verlangt (z. B. im Sekretariatsbereich das Anfertigen einer Schreibprobe). Intelligenz- oder Begabungstests ermitteln den Intelligenzquotienten oder spezielle Begabungen. Persönlichkeitstest versuchen unter Berücksichtigung arbeitspsychologischer Erkenntnisse die charakterlichen Eigenschaften eines Bewerbers zu durchleuchten. Daneben werden graphologische Untersuchungen angefertigt, um Rückschlüsse aus der Handschrift eines Bewerbers auf dessen Charakter zu ziehen; derartige Schlussfolgerungen sind jedoch wissenschaftlich umstritten.

Ein besonderes Verfahren stellt das **Assessment Center** dar, bei dem mehrere Bewerber einem standardisierten Auswahlprozess unterzogen werden. Im Rahmen dieses Verfahrens führen die Bewerber Gruppendiskussionen, Präsentationen und Rollenspiele durch, wobei das Verhalten der einzelnen Kandidaten von einem ganzen Stab von Beurteilern beobachtet wird.

Welcher Bewerber schließlich zum Zuge kommt, ist letztlich eine subjektive **Auswahlentscheidung**, die in kleineren Unternehmen direkt die Unternehmensleitung, in größeren Unternehmen die Fachabteilung in Absprache mit der Personalabteilung trifft. Dabei hat sich die Erkenntnis durchgesetzt, dass die ideale Besetzung für eine Stelle häufig nicht der leistungsmäßig „beste" Bewerber bildet; denn es kann sich für die Zusammenarbeit im Unternehmen als günstig erweisen, wenn eine breite Basis von durchschnittlich Begabten von einigen leistungsstarken Persönlichkeiten geführt werden.

6.1.3 Einstellung und Einarbeitung

Nach der Auswahl eines Bewerbers folgt dessen Einstellung. In dieser Phase der Personalbeschaffung werden mit dem Bewerber Rahmenbedingungen abgeklärt, falls dies nicht bereits im Vorfeld geschehen ist. Sind die Vertragsbedingungen abschließend festgelegt, ist gemäß § 99 f. Betriebsverfassungsgesetz die Zustimmung des Betriebsrates zur geplanten Einstellung einzuholen. Anschließend kann der Arbeitsvertrag abgeschlossen werden.

Damit sich ein neu eingestellter Mitarbeiter gut in sein Umfeld einfügt, die Gegebenheiten des Unternehmens kennen lernt und die an ihn gestellten Anforderungen bewältigen kann, ist eine Einarbeitungsphase vorzusehen. Im Vordergrund steht die Einarbeitung in das übertragene Aufgabengebiet („fachliche Integration"). Daneben sind dem neuen Mitarbeiter Informationen über das Unternehmen, seine Organisation, die praktizierten Führungsprinzipien, betriebliche Regelungen und Vereinbarungen zu vermitteln.

Eine besondere Form der Einarbeitung bilden **Trainee-Programme**, in deren Rahmen vor allem künftige Führungskräfte verschiedene Bereiche des Unternehmens durchlaufen und so einen umfassenden Einblick in Strukturen, Aufgabenfelder und Probleme erhalten. Durch eine bewusst gestaltete Einarbeitungsphase kann erreicht werden, dass sich neue Mitarbeiter gut in das Unternehmen einfügen und nicht nach kurzer Zeit das gerade erst geschlossene Arbeitsverhältnisses aufkündigen.

6.2 Personaleinsatz

Im Bereich des Personaleinsatzes sind zwei Aufgaben zu erfüllen: Zum einen muss eine Zuordnung der Arbeitskräfte zu den Arbeitsplätzen erfolgen („Personaleinsatzplanung", vgl. Kap. 6.2.1), zum anderen sind die Arbeitsbedingungen an den Menschen anzupassen (Kap. 6.2.2 ff.).

6.2.1 Personaleinsatzplanung

Das im Unternehmen verfügbare Personal muss den zu erfüllenden Aufgaben so zugeordnet werden, dass die einzelnen Mitarbeiter ihrer Eignung entsprechend eingesetzt und die betrieblichen Aufgaben vereinbarungsgemäß (termingerecht in der geforderten Qualität und Menge) ausgeführt werden. Grundlage für die Zuordnung von Arbeitskräften zu einzelnen Arbeitsplätzen bilden die vorhandenen Stellenpläne und Tätigkeitsbeschreibungen sowie Informationen aus Personalbeurteilungen. Hilfsmittel der kurzfristigen Personaleinsatzplanung sind Tageseinsatzpläne oder Schichtpläne, ergänzend kommen Urlaubspläne hinzu.

Die Zuordnung geht zunächst von der Qualifikation und den Fähigkeiten der Mitarbeiter aus, bezieht aber individuelle Wünsche und Interessen der Mitarbeiter ein, um deren Motivation zu steigern und eine hohe Arbeitszufriedenheit zu erzielen.

Neben dieser Festlegung von Aufgabenbereichen muss im operativen Geschäft auch eine Zuordnung der anstehenden Arbeitsaufgaben erfolgen. So muss in Werkstattbereichen z. B. festgelegt werden, welcher Mitarbeiter ein konkretes Werkstück bearbeiten soll. Diese Zuordnung erfolgt entweder durch den unmittelbaren

Vorgesetzten (Meister, Gruppenleiter), durch spezielle Mitarbeiter ("Disponenten"), die die Arbeit verteilen, oder durch die Mitarbeiter selbst, die aus einem Auftragseingangslager selbständig einen Auftrag herausgreifen.

6.2.2 Arbeitsorganisation

In Unternehmen sind die zu erfüllenden Aufgaben in Teilaufgaben aufgespalten. Dies hat insbesondere im Produktionsbereich zu hochspezialisierten Arbeitsplätzen geführt, bei denen die Mitarbeiter nur noch wenige Tätigkeiten ausführen, die sie dann ständig wiederholen. Diese **Spezialisierung** hat den Vorteil, dass die Mitarbeiter eine hohe Routine erlangen, durch die Qualität und Quantität der Arbeitsleistung steigen. Nachteilig ist jedoch, dass durch die spezialisierte Tätigkeit ein Gefühl der Eintönigkeit eintreten kann. Andere Fähigkeiten und Fertigkeiten des Mitarbeiters kommen nicht zum Tragen, der Blick für den Gesamtzusammenhang geht verloren. Deshalb wird inzwischen in vielen Unternehmen versucht, im Rahmen von Maßnahmen zur "Humanisierung der Arbeit" den Handlungsspielraum der Mitarbeiter wieder zu erweitern, also von einer Spezialisierung zu einer **Generalisierung** zu gelangen. Dazu stehen folgende Methoden der **Aufgabengestaltung** zur Verfügung, die insbesondere im Bereich der Fließfertigung zur Anwendung kommen:

- **Arbeitsplatzwechsel** ("Job rotation"): Die Spezialisierung der Arbeitsplätze bleibt unverändert, doch es findet regelmäßig ein Wechsel von Arbeitsaufgabe und Arbeitsplatz (auf gleicher hierarchischer Ebene) statt. Damit wird der Monotonie eines spezialisierten Arbeitsplatzes entgegengewirkt, der Mitarbeiter gewinnt einen Einblick in andere Tätigkeitsfelder und erwirbt zusätzliche Qualifikationen. Das Unternehmen steigert die Flexibilität seiner Mitarbeiter, so dass in Urlaubs- oder Krankheitsfällen rasch Vertretungen gefunden werden können.

- **Aufgabenerweiterung** ("Job enlargement"): Die im Rahmen der Spezialisierung durchgeführte Zerlegung der Arbeitsaufgaben wird teilweise rückgängig gemacht, indem einem Arbeitsplatz wieder mehr Teilaufgaben zugeordnet werden. Durch Verminderung der Eintönigkeit und Schaffung eines Sinnzusammenhangs der Arbeit soll sich das Job enlargement leistungssteigernd auswirken.

* **Aufgabenbereicherung** („Job enrichment"): Dem Arbeitsplatz werden Entscheidungs- und Kontrollaufgaben zugewiesen. Dadurch wird zum einen der Vorgesetzte entlastet, zum anderen der Arbeitsplatz aufgewertet; durch die Motivation, die von der zunehmenden Verantwortlichkeit ausgeht, kann es zu einer Leistungssteigerung kommen.

Die Einführung **„teilautonomer Arbeitsgruppen"**, denen die weitgehend eigenständige Ausführung eines Teils des Produktionsprozesses übertragen wird, stellt eine Steigerung des Job-enrichment-Prinzips dar. Bei vorgegebenen Rahmenbedingungen (Budget, Termine, Ausbringungsmenge) hat die Arbeitsgruppe Entscheidungsbefugnisse für ihren Bereich, die von der Aufgabenverteilung bis hin zur Festlegung der Lohnstufen reichen können.

6.2.3 Arbeitsplatzgestaltung

Durch bewusste Gestaltung ist der Arbeitsplatz so an den Mitarbeiter anzupassen, dass unter Berücksichtigung der anfallenden Aufgaben und Abläufe optimale Arbeitsbedingungen vorliegen. Damit werden zwei Zielsetzungen verfolgt: Es soll zum einen die Arbeitsproduktivität erhöht (wirtschaftliches Ziel) und zum anderen die Arbeitszufriedenheit gesteigert (soziales Ziel) werden. Ferner sind rechtliche Vorgaben wie die Arbeitsstättenverordnung umzusetzen und sicherheitstechnische Anforderungen zu beachten. Weitere Aspekte der Arbeitsplatzgestaltung werden im folgenden erläutert.

Die Gestaltung eines Arbeitsplatzes beginnt bereits bei den zur Verfügung gestellten Geräten, Maschinen und Arbeitsverfahren sowie deren Anordnung (z. B. Anordnung der Werkzeuge). Im Rahmen der **physiologischen Arbeitsplatzgestaltung** wird versucht, den Mitarbeiter geringeren körperlichen Belastungen und niedrigeren unangenehmen Umwelteinwirkungen auszusetzen. So ist es möglich, durch eine Veränderung der Arbeitsabläufe schwere Muskelarbeit und statische Haltearbeit zu reduzieren. Außerdem können unangenehme Umgebungseinflüsse durch eine Verbesserung der Klimatisierung, der Schalldämmung und der Beleuchtung des Arbeitsplatzes vermindert werden.

Bei der **anthropometrischen Arbeitsplatzgestaltung** erfolgt eine Anpassung der Arbeitsmittel und des Mobiliars an die Maße des menschlichen Körpers. Dazu zählt die ergonomische Gestaltung von Geräten im Werkstattbereich (Werkzeuge, Maschinen), aber auch in der Verwaltung (Computer, Schreibmaschinen), die Höhe von Arbeitstischen, Stühlen oder die bedienerfreundliche Anordnung von Schaltern und Griffen. Wenn eine Anpassung an verschiedene Körpergrößen nicht möglich ist, werden Abmessungen gewählt, die für die Mehrzahl der Mitarbeiter günstige Arbeitsverhältnisse bieten.

Erkenntnisse der Psychologie werden genutzt, um den Arbeitsplatz freundlicher zu gestalten. Durch eine gezielte farbliche Gestaltung oder Musik am Arbeitsplatz können gegebenenfalls Verbesserungen erreicht werden. Einen Einfluss auf die Psyche des Menschen, aber auch auf den Konzentrationsgrad beim Arbeiten besitzt die Größe des Raums: So können Büroarbeitsplätze in einem Großraumbüro, in einem Zweierbüro oder als Einzelplatz in einem eigenen Raum angeordnet sein. Mitarbeiter in der Produktion können in einer großen Maschinenhalle, aber auch in einer kleinen Werkstatt untergebracht werden.

6.2.4 Arbeitszeitgestaltung

Ursprünglich war die tägliche Arbeitszeit keiner Begrenzung unterworfen. Daher stellte es eine wesentliche Verbesserung dar, als nach dem ersten Weltkrieg in Deutschland die tägliche Arbeitszeit gesetzlich auf acht Stunden festgelegt wurde, wobei an allen sechs Werktagen der Woche gearbeitet wurde (48-Stunden-Woche). Nach dem zweiten Weltkrieg und insbesondere in den letzten zwei Jahrzehnten des letzten Jahrhunderts setzte eine überwiegend auf tarifvertraglicher Ebene geregelte Arbeitszeitreduzierung ein, so dass die durchschnittliche Wochenarbeitszeit in Deutschland inzwischen unter 37 Stunden liegt.

Neben dem Übergang von einer Sechstage- zur Fünftagewoche brachte die Reduzierung der Wochenarbeitszeit verschiedene Modelle zur **Arbeitszeitflexibilisierung** mit sich, um die Anforderungen des Arbeitgebers und die Wünsche des Arbeitnehmers aufeinander abzustimmen. Zu den wichtigsten **Formen einer flexiblen Arbeitszeitgestaltung** zählen:

- **Teilzeitarbeit:** Geringere Arbeitszeit als tarifvertraglich festgelegt; in Absprache zwischen Arbeitgeber und Arbeitnehmer sind die verschiedensten Modelle denkbar (50 Prozent der Arbeitszeit, 30-Stunden-Woche, 4-Tage-Woche, u.a.).

- **Flexible Ruhestandsregelungen:** Altersteilzeitmodelle, nach denen ältere Mitarbeiter schrittweise ihre Wochenarbeitszeit verringern oder früher in den Ruhestand eintreten können.

- **Schichtarbeit:** Um die Maschinen und Anlagen optimal auszunutzen, werden überwiegend im Produktionsbereich mehrere Schichten (z.B. Frühschicht, Spätschicht) eingesetzt. Aber auch in Bereichen, in denen eine Bereitschaft „rund um die Uhr" gewährleistet sein muss, ist ein Schichtbetrieb üblich.

- **Saisonarbeit:** Die jährliche Arbeitszeit wird auf bestimmte Monate beschränkt (beispielsweise in der Landwirtschaft oder der Gastronomie).

- **Gleitende Arbeitszeit:** Der Arbeitnehmer hat während einer Kernzeit anwesend zu sein. Den Arbeitsbeginn und das Arbeitsende kann er individuell wählen, wobei durch geeignete Zeiterfassungsmaßnahmen (z.B. Stechuhr) sichergestellt wird, dass die festgelegte Monatsarbeitszeit erbracht wird.

- **Individuelle Arbeitszeitgestaltung:** Die Verteilung der Arbeitszeit erfolgt in einem bestimmten Rahmen nach den Wünschen des Mitarbeiters.

- **„Sabbatical":** In Anlehnung an das alttestamentliche „Sabbatjahr" wird den Mitarbeitern die Möglichkeit geboten, eine begrenzte „Auszeit" zu nehmen, die für Weiterbildung, Regenerierung oder zur „Selbstfindung" genutzt werden kann. Dazu scheidet der Mitarbeiter für einen bestimmten Zeitraum (z.B. drei Monate, aber auch ein ganzes Jahr) aus dem Berufsleben aus, wobei der Arbeitgeber einen Teil des Lohnes weiterzahlt.

Allen Formen der Arbeitszeitgestaltung ist der Rahmen der **Arbeitszeitordnung** gesetzt, wonach die regelmäßige Arbeitszeit acht Stunden pro Tag nicht überschreiten sollte; in Ausnahmefällen sind bis zu zehn Stunden pro Tag zulässig.

Untersuchungen, die in der Schwerindustrie durchgeführt wurden, die sich aber auch auf andere Tätigkeiten übertragen lassen, ergaben, dass die körperliche („physiologische") **Leistungsbereitschaft** eines Menschen im Tagesverlauf bestimmten Schwankungen unterliegt und dass diese Schwankungen bei den meisten Menschen einen ähnlichen Verlauf nehmen. In Abb. 6.1 ist dieser Sachverhalt in grafischer Form als Leistungsbereitschafts- oder Tagesrhythmikkurve dargestellt. Am höchsten ist die Leistungsbereitschaft am Vormittag, sie fällt dann ab. Nachmittags steigt die Kurve wieder an und erreicht einen weiteren Höhepunkt, der jedoch niedriger als das Vormittagsmaximum ist. Danach sinkt die Leistungsbereitschaft wieder ab, um in den frühen Morgenstunden ihren Tiefpunkt zu erreichen. Danach beginnt erneut ein Tageszyklus. Die Kenntnis der Leistungsbereitschaftskurve ist von großem Nutzen, wenn Tätigkeiten bestimmten Tageszeiten zugeordnet werden.

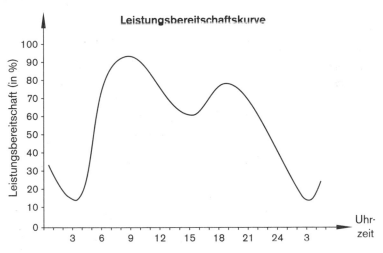

Abb. 6.1: Physiologische Leistungsbereitschaftskurve

Ein weiterer wichtiger Aspekt der Arbeitszeitgestaltung ist die Einplanung von **Erholungsphasen** durch die Festlegung von **Pausen**. Der Erholungseffekt ist am Anfang einer Pause sehr groß und lässt dann rasch nach, so dass mehrere kürzere Pausen einen stärkeren Erholungseffekt bewirken als eine längere Pause. Das Absinken der Leistungsbereitschaft gemäß Abb. 6.1 kann durch zwischengeschaltete Pausen verlangsamt werden.

Neben der physiologischen, d. h. körperlichen Leistungsbereitschaft ist auch die **geistig-psychologische Leistungsbereitschaft** der Mitarbeiter von Bedeutung, die sich in dem Willen, eine Leistung zu erbringen, ausdrückt. Dieser Aspekt wird im Rahmen der Motivationsforschung untersucht, auf die in Kap. 3.3.3.3 eingegangen wird.

6.3 Personalentlohnung und Leistungsstimulation

Es ist die Aufgabe der Leistungsstimulation, durch verschiedene Anreize sicherzustellen, dass die Mitarbeiter eines Unternehmens motiviert sind, die geforderte Leistung zu erbringen und gegebenenfalls noch zu steigern. Der wichtigste Anreiz ist die Entlohnung. Daneben ist sicherzustellen, dass sich die Mitarbeiter im Unternehmen wohlfühlen und dadurch die Zahl der Wechsel von Mitarbeitern zu anderen Arbeitgebern gering bleibt.

6.3.1 Arbeitsbewertung

Um einen Mitarbeiter leistungsgerecht entlohnen zu können, muss der Wert der geleisteten Arbeit bestimmt werden. Dazu wird im Rahmen der Arbeitsbewertung für jeden Arbeitsplatz eine Ermittlung der Anforderungen („Arbeitsschwierigkeit") durchgeführt. Die Arbeitsbewertung geschieht unabhängig vom jeweiligen Stelleninhaber. Neben der Einordnung der Stelle in das Lohn- und Gehaltsgefüge des Unternehmens unterstützt das Ergebnis der Arbeitsbewertung auch die Bestimmung des qualitativen Personalbedarfs (vgl. Kap. 6.1.1) und kann beim Anfertigen von Stellenbeschreibungen dienen.

Eine Arbeitsbewertung vollzieht sich in zwei Teilschritten:

- **Qualitative Analyse:** Beschreibung der Tätigkeiten, die an einem Arbeitsplatz ausgeführt werden. Die qualitative Analyse kann den Arbeitsplatz entweder als Ganzes (summarisch) oder durch eine Zerlegung in einzelne Teilaufgaben (analytisch) erfassen.
- **Quantitative Analyse:** Bewertung der in der qualitativen Analyse gewonnenen Ergebnisse. Dazu können die zu bewertenden Tätigkeiten entweder nach ihrer Schwierigkeit in eine Rangfolge gebracht (Reihung) oder einzelnen, zuvor festgelegten Kategorien zugewiesen (Stufung) werden.

Aus der Kombination der aufgeführten Vorgehensweisen ergeben sich vier verschiedene Verfahren zur Arbeitsbewertung, die in Abb. 6.2 dargestellt sind.

		Vorgehensweise bei der Qualifizierung (1. Schritt)	
		summarisch	**analytisch**
Vorgehens-weise bei der Quantifizierung (2. Schritt)	**Rei-hung**	Rangfolge-verfahren	Rangreihen-verfahren
	Stu-fung	Lohngruppen-verfahren	Stufenwertzahl-verfahren

Abb. 6.2: Verfahren der Arbeitsbewertung

Das **Rangfolgeverfahren** ist eine summarische, auf dem Prinzip der Reihung basierende Methode. Es werden **alle** Arbeitsplätze eines Unternehmens nach ihrem Schwierigkeitsgrad in eine Reihenfolge gebracht. Aufgrund dieser Reihenfolge erfolgt die Festlegung von Löhnen und Gehältern. Das Verfahren ist einfach zu handhaben, wenn nur wenige Arbeitsplätze verglichen werden müssen. Bei größeren Unternehmen ist es aber kaum anzuwenden.

Beim **Lohngruppenverfahren** wird zunächst ein Katalog von abgestuften Lohngruppen aufgestellt. Die einzelnen Lohngruppen sind durch Tätigkeitsmerkmale oder Fallbeispiele näher zu beschreiben. Anschließend wird jeder Arbeitsplatz des Unternehmens einer Lohngruppe aus dem Katalog zugeordnet. Das Lohngruppenverfahren wird in vielen Tarifverträgen, unter anderem auch im öffentlichen Dienst (Bundesangestelltentarifvertrag BAT) angewandt.

Bei den **analytischen Verfahren** erfolgt eine Zerlegung der auszuführenden Arbeiten in einzelne Anforderungsarten. Grundlage für verschiedene Anforderungsartenkataloge bildet häufig das bereits 1950 entwickelte „**Genfer Schema**", nach dem die folgenden vier Kategorien unterschieden werden:

- **Fachkönnen** (Fachkenntnisse, Berufserfahrung, aber auch Geschicklichkeit)
- **Belastung** des Stelleninhabers durch geistige (Aufmerksamkeit, Denkfähigkeit) und körperliche Belastung (Muskelarbeit)
- **Verantwortung** für die eigene Arbeit, für Betriebsmittel, die Sicherheit sowie Personalverantwortung
- **Arbeitsbedingungen** (Belastung durch Umgebungseinflüsse)

Für jeden Arbeitsplatz werden die anfallenden Tätigkeiten gemäß eines Anforderungskatalogs bewertet, indem für jede Anforderungsart eine getrennte Beurteilung erfolgt. Die Zusammenfassung der Zahlenwerte, bei der eine unterschiedliche Gewichtung der einzelnen Anforderungsarten erfolgen kann, ergibt dann den „Arbeitswert". Je nachdem, ob die Lohnbemessung auf der Basis einer Rangreihe oder einer Stufung erfolgt, lassen sich das **Rangreihenverfahren** und das **Stufenwertzahlverfahren** unterscheiden.

6.3.2 Vergütungssysteme

Für ihre Mitarbeit im Unternehmen erhalten die Arbeitnehmer das Arbeitsentgelt. Historisch bedingt unterscheidet man **Löhne**, die an gewerbliche Arbeitnehmer (Arbeiter) und **Gehälter**, die an Angestellte gezahlt werden. Heute wird die Bezeichnung „Lohn" häufig mit dem Begriff „Arbeitsentgelt" gleichgesetzt; auch der Steuergesetzgeber unterscheidet nicht zwischen Löhnen und Gehältern und spricht von „Lohnsteuer". Daher wird auch im folgenden diese Unterscheidung nicht weiter angewandt.

Das Entgelt für freie Mitarbeiter, die nicht fest angestellt sind, und für freiberuflich Tätige (Anwälte, Architekten, Ärzte, Berater, Ingenieure) wird als **Honorar** bezeichnet.

Nach der Vorgehensweise, wie das Arbeitsentgelt ermittelt wird, lassen sich die folgenden **Lohnformen** unterscheiden:

- **Zeitlohn:** Die Lohnzahlung ist an die Arbeitszeit des Arbeitnehmers gekoppelt („Stundenlohn"), der Arbeitnehmer erhält sein Entgelt für seine Anwesenheit, wobei eine „Normalleistung" erwartet wird. Diese Lohnform wird dann angewendet, wenn eine Leistungserfassung oder eine ausbringungsabhängige Entlohnung nicht möglich ist. Dies ist bei Verwaltungstätigkeiten, bei kreativen oder bei gefahrgeneigten Arbeiten der Fall. Aber auch bei Fließbandarbeit erfolgt eine Zeitentlohnung, da der Mitarbeiter durch die feste Taktung des Bandes seine Leistung nicht selbst beeinflussen kann.

- **Stücklohn** (Akkordlohn): Die Entlohnung erfolgt proportional zur Leistung und ist somit unabhängig von der Arbeitszeit. Beispielsweise wird die Leistung eines Feinzerspanungsmechanikers („Drehers") anhand der fertig gestellten Werkstücke gemessen und entlohnt, indem für jedes Werkstück (in Abhängigkeit von dem Umfang und der Komplexität der Arbeitsgänge) ein Geldsatz (Geldakkord) oder eine Vorgabezeit (Zeitakkord) festgesetzt wird. Die Festsetzung orientiert sich an der durchschnittlichen Leistung, der so genannten Normalleistung. Arbeitet ein Mitarbeiter schneller als diese Vorgabe, kann er seinen Lohn steigern.

  Reine Akkordlöhne sind selten: Der Lohn von Arbeitnehmern, die im Akkord arbeiten, setzt sich aus einem leistungsunabhängigen Grundlohn und einer leistungsabhängigen Komponente zusammen, so dass dem Arbeitnehmer ein Mindestlohn sicher ist.

- **Prämienlohn:** Für eine Mehrleistung erhält der Mitarbeiter zusätzlich zum normalen Lohn eine Prämie. Prämien werden in Form von Mengen-, Ersparnis- oder Qualitätsprämien gewährt. Dieses Entlohnungsprinzip wird sowohl bei Arbeitern im Bereich der Produktion, aber auch bei Handelsvertretern angewandt.

Die Mindesthöhe des **Bruttoarbeitsentgeltes** legen zwischen den Tarifvertragsparteien (Arbeitgeber, Gewerkschaften) ausgehandelte Tarifverträge fest, wobei durch Betriebsvereinbarungen und individuell ausgehandelte Verträge höhere Entgelte vereinbart werden können. Vom Bruttoarbeitsentgelt erhält der Arbeitnehmer nur einen Teilbetrag, das so genannte Nettoarbeitsentgelt ausgezahlt, während das Unternehmen neben dem Bruttoarbeitsentgelt auch noch die Personalzusatzkosten tragen muss. Das **Nettoarbeitsentgelt** errechnet das Lohnbüro oder die Personalabteilung des Arbeitgebers, indem vom Bruttoarbeitsentgelt folgende Abzüge vorgenommen werden, die an das Finanzamt bzw. den Sozialversicherungsträger abzuführen sind:

- **Lohnsteuer:** Für Einkünfte aus nichtselbständiger Arbeit ist die Einkommensteuer als „Lohnsteuer" durch direkten Abzug vom Arbeitsentgelt einzubehalten und durch den Arbeitgeber direkt an das zuständige Finanzamt abzuführen. Zur Vereinfachung der Ermittlung des Lohnsteuerbetrags kann auf Lohnsteuertabellen zurückgegriffen werden, die durch das Bundesministerium der Finanzen zusammengestellt sind.

- **Kirchensteuer:** Für Arbeitnehmer, die einer Religionsgemeinschaft angehören, wird die Kirchensteuer einbehalten und an das Finanzamt abgeführt, das den Betrag dann an die zuständige Religionsgemeinschaft weiterleitet. Die Kirchensteuer ist an die Lohnsteuer gekoppelt: Sie beträgt in Abhängigkeit von der zuständigen Landeskirche oder dem zuständigem Bistum derzeit 8 oder 9 Prozent der Lohnsteuer.

- **Solidaritätszuschlag:** Der Solidaritätszuschlag musste im Zeitraum vom 1.7.1991 bis 30.6.1992 zur Finanzierung des Aufbaus der neuen Bundesländer gezahlt werden; zum 1.1.1995 wurde er wieder eingeführt. Seit 1998 beträgt der Solidaritätszuschlag 5,5 Prozent der Einkommensteuer.

- **Arbeitnehmeranteil an der Sozialversicherung:** Grundsätzlich ist jeder Arbeitnehmer sozialversicherungspflichtig. Die Beiträge zur Sozialversicherung tragen der Arbeitnehmer und der Arbeitgeber je zur Hälfte. Die Sozialversicherung besteht aus der Kranken-, Arbeitslosen-, Renten- und Pflegeversicherung. Der Arbeitgeber behält den Arbeitnehmeranteil vom Arbeitslohn ein und führt ihn zusammen mit dem Arbeitgeberanteil an die zuständige Krankenkasse ab, die die Verteilung auf die einzelnen Sozialversicherungsträger (Krankenkasse, Bundesanstalt für Arbeit, Rentenversicherungsanstalt) vornimmt.

- **Weitere Abzüge**, die vom Bruttoarbeitsentgelt einbehalten werden, sind vermögenswirksame Leistungen oder die Rückzahlung von erhaltenen Vorschüssen.

Neben diesen Abzügen, die der Arbeitnehmer tragen muss, hat der Arbeitgeber weitere Aufwendungen und Kosten zu übernehmen. Diese zusätzlichen Beträge werden auch als **Personalzusatzkosten** oder Personalnebenkosten bezeichnet. Deutschland nimmt bei der Höhe der Personalzusatzkosten weltweit einen führenden Platz ein. Dies ist auf gesetzliche Vorgaben und auf tarifvertragliche oder betriebliche Vereinbarungen zurückzuführen. In Abhängigkeit von der Branche schwanken die Personalzusatzkosten zwischen 60 und 100 Prozent des Bruttoarbeitsentgeltes. Dies bedeutet, dass für 100 €, die ein Arbeitnehmer brutto verdient, der Aufwand für den Arbeitgeber bis zu 200 € beträgt.

Die **Personalzusatzkosten** eines Unternehmens lassen sich in die folgenden Kategorien einteilen:

- Soziale Abgaben: Hierunter fällt der Arbeitgeberanteil zur Sozialversicherung, da Arbeitgeber und Arbeitnehmer die Beiträge zur Kranken-, Arbeitslosen-, Renten- und Pflegeversicherung zu gleichen Teilen tragen. Zusätzlich muss der Arbeitgeber für jeden Arbeitnehmer Beiträge zur Unfallversicherung an die zuständige Berufsgenossenschaft abführen.
- Bezahlte Ausfallzeiten (Feiertage, Urlaub, Entgeltfortzahlung im Krankheitsfall, Mutterschutz)
- Sonderzahlungen (13. Monatsgehalt oder Weihnachtsgeld, Urlaubsgeld, Vermögensbildung)
- Betriebliche Altersversorgung
- Soziale Dienste und Einrichtungen (Werksärztlicher Dienst, Zuschuss zur Kantine, Werksbücherei, Sportanlagen)
- Kosten der Betriebsverfassung und der Mitbestimmung (durch die Freistellung von Betriebsratmitgliedern)

Im Rahmen der Buchführung sind sämtliche Bestandteile des Bruttoarbeitsentgeltes und die sozialen Abgaben detailliert für jeden Mitarbeiter zu erfassen. Dies setzt das Bestehen einer eigenen Lohnbuchhaltung voraus, die eine Führung von Lohn- oder Gehaltskonten für jeden Mitarbeiter ermöglicht.

6.3.3 Weitere materielle Anreize

Neben den im vorherigen Abschnitt erläuterten Löhnen und Gehältern bestehen weitere materielle Anreizarten:

- Erfolgs- und Kapitalbeteiligungen: Erfolgsbeteiligungen können entweder als Gehaltsbestandteil oder als Zusatzzahlung gezahlt werden und sind abhängig von der Geschäftsentwicklung des Unternehmens (z. B. durch eine Beteiligung am Ertrag oder am Gewinn). Es ist auch möglich, dass eine Erfolgsbeteiligung durch eine Beteiligung am Unternehmen, z. B. in Form von Belegschaftsaktien, gewährt wird.
- Betriebliche Sozialleistungen: Neben gesetzlich und tarifvertraglich geregelten Sozialleistungen übernehmen viele Unternehmen darüber hinaus weitere Leistungen, die durch Betriebsvereinbarung, durch einzelvertragliche Abmachungen oder freiwillig gezahlt werden. Die Sozialleistungen können die Altersversorgung, Kinderzulagen, den Kranken- oder Unfallversicherungsschutz oder Unterstützung in Notfällen betreffen.
- Sonstige monetäre Leistungen: z. B. Prämien, die im Rahmen des „betrieblichen Vorschlagwesens" gezahlt werden, oder Jubiläumszahlungen.
- Nutzung von Unternehmenseigentum: Die kostenlose oder vergünstigte Nutzung von Unternehmenseigentum kann entweder eine „Belohnung" für einzelne Mitarbeiter (z. B. durch Dienstwagen, Laptop, Handy) darstellen oder eine Serviceleistung für die gesamte Belegschaft (in Form von Bibliotheken und Sportanlagen) bilden.
- Vergünstigte Dienstwohnung
- Rabatt beim Bezug unternehmenseigener Produkte

Durch die Gewährung von materiellen Leistungen entsteht für das Unternehmen eine kostenmäßige Belastung, die nicht immer leicht zu ermitteln ist. Ein Erfolg ist jedoch nicht in jedem Fall sicher: Bestimmte Leistungen werden von den Mitarbeitern als selbstverständlich vorausgesetzt, andere gar nicht wahrgenommen. Eine materielle Leistung an einen Arbeitnehmer kann andere Mitarbeiter, die diese Leistung für ungerechtfertigt halten, verärgern oder demotivieren.

6.3.4 Immaterielle Anreize

Es besteht eine große Vielfalt an immateriellen Anreizen, die jedoch nur schwer und unvollständig zu erfassen sind. Zudem sind die Wirkmechanismen, die zu einer Motivation führen, häufig unklar. Manche Mitarbeiter empfinden einen Anreiz als Motivation, andere nehmen diesen Anreiz nicht wahr oder ärgern sich sogar darüber. Einige der immateriellen Anreize kann ein Unternehmen gestalten, andere sind nicht unmittelbar zu beeinflussen.

Eine große Bedeutung besitzt für einen Mitarbeiter sein „Umfeld", seine Gruppe, in der er tätig ist. Ein **positives Umfeld**, in dem sich der Mitarbeiter wohl fühlt, stellt den größten denkbaren immateriellen Anreiz dar. Ein Mitarbeiter, der sich geborgen und anerkannt fühlt, der seine Arbeitsaufgaben bewältigen kann und nicht überfordert ist, wird zufrieden sein und versuchen, bestmögliche Leistungen zu erbringen. Ein negatives **Betriebsklima** hingegen kann einen Mitarbeiter frustrieren, er kann sich „gemobbt" fühlen und schließlich aus dem Unternehmen ausscheiden.

Neben dem Faktor „Betriebsklima" bestehen folgende **immateriellen Anreize**:

- **Führungsstil** (vgl. Kap. 3.3.3.1 und 3.3.3.2): Die Art, wie ein Vorgesetzter mit seinen Mitarbeitern umgeht, beeinflusst deren Zufriedenheit, aber auch das „Klima", das in seinem Zuständigkeitsbereich herrscht.
- **Arbeitsplatzgestaltung** (vgl. Kap. 6.2.3)
- **Arbeitsinhalt**
- **Arbeitszeit- und Pausenregelung** (vgl. Kap. 6.2.4)
- **Weiter- und Fortbildungsmöglichkeiten:** Die Möglichkeiten der internen Weiterbildung können die Attraktivität eines Unternehmens nicht nur für die vorhandenen Mitarbeiter, sondern auch für Bewerber steigern.
- **Aufstiegsmöglichkeiten:** Eine gezielte Personalentwicklung in Form einer **Laufbahn- und Karriereplanung** hat eine motivierende Wirkung, da dem Mitarbeiter seine Chancen, falls entsprechende Leistungen erbracht werden, deutlich sind. Im Rahmen einer Laufbahnplanung werden dem Mitarbeiter auf-

grund des Stellenplans, seines Leistungspotentials und seiner Interessen die möglichen Stationen seines beruflichen Werdegangs im Unternehmen aufgezeigt. Die Bekanntgabe von **Beförderungsrichtlinien** fördert zudem die Transparenz der Personalpolitik eines Unternehmens.

* **Arbeitsplatzsicherheit:** Die Möglichkeiten der Selbstverwirklichung und die Identifikation mit dem Unternehmen stellen weitere immaterielle Anreize dar. Auch die persönliche Verknüpfung mit dem Unternehmen (beispielsweise waren mehrere Generationen schon im Unternehmen tätig) stellt für manche Arbeitnehmer ein Motiv dar, für ein Unternehmen tätig zu sein.

Ein Anreiz kann nur dann als solcher wirken, wenn er einem Bedürfnis des Menschen entspricht. Um die Leistung im Unternehmen zu stimulieren, muss im Unternehmen ein motivationsfreundliches Klima geschaffen und erhalten werden. Erkenntnisse, die sich aus dem Bereich der Arbeitspsychologie (wie z. B. durch die Motivationsforschung) ergeben, sind umzusetzen und durch Schulung an die einzelnen Führungsebenen weiterzuvermitteln. Dazu dienen auch **Motivationstheorien**, die in Kap. 3.3.3.3 dargestellt.

6.4 Personalbeurteilung

Die Beurteilung des Personals geschieht zu verschiedenen Anlässen. Bereits bei der Personalbeschaffung erfolgt eine Beurteilung der Bewerber, auf die sich anschließend die Auswahlentscheidung stützt. Vor allem größere Unternehmen besitzen Verfahrensrichtlinien hinsichtlich der regelmäßigen Beurteilung der Mitarbeiter durch die jeweiligen Vorgesetzten. Im Vorfeld von Beförderungen, aber auch bei unternehmensinternen Stellenwechseln werden Beurteilungen vorgenommen.

Eine besondere Form einer Beurteilung ist das **Arbeitszeugnis**, das in Form eines Zwischenzeugnisses oder als Abschlusszeugnis erstellt werden kann. Zwischenzeugnisse werden auf Wunsch des Arbeitnehmers angefertigt, wenn der Mitarbeiter innerhalb des Unternehmens seinen Arbeitsplatz oder dessen Vorgesetzter gewechselt hat. Abschlusszeugnisse werden bei Beendigung des Arbeitsverhältnisses erstellt und bilden ein wichtiges Dokument für künftige Bewerbungen. Es lassen sich einfache und qualifizierte Arbeitszeugnisse unterscheiden.

Bei kurzzeitigen Beschäftigungsverhältnissen oder auf besonderen Wunsch des Arbeitnehmers wird ein **einfaches Arbeitszeugnis** angefertigt, das neben Personalangaben (Name, Geburtsdatum) eine Angabe über die Dauer der Beschäftigung und eine Auflistung der ausgeführten Tätigkeiten enthält.

Den Regelfall bildet jedoch das „qualifizierte Zeugnis", das zusätzlich auch eine Beurteilung des **Verhaltens** gegenüber Vorgesetzen, Kollegen, Mitarbeitern und Kunden sowie der **Leistungen** des Mitarbeiters enthält. Das Zeugnis muss der Wahrheit entsprechen, aber wohlmeinend abgefasst sein. Es kann bei Widerspruch des Mitarbeiters vom zuständigen Arbeitsgericht überprüft werden. Daher hat sich eine spezielle Zeugnissprache herausgebildet, die negative Eigenschaften eines Mitarbeiters in freundlichen Formulierungen verpackt. In Abb. 6.3 sind gängige Formulierungen zur Leistungsbeurteilung in Arbeitszeugnissen zusammengestellt.

Note	Leistungsbeurteilung
1 (sehr gut)	Frau M. hat die ihr übertragenen Aufgaben **stets zu unserer vollsten Zufriedenheit** erfüllt.
2 (gut)	Frau M. hat die ihr übertragenen Aufgaben **stets zu unserer vollen Zufriedenheit** erfüllt.
3 (befriedigend)	Frau M. hat die ihr übertragenen Aufgaben **zu unserer vollen Zufriedenheit** erfüllt (oder auch: „... **stets zu unserer Zufriedenheit erfüllt**").
4 (ausreichend)	Frau M. hat die ihr übertragenen Aufgaben **zu unserer Zufriedenheit** erfüllt.
5 (mangelhaft)	Frau M. hat die ihr übertragenen Aufgaben **im großen und ganzen zu unserer Zufriedenheit** erfüllt.
6 (ungenügend)	Frau M. **bemühte sich,** die ihr übertragenen Aufgaben zufriedenstellend zu erfüllen.

Abb. 6.3: Gängige Formulierungen in Arbeitszeugnissen

Negative Aspekte werden in Arbeitszeugnissen durch Nichterwähnen oder das ausführliche Darstellen von unbedeutenden Details ausgedrückt. Da nicht alle Unternehmen die Terminologie einheitlich anwenden, kann es jedoch zu Fehldeutungen kommen. Insbesondere Klein- und Mittelbetriebe können versehentlich einen falschen Ausdruck wählen: Da kann es positiv gemeint sein, wenn sich ein Mitarbeiter „bemüht" (ansonsten: Note sechs) oder zur Steigerung des Betriebsklimas beigetragen hat (ansonsten: Trunkenbold).

6.5 Beendigung von Arbeitsverhältnissen

Mitarbeiter können aus folgenden Gründen ein Unternehmen verlassen:
- Eintritt in den Ruhestand
- Kündigungen durch den Arbeitnehmer (aufgrund von Unzufriedenheit mit den Arbeitsbedingungen oder dem Arbeitsumfeld oder infolge günstiger Bedingungen auf dem Arbeitsmarkt)
- Kündigungen durch den Arbeitgeber (aufgrund wirtschaftlicher Zwänge [betriebsbedingte Kündigung] oder aufgrund des Verhaltens des Mitarbeiters)
- Vertragsauflösung (im gegenseitigen Einvernehmen vereinbaren Arbeitgeber und Arbeitnehmer, dass der Arbeitsvertrag aufgelöst wird)
- Sonstige Anlässe (wie Krankheit oder Tod)

Im folgenden wird auf die Beendigung von Arbeitsverhältnissen durch Kündigung sowie auf den Bereich von Personalfreistellungen näher eingegangen werden.

6.5.1 Kündigung

Ein Arbeitsverhältnis kann sowohl durch den Arbeitgeber als auch durch den Arbeitnehmer gekündigt werden. Es lassen sich zwei Formen der Kündigung unterscheiden:
- **Ordentliche Kündigung:** Bei der ordentlichen Kündigung wird die vertragliche, tarifvertragliche oder gesetzliche Kündigungsfrist eingehalten. Die gesetzliche Kündigungsfrist kommt zur

Anwendung, wenn in dem Arbeitsvertrag oder in geltenden Tarifverträgen keine längere Frist vereinbart ist. Sie beträgt nach § 622 BGB vier Wochen zum 15. oder zum Monatsende, wobei sich die Frist bei längerer Betriebszugehörigkeit verlängert. So erhöht sich die gesetzliche Kündigungsfrist bei einem Arbeitsverhältnis, das zehn Jahre bestanden hat, auf vier Monate zum Monatsende (§ 622 Absatz 2 BGB).

- **Außerordentliche (fristlose) Kündigung:** Die außerordentliche Kündigung erfolgt fristlos, d. h. ohne Einhaltung einer Kündigungsfrist. Sie kann ausgesprochen werden, wenn ein **wichtiger Grund** vorliegt, so dass eine Weiterbeschäftigung für den kündigenden Vertragspartner nicht zumutbar ist. Von Seiten des Arbeitgebers rechtfertigen Diebstahl, Unterschlagung, wiederholte Arbeitsverweigerung oder der Verstoß gegen Geheimhaltungspflichten eine fristlose Kündigung, wobei immer der Einzelfall abzuwägen ist. Gründe für eine fristlose Kündigung durch den Arbeitnehmer können gegen ihn gerichtete Tätlichkeiten oder wiederholt unpünktliche Lohnzahlungen sein.

Kündigungen durch den Arbeitgeber können in der **Person** des Arbeitnehmers (z. B. unzureichende Arbeitsqualität), in dessen **Verhalten** (z. B. Beleidigung von Kollegen) oder **betriebsbedingt** (z. B. Umsatzrückgang) begründet sein. Bei personen- und verhaltensbedingten Kündigungen ist vor der Kündigung dem Mitarbeiter eine **Abmahnung** zu erteilen. Im Abmahnungsschreiben wird das Fehlverhalten präzise geschildert und angedroht, dass es im Wiederholungsfall zu einer Kündigung kommen wird.

Für Unternehmen mit fünf oder mehr Mitarbeitern gilt das Betriebsverfassungsgesetz, das gemeinsam mit dem Kündigungsschutzgesetz die Möglichkeiten der Kündigung durch den Arbeitgeber einschränkt. Insbesondere ist bei Kündigungen auch der Betriebsrat zu hören.

Betriebsbedingte Kündigungen können ausgesprochen werden, wenn infolge von Absatzrückgängen; Rationalisierungsmaßnahmen oder Produktionsverlagerungen der Arbeitsplatz nicht mehr oder nicht mehr an diesem Standort benötigt wird. Bei betriebsbedingten Kündigungen sind soziale Aspekte zu berücksichtigen, gegebenenfalls ist gemäß Betriebsverfassungsgesetz ein Sozialplan aufzustellen. Für das Ansehen eines Unternehmens ist es nicht vorteilhaft, wenn es zu betriebsbedingten Entlassungen kommen muss. Daher versuchen viele Unternehmen, das freiwillige Ausscheiden von Mitarbeitern zu fördern oder andere Maßnahmen der Personalfreistellung zu ergreifen.

6.5.2 Personalfreistellung

Wenn aufgrund von Umsatzrückgängen oder Rationalisierungsmaßnahmen ein Mitarbeiter nicht mehr auf seiner bisherigen Stelle verbleiben kann, wird er freigestellt. Eine Stellenfreistellung ist nicht gleichzusetzen mit einer Kündigung: Eine Kündigung ist lediglich einer von mehreren möglichen Wegen, die beschritten werden können. Weitere Möglichkeiten einer Personalfreistellung sind:
- Arbeitszeitverkürzung (durch Stundenreduzierung, Überstundenabbau oder Kurzarbeit)
- Versetzung innerhalb des Unternehmens auf eine andere Stelle
- Förderung des freiwilligen Ausscheidens von Mitarbeitern (z. B. durch Abfindungen)
- Ermöglichung von vorzeitiger Pensionierung
- Schaffung von Zwischenfinanzierungen, um die Zeit bis zur Pensionierung zu überbrücken
- Nichtverlängerung von befristeten Arbeitsverhältnissen
- Reduzierung der Vergabe von Unteraufträgen an Fremdfirmen
- Verzicht auf Neueinstellungen

Insbesondere bei Führungskräften wird das freiwillige Ausscheiden durch gezieltes „Outplacement" gefördert. Unter Hinzuziehung von speziellen Personalberatern wird versucht, für den Mitarbeiter eine angemessene neue Stelle zu finden, so dass er bereit ist, das Unternehmen freiwillig zu verlassen.

Weiterführende Literatur: *Bröckermann, Reiner:* Personalwirtschaft. Lehrbuch für das praxisorientierte Studium. 2. Auflage. Stuttgart: Schäffer-Poeschel 2001; *Hentze, Joachim:* Personalwirtschaftslehre. Zwei Bände.

Band 1 (mit Koautor *Andreas Kammel*): Grundlagen, Personalbedarfsermittlung, -beschaffung, -entwicklung und -einsatz. 7. Auflage. Bern, Stuttgart, Wien: Haupt 2001. Band 2: Personalerhaltung und Leistungsstimulation, Personalfreistellung und Personalinformationswirtschaft. 6. Auflage. Bern, Stuttgart, Wien: Haupt 1995; *Scholz, Christian:* Personalmanagement. Informationsorientierte und verhaltenstheoretische Grundlagen. 5. Auflage. München: Vahlen 2000.

7. Materialwirtschaft

Die Materialwirtschaft befasst sich mit der **Beschaffung** (d. h. dem „Einkauf") und der **Lagerung** von Material, das ein Unternehmen im Rahmen seines Leistungserstellungsprozesses benötigt. Diese Aufgaben sind unter Beachtung des Kriteriums der Wirtschaftlichkeit zu lösen. Dieses Kriterium schließt nicht nur einen preisgünstigen Einkauf, sondern auch die Qualität der eingekauften Materialien (niedrige Ausschussquote) und eine Optimierung der Lagerhaltungskosten ein.

Die Rolle, die die Materialwirtschaft in einem Unternehmen spielt, ergibt sich aus dessen Produktpalette: In Unternehmen des Automobil- und Maschinenbaus besitzt der Bereich der Materialbeschaffung und Lagerhaltung große Bedeutung, während sich in Dienstleistungsunternehmen (z. B. Beratungsunternehmen) die Materialwirtschaft auf den Einkauf von Büromaterial reduzieren lässt. In Handelsunternehmen spielt hingegen die Lagerung, durch die ein vollständiges Sortiment sichergestellt wird, eine sehr große Rolle. Die folgenden Ausführungen konzentrieren sich auf Unternehmen, die im Bereich der Produktion tätig sind.

Eng mit der Materialwirtschaft verbunden ist der Bereich der Logistik (Kap. 7.6). Die **Logistik** stellt eine Querschnittsfunktion dar, durch die die Materialwirtschaft mit den betrieblichen Bereichen der Produktions- und der Absatzwirtschaft verknüpft ist.

7.1 Materialarten

Es lassen sich folgende **Materialarten** unterscheiden (Abb. 7.1):
- **Rohstoffe** gehen unmittelbar als wesentlicher Bestandteil in ein Produkt ein und besitzen eine geringe Veredelungsstufe. Zu den Rohstoffen zählen Abbauprodukte, die in Bergwerken oder durch Verhüttung gewonnen werden (z. B. Metalle), chemische Grundprodukte sowie land- und forstwirtschaftliche Erzeugnisse (z. B. Holz).

- **Hilfsstoffe** gehen ebenfalls unmittelbar in ein Produkt ein, besitzen aber am Gesamtprodukt nur einen unbedeutenden Anteil. Klassische Hilfsstoffe sind Verbindungselemente wie Schrauben oder Nägel, aber auch Klebstoffe.
- **Betriebsstoffe** gehen nicht in das Produkt ein, sind aber für die Durchführung des Produktionsprozesses erforderlich (z. B. Schmierstoffe, Kühlmittel, Treibstoffe, elektrische Energie, Kohle, Erdgas).
- **Zukaufteile:** Nicht alle Bestandteile eines Produktes stellt ein Unternehmen selbst her. Bestimmte Materialien werden durch das Unternehmen entweder als „Halbfabrikat" beschafft und dann weiterbearbeitet („veredelt"), oder ohne Bearbeitung unmittelbar in das Endprodukt eingebaut. So fertigen Automobilhersteller die verarbeiteten Reifen nicht selbst, sondern kaufen sie zu. Neben einzelnen Teilen können auch ganze Baugruppen (z. B. das Armaturenbrett beim Kraftfahrzeug) von anderen Herstellern bezogen und unverändert in das Endprodukt eingebaut werden.
- **Handelswaren** werden unverändert weiterveräußert; ggf. erfolgt eine neue Verpackung oder Etikettierung. Handelswaren dienen in produzierenden Unternehmen der Ergänzung des Produktprogramms (z. B. Rohrleitungshersteller bietet auch zugekaufte Dichtungen an); bei Handelsunternehmen (Groß- und Einzelhandel) sind sie das eigentliche Handelsgut.

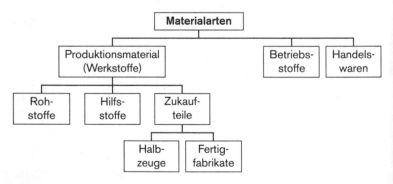

Abb. 7.1: Materialarten

Roh- und Hilfsstoffe sowie Zukaufteile werden auch unter den Bezeichnungen „Produktionsmaterial" oder **„Werkstoffe"** zusammengefasst. Werkstoffe sind auch als zur Weiterverarbeitung vorgesehenes Material definiert.

Daneben beschafft ein Unternehmen Güter, die nicht für die Weiterverarbeitung oder Weiterveräußerung bestimmt sind, sondern die dauerhaft im Unternehmen verbleiben sollen. Es handelt sich um Werkzeuge, Geräte, Maschinen oder ganze Produktionsanlagen. Diese Güter sind Bestandteil des Anlagevermögens eines Unternehmens (vgl. Kap. 4.3.1.2) und der Abschreibung (vgl. Kap. 4.3.1.6) unterworfen. Die Beschaffung von Anlagevermögen gilt als **Investition**. Investitionen und deren Besonderheiten sind im Rahmen der „Finanzwirtschaft" in Kap. 5.4 ff. erläutert.

7.2 Materialbedarf

7.2.1 Materialklassifizierung

Bevor eine Ermittlung des Materialbedarfs erfolgen kann, sind zunächst die im Unternehmen verbrauchten Materialien einer Klassifikation zu unterziehen. Dazu dienen die ABC- und die XYZ-Analyse.

7.2.1.1 ABC-Analyse

Die ABC-Analyse ist ein Instrument zur Schwerpunktsetzung. Sie kann in der Materialwirtschaft, aber auch in anderen Bereichen der Betriebswirtschaft (z. B. beim Zeitmanagement) eingesetzt werden. Innerhalb der Materialwirtschaft dient die ABC-Analyse zur Einteilung von Materialien in einzelne Klassen. Sie basiert auf der Erfahrung, dass der wertmäßige und der mengenmäßige Anteil am Materialverbrauch ungleichgewichtig verteilt ist: Der größte Teil an den Gesamtmaterialkosten entfällt auf nur wenige Materialien. Auf der Grundlage dieser Erkenntnis werden nach dem wertmäßigen Anteil am Verbrauch die folgenden **drei Kategorien** unterschieden:

• **A-Material:** Hoher wertmäßiger, aber geringer mengenmäßiger Verbrauch

- **B-Material:** Mittlerer Verbrauch
- **C-Material:** Geringer wertmäßiger, aber hoher mengenmäßiger Verbrauch

Nach der Bezeichnung der drei Kategorien erhielt die ABC-Analyse ihren Namen.

In Abb. 7.2 ist eine derartige Aufteilung in Kurvenform dargestellt. Die Abbildung verdeutlicht, dass Materialien, die in **Kategorie A** eingeordnet werden, einen Anteil von weniger als 20 Prozent am mengenmäßigen, aber von 80 Prozent am wertmäßigen Verbrauch besitzen, während die Gegenstände der Kategorie C einen hohen mengenmäßigen Anteil aufweisen, aber mit einem Anteil von weniger als 10 Prozent am Gesamtwert kaum ins Gewicht fallen.

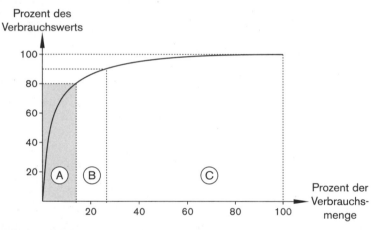

Abb. 7.2: ABC-Analyse: A-, B- und C-Kategorie

Die **Durchführung einer ABC-Analyse** vollzieht sich in folgenden Schritten:

(a) Für jede Materialart i wird der **Verbrauchswert V_i** für die zu betrachtende Periode ermittelt. Es gilt:

$$V_i = (\text{Verbrauchsmenge } m_i) \times (\text{Einkaufspreis } p_i)$$

(b) Für jede Materialart wird der prozentuale Anteil des Verbrauchswertes am Gesamtverbrauchswert errechnet.

(c) Die unter (b) ermittelten Prozentsätze der Materialarten werden nach fallendem Anteil am Gesamtverbrauchswert angeordnet.

(d) Einteilung in die Klassen A, B und C. In die A-Klasse kommen die ersten Positionen der unter (c) erstellten Reihung, bis ein Anteil von 70 bis 80 Prozent am Gesamtverbrauchswert erreicht ist. In die Klasse B werden die nächsten Materialien, die einen Anteil von etwa 10 bis 15 Prozent des Gesamtverbrauchswertes besitzen, und in Klasse C die verbleibenden Materialien eingruppiert.

Materialart i	1	2	3	4	5	6	7	8	9
Verbrauchsmenge m_i (in Mengeneinheiten ME)	500	950	100	450	50	2500	320	1500	300
Einkaufspreis p_i (in € pro ME)	1,50	-,50	33,75	1,80	76,60	-,10	4,50	-,45	15,60

Abb. 7.3: ABC-Analyse: Zahlen zum Beispiel

Beispiel zur ABC-Analyse: Die Gasteiner Maschinenbau OHG hat in einer Periode die in Abb. 7.3 aufgeführten Materialien beschafft, für die eine ABC-Analyse durchzuführen ist.

Lösung:

(a) Errechnen der Verbrauchwerte V_i für jede Materialart:

$V_1 = 500 \times 1,50 \,€ = 750 \,€$

$V_2 = 475 \,€, V_3 = 3.375 \,€, V_4 = 810 \,€, V_5 = 3.830 \,€,$

$V_6 = 250 \,€, V_7 = 1.440 \,€, V_8 = 675 \,€, V_9 = 4.680 \,€$

Gesamtverbrauchswert = Summe V_1 bis V_9 = 16.285 €

(b) Der prozentuale Anteil am Gesamtverbrauchswert von 16.285 € beträgt bei den einzelnen Materialarten:

$$V_1 = \frac{750 \,€ \times 100}{16.285 \,€} = 4,6\%$$

$V_2 = 2,9\%, V_3 = 20,7\%, V_4 = 5,0\%, V_5 = 23,5\%, V_6 = 1,5\%$

$V_7 = 8,8\%, V_8 = 4,1\%, V_9 = 28,7\%$

(c) Die Ordnung der ermittelten Verbrauchwerte nach fallendem Anteil am Gesamtverbrauchwert ergibt die Reihung:
V_9, V_5, V_3, V_7, V_4, V_1, V_8, V_2, V_6

(d) Einteilung der Klassen:
A-Material: V_9, V_5, V_3 (bilden zusammen 73 % des Gesamtverbrauchswertes)
B-Material: V_7, V_4 (bilden zusammen knapp 14 % des Gesamtverbrauchswertes)
C-Material: V_1, V_8, V_2, V_6 (bilden zusammen etwa 13 % des Gesamtverbrauchswertes)

Dabei können das A-Material beispielsweise Motoren, Getriebe und Steuereinheiten, das B-Material Bleche und Profile für das Gehäuse sowie das C-Material Schaltteile, Schrauben, Schweißelektroden und Lacke darstellen.

Die Einteilung in die drei Kategorien hat für die Material-wirtschaft folgende **Bedeutung**: Bei **A-Materialien** sollte eine detaillierte Planung bei Beschaffung und Lagerhaltung erfolgen, da hier das meiste Kapital gebunden ist und Rationalisierungs-effekte zu erwarten sind. Bei **C-Materialien** genügen hingegen grobe Abschätzungen. Wegen ihres geringen Wertes können bei diesen Gütern größere Reservebestände in den Lagern vorgesehen werden. Bei **B-Material** ist im Einzelfall abzuwägen, mit welcher Intensität eine Analyse erfolgen soll.

In ähnlicher Weise lässt sich die ABC-Analyse mit gutem Ergeb-nis auch zum **Zeitmanagement** einsetzen, indem die anfallenden Aufgaben in folgende drei Kategorien eingeteilt werden: A-Auf-gaben sind wichtig und dringlich (z. B. Beschwerde von wichti-gem Kunden); sie sollten sofort selbst erledigt werden. B-Aufga-ben sind zwar wichtig, aber weniger dringlich. Daher kann ihre Erledigung in Ruhe geplant, terminiert und umgesetzt werden. C-Aufgaben sind weniger wichtig, aber dringlich (z. B. Angebot für unwichtigen Kunden erstellen). Hier ist eine Delegierung an geeignete Mitarbeiter in den meisten Fällen angebracht. Alles, was nicht in dieses Schema passt, also weder wichtig noch dring-lich ist (z. B. überflüssige Werbung), kann getrost dem Papierkorb überantwortet werden.

7.2.1.2 XYZ-Analyse

Bei der XYZ-Analyse erfolgt ebenso wie bei der ABC-Analyse eine Einteilung des beschafften Materials in drei Kategorien. Einteilungskriterium ist hierbei jedoch nicht der Wert des Materials, sondern der Bedarfsverlauf in den zurückliegenden Perioden. Es werden die folgenden drei Kategorien unterschieden:

- **X-Material:** Regelmäßiger (konstanter) Bedarf ohne Schwankungen
- **Y-Material:** Einem Trend oder saisonalen Schwankungen unterliegender Bedarf
- **Z-Material:** Unregelmäßiger Bedarf, der keinen nachvollziehbaren Regeln unterworfen ist

Aus den drei Kategorien lassen sich Rückschlüsse bezüglich der Prognostiziergenauigkeit und der Beschaffungsart ziehen: Der Bedarf an **X-Material** ist leicht vorherzusagen; es bietet sich eine konstante, möglichst einsatzsynchrone Beschaffung an. Bei **Y-Material**, das saisonalen Schwankungen unterliegt, kann die Beschaffung auf den voraussichtlichen Bedarf abgestimmt werden, um derartige Schwankungen ausgleichen zu können. Bei **Z-Materialien** empfiehlt sich eine Einzelbeschaffung im Bedarfsfall. Falls die Beschaffung von Z-Material langwierig oder schwierig ist, kann auch hier eine Vorratshaltung nicht umgangen werden. Zu den einzelnen Beschaffungsarten vgl. Kap. 7.3.1.

7.2.2 Ermittlung des Materialbedarfs

Bei der Ermittlung des Materialbedarfs für eine Periode müssen bereits eingeleitete Beschaffungsprozesse und die vorhandenen Lagerbestände berücksichtigt werden. Zwischen Bruttomaterialbedarf und Nettomaterialbedarf gilt folgender Zusammenhang:

Bruttomaterialbedarf

+ Zuschlag für Lagerschwund und Ausschussproduktion

− Bestellte, aber noch nicht im Lager eingetroffene Menge

± Lagerbestandsveränderungen

= **Nettomaterialbedarf**

Diese Bestimmungsgleichung ist für jede Materialart aufzustellen. Bevor eine Bestellung des Nettobedarfs erfolgen kann, muss zunächst der **Bruttomaterialbedarf** ermittelt werden. Dazu bestehen zwei Möglichkeiten: Die Orientierung am Verbrauch von vergangenen Perioden oder die Ausrichtung an den geplanten Produktionsmengen. Die beiden Vorgehensweisen lassen sich auch kombinieren, indem für bestimmte Materialien eine vergangenheitsorientierte, für andere eine produktionsbezogene Materialbedarfsermittlung erfolgt. Die vergangenheitsorientierten Verfahren werden überwiegend bei C-Material (d. h. für Hilfs- und Betriebsstoffe sowie für geringwertige Rohstoffe und Zukaufteile) eingesetzt, während bei hochwertigem Material (A-Material) die produktionsorientierte Methode angewandt wird.

7.2.2.1 Vergangenheitsorientierte Materialbedarfsermittlung

Die vergangenheitsorientierte Materialbedarfsermittlung, die auch als verbrauchsorientierte oder als zeitreihenbasierte Materialbedarfsermittlung bezeichnet wird, bestimmt den künftigen Bedarf aus den Verbrauchswerten der zurückliegenden Perioden. Diese Vorgehensweise ist sinnvoll, wenn
- konstante Absatz- und Produktionsbedingungen vorliegen,
- der bisherige Materialverbrauch einer Gesetzmäßigkeit zu folgen scheint,
- es sich um Materialien von geringer wertmäßiger Bedeutung handelt oder
- Informationen, die für eine Durchführung der produktionsorientierten Materialbedarfsermittlung benötigt werden, nicht zur Verfügung stehen.

Das einfachste Verfahren ist die **subjektive Schätzung** des Materialbedarfs, die sich auf Erfahrungswerte gründet. Auch wenn subjektive Schätzungen in bestimmten Fällen aufgrund einer schlechten Informationslage der einzige Weg sind, um zu Ergebnissen zu kommen, sollten sie nach Möglichkeit vermieden werden.

Fundierter ist es, die Materialbedarfsermittlung auf Zahlenwerte aus der Vergangenheit zu stützen, in dem diese Daten zu **Mittelwerten** verdichtet werden. Bei der Errechnung des **arith-**

metischen Mittels gehen alle einbezogenen Perioden gleichmäßig in den Mittelwert ein. Wenn länger zurückliegende Perioden nur einen geringen Einfluss auf den künftigen Materialbedarf besitzen, kann auf das **gleitende Mittel** zurückgegriffen werden, bei dem nur die jüngsten Perioden (z. B. die letzten acht Quartale) Berücksichtigung finden. Die Anzahl der einzubeziehenden Perioden ist von der Materialart sowie der wert- und mengenmäßigen Bedeutung, den dieses Material im Produktionsprozess besitzt, abhängig. Durch eine **exponentielle Glättung** lassen sich ältere Perioden schwächer gewichten als jüngere Zeiträume.

Bei einem weiteren Verfahren der vergangenheitsorientierten Materialbedarfsermittlung wird für jede Materialart eine **Zeitreihe** aufgestellt, die die Grundlage für eine Prognose des künftigen Bedarfs bildet. Abb. 7.4 zeigt ein Beispiel für eine derartige Zeitreihe. Die eingezeichnete Trendgerade kann über ein mathematisches Verfahren (wie beispielsweise die lineare Regression) bestimmt oder abgeschätzt werden. Die Trendgerade unterstützt die Materialbedarfsprognose für künftige Perioden.

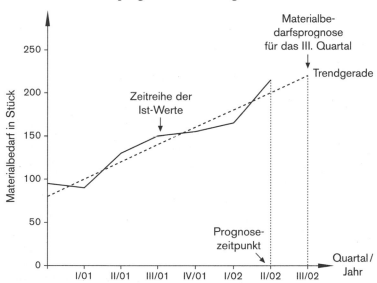

Abb. 7.4: Zeitreihe zur Prognose des Materialbedarfs

7.2.2.2 Produktionsorientierte Materialbedarfsermittlung

Die produktionsorientierte Materialbedarfsermittlung, die auch als programmorientierte oder deterministische Materialbedarfsermittlung bezeichnet wird, orientiert sich am **geplanten Produktionsprogramm** der zu prognostizierenden Periode, das sich wiederum aus den Absatzplanungen des Unternehmens ableitet. Die produktionsorientierte Materialbedarfsermittlung ist somit zukunftsbezogen.

Die produktionsorientierte Bestimmung des Bruttomaterialbedarfs ist aufwendiger als die vergangenheitsorientierten Methoden, liefert aber genauere Ergebnisse. Sie setzt voraus, dass für jedes Produkt, das produziert werden soll, detaillierte **technische Unterlagen** wie Stücklisten oder Rezepturen vorhanden sind. In einer Stückliste sind alle Teile, die zur Fertigung eines Erzeugnisses erforderlich sind, nach Art und Menge aufgelistet. Eine Rezeptur ist eine vergleichbare Auflistung im Bereich der chemischen und pharmazeutischen Industrie.

Aus der Auflösung dieser Unterlagen ergibt sich unmittelbar der Materialbedarf. Bei mehrstufigen Fertigungsprozessen und bei Produktionsvorgängen, die sich über mehrere Planungsperioden hinziehen, kann diese Form der Materialbedarfsermittlung aufwendig werden: Denn es muss nicht nur der Bedarf für die in der Periode zu produzierenden Endprodukte, sondern auch der Materialbedarf für die zu fertigenden Vorprodukte bestimmt werden. Um sicherzustellen, dass es nicht zu Produktionsengpässen infolge von Materialmangel kommt, muss die Planung mehrere Perioden umfassen. Eine kostentreibende Alternative ist die Erhöhung der in den Zwischenlagern eingelagerten Bestände an Vorprodukten, um die Versorgung mit Vorprodukten sicherzustellen.

7.3 Materialbeschaffung

Nachdem der Materialbedarf bestimmt wurde, ist in einem zweiten Schritt die Materialbeschaffung einzuleiten. Dazu muss zunächst festgelegt werden, welche Prinzipien der Materialbereitstellung bei welchem Material zur Anwendung kommen sollen. Es sind die Bestellmenge und der Bestellzeitpunkt festzulegen sowie die Bestellkonditionen mit den Lieferanten auszuhandeln. Bei der Lieferantenauswahl spielen nicht nur die Konditionen (Preise, Zahlungsbedingungen u. a.) eine Rolle; viele Unternehmen versuchen, gute und dauerhafte **Lieferantenbeziehungen** aufzubauen, um so gegenseitiges Vertrauen, hohe Qualität, Termintreue und Flexibilität sicherzustellen. Bei Unternehmen, die eine große Marktmacht besitzen, wird teilweise ein anderer Weg beschritten: Diese Unternehmen zwingen ihre Lieferanten in ein starr vorgegebenes Korsett, an das sich der Lieferant anzupassen hat.

Die klassische Bestellung erfolgt in Form von Schriftstücken. In jüngster Zeit kommen verstärkt auch elektronische Bestellungen zur Anwendung; diese Bestellform wird als E-Commerce (vgl. Kap. 7.3.4) bezeichnet.

7.3.1 Beschaffungsarten

Die Beschaffung von Material kann verschiedenen Grundsätzen folgen, die als Beschaffungsarten oder als Bereitstellungsprinzipien bezeichnet werden. Je nach Materialart und deren Klassifizierung (vgl. Kap. 7.2.1) können in einem Unternehmen folgende Vorgehensweisen zum Einsatz kommen:

Beschaffung im Bedarfsfall: Das Material wird erst dann bestellt, wenn ein entsprechender Bedarf vorliegt. Eine derartige Vorgehensweise ist sinnvoll, wenn es sich um selten benötigtes Material handelt, dessen Bedarf nicht vorhersehbar oder das kurzfristig beschaffbar ist. Die bedarfsweise Beschaffung wird im Bereich der Auftragsfertigung eingesetzt, wenn nach Eingang eines Kundenauftrags das speziell dafür erforderliche Material beschafft wird. So ist es im handwerklichen Bereich üblich, erst nach Vorliegen eines Kundenauftrags das benötigte Material zu bestellen und auf diese Weise eine kostenintensive Lagerhaltung zu vermeiden. Durch die Zusammenfassung von mehreren Kleinaufträgen zu einer Bestellung können die Kosten vermindert werden.

Vorratshaltung: Bei diesem Beschaffungsprinzip wird Material auf Vorrat beschafft, damit es bei Bedarf sofort verfügbar ist. Eine

Vorratshaltung empfiehlt sich immer dann, wenn Material schwierig oder langwierig zu beschaffen ist, das Nichtvorhandensein des Materials den Produktionsablauf hemmen oder sogar unterbrechen würde. Nachteilig wirken sich der Lagerflächenbedarf und die Kapitalbindung durch das im Lager liegende Material aus.

Auf die Besonderheiten der Lagerhaltung wird in Abschnitt 7.4 näher eingegangen.

Einsatzsynchrone Anlieferung (Just-in-time-Beschaffung): Bei einer einsatz- oder fertigungssynchronen Anlieferung (so genannte **Just-in-time**-Beschaffung) wird auf eine Lagerung von Material vollständig verzichtet. Das Material wird zeitgenau angeliefert und sofort weiterverarbeitet. Dieses Beschaffungsprinzip erfordert eine exakte Planung des Produktionsprozesses, die am ehesten bei der Massen- oder Großserienfertigung gegeben ist. Durch langfristige Lieferverträge und hohe Konventionalstrafen bei Nichterfüllung versuchen die bestellenden Unternehmen, die Problematik der Materialbereitstellung vollständig auf den Lieferanten abzuwälzen: Der Lieferant muss vertraglich zusichern, dass das Material am gewünschten Ort zum geforderten Termin in der erforderlichen Menge und Qualität bereitsteht. Bei dem bestellenden Unternehmen werden durch eine Just-in-time-Beschaffung Lagerflächen gespart (sog. „Verlegung des Lagers auf die Straße") und es wird kein Kapital durch gelagerte Vorräte gebunden. Statt dessen wird jedoch der Lieferant die entsprechenden Lagerkapazitäten bereithalten müssen, um seine vertraglichen Zusagen einhalten zu können. Dies hat für das beschaffende Unternehmen höhere Einkaufspreise zur Folge, die gegebenenfalls die Kosteneinsparungen übertreffen.

Vor allem aus dem Bereich der Automobilindustrie sind Beispiele bekannt, dass bestellende Unternehmen ihre Marktmacht massiv gegenüber ihren Lieferanten ausnutzten. Dies hatte jedoch Qualitätseinbußen zur Folge, so dass diese Vorgehensweise teilweise wieder aufgegeben wurde.

Auch bei exakter Planung kann eine lückenlose Belieferung nicht immer sichergestellt werden. So kann es zu Lieferverzögerungen aufgrund der Witterungsverhältnisse, aber auch infolge von höherer Gewalt (Streik u. a.) kommen. In Unternehmen mit Just-in-time-Beschaffung führen schon kleinste Lieferverzögerungen zu Produktionsstillständen. Dies ist nur zu vermeiden, wenn Reservelager aufgebaut werden.

Kanban-Beschaffung: Das Kanban-System wurde in den 1950er Jahren bei dem japanischen Automobilhersteller Toyota entwickelt und wird inzwischen auch in Deutschland eingesetzt. Es dient einer dezentralen Materialfluss- und Produktionssteuerung. Die Materialbereitstellung wird nicht durch ein zentrales Produktionssteuerungssystem geregelt, sondern ist dezentral nach dem „Hol-Prinzip" organisiert: Jeder Bereich, der zur Produktion Vorprodukte benötigt, muss diese selbst abholen; die Materialbereitstellung erfolgt verbrauchsgesteuert.

Grundlage des Systems bilden standardisierte Transportbehälter, die eine bestimmte Menge an Material enthalten und die mit speziellen Materialscheinen (japanisch: „Kanban") versehen sind. Die Kanban-Karten enthalten Informationen über das Material und dienen als Steuerungsinstrument. Bei der Entnahme eines Behälters aus einem Zwischenlager wird durch die zugehörige Kanban-Karte ein Produktions- oder Beschaffungsauftrag bei der liefernden Stelle ausgelöst. Damit erfolgt die Produktion nur auf Abruf. Durch das Kanban-System werden die Lagerbestände klein gehalten; im Vergleich zu konventionellen Systemen lassen sich die Lagerbestände um 30 bis 50 Prozent senken. Das Kanban-System lässt sich auch computerunterstützt als elektronisches Kanban („E-Kanban") einsetzen.

Nachteilig ist die fest vorgegebene Größe der Kanban-Behälter: Auch wenn eine kleinere Menge an Material benötigt wird, hat die empfangende Stelle dennoch einen kompletten Kanban-Behälter abzunehmen. Auch bei starken Absatzschwankungen zeigt das Kanban-System Mängel, weil diese Schwankungen infolge der kleinen Zwischenlager nicht abgepuffert werden können.

7.3.2 Beschaffungskonditionen

Die Konditionen, zu denen die Beschaffung erfolgt, haben einen erheblichen Einfluss auf die Kostensituation im Unternehmen.

Bezüglich der Beschaffungskonditionen kann ein Unternehmen eine passive oder aktive Politik verfolgen.

Bei einer **passiven Beschaffungskonditionenpolitik** werden die Angebote der Lieferanten und deren Lieferbedingungen als gegeben akzeptiert. Es wird zwar versucht, durch eine konsequente Analyse des Marktes den günstigsten Anbieter herauszufinden, Mengenrabatte auszunutzen und die Bestellmenge zu optimieren (vgl. nächster Abschnitt), doch eine Einflussnahme auf die Preisgestaltung der Lieferanten erfolgt nur insofern, dass gegebenenfalls ein Lieferant gewechselt wird.

Im Rahmen einer **aktiven Beschaffungskonditionenpolitik** wird darüber hinaus versucht, Sonderkonditionen mit den Lieferanten auszuhandeln. Dies setzt jedoch langfristige Geschäftsverbindungen, aber auch eine gewisse Marktmacht des Bestellers voraus.

7.3.3 Optimierung der Bestellung

Es ist Aufgabe der Planung der Materialbeschaffung, optimale Mengen zu optimalen Zeitpunkten zu beschaffen. Bei der Optimierung werden unter Einbeziehung der gewährten Konditionen (vgl. vorheriger Abschnitt) folgende Kosten berücksichtigt:

- **Beschaffungskosten:** Kosten der Durchführung eines Beschaffungsvorgangs (wie z. B. Bearbeitungskosten, Kosten der Angebotseinholung).
- **Lagerhaltungskosten:** Kosten für den Lagerraum (Miete) und dessen Bewirtschaftung (Beleuchtung, Heizung, Klimatisierung), Zinskosten für das gebundene Kapital sowie sonstige lagerbedingte Kosten (z. B. kalkulatorische Kosten für Schwund oder Veralterung).
- **Fehlmengenkosten:** Kosten, die anfallen, wenn die Produktion aufgrund fehlenden Materials gestört wird und es dadurch zu Produktionsstillstand, Konventionalstrafen, entgangenen Gewinnen oder Imageverlusten kommt.

Geht man vereinfachend davon aus, dass die Beschaffungskosten fixe Kosten darstellen (d. h. in ihrer Höhe unabhängig von der Bestellmenge sind), gilt: Die Stückbeschaffungskosten sind bei einer kleinen Bestellmenge höher als bei einer größeren.

Beispiel zur Errechnung der Beschaffungskosten: Die Beschaffungskosten (d. h. die Kosten für einen Beschaffungs**vorgang**) betragen je Bestellung 100 € (unabhängig von der Bestellmenge). Bei einer Bestellung werden 100 Stück eines Gutes beschafft, bei einer zweiten Bestellung 50 Stück. Die Stückbeschaffungskosten lauten somit im ersten Fall 1,- € /Stück, im zweiten Fall hingegen 2,- €/Stück.

Die Lagerhaltungskosten nehmen mit zunehmender Bestellmenge zu, da für jede Materialeinheit, die zusätzlich bestellt wird, auch zusätzliche Kosten für die Lagerung (z. B. Raumbedarf) anfallen. Die Gesamtkosten pro Stück ergeben sich aus der Addition von Stückbeschaffungskosten und Stücklagerhaltungskosten. Abb. 7.5 zeigt diesen Zusammenhang. Durch die gegenläufige Tendenz der beiden Komponenten ergibt sich beim Schnittpunkt der beiden Kurven die **optimale Bestellmenge $x_{opt.}$**, bei der die Gesamtkosten am niedrigsten sind.

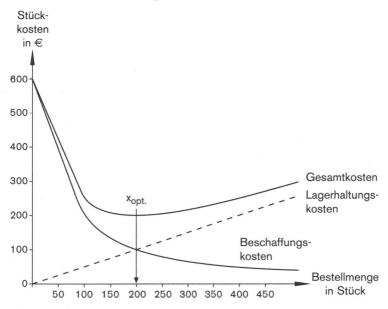

Abb. 7.5: Ermittlung der optimalen Bestellmenge

Auf mathematischem Wege lässt sich die optimale Bestellmenge mit so genannten **Bestellmengenformeln** errechnen. Ein weit verbreitetes Beispiel für eine solche Gleichung ist die so genannte „**klassische Bestellmengenformel**". Demnach berechnet sich die optimale Bestellmenge $x_{opt.}$ wie folgt:

$$x_{opt.} = \sqrt{\frac{2 \times (\text{Jahresbedarf}) \times (\text{Bestellungskosten})}{(\text{Einstandspreis}) \times (\text{Lagerhaltungskostenprozentsatz})}}$$

Durch den Lagerhaltungskostenprozentsatz fließen kalkulatorische Zinsen auf das im Lager gebundene Kapital in die Berechnung ein.

Beispiel: Der Jahresbedarf einer Materialart beträgt 25.600 Stück, die (fixen) Bestellungskosten betragen 75 € je Bestellung, der Einstandspreis 10 €/Stück und der Lagerhaltungskostensatz wird auf 15 % festgesetzt. Wie lautet die optimale Bestellmenge, wie oft ist pro Jahr eine Bestellung durchzuführen, welche Gesamtkosten fallen pro Bestellung an?

Lösung:

$$x_{opt.} = \sqrt{\frac{2 \times 25.600 \times 75}{10 \times 0,15}} \text{ Stück} = \sqrt{\frac{3.840.000}{1,5}} \text{ Stück} = 1.600 \text{ Stück}$$

Es sind pro Jahr $\dfrac{25.600}{1.600} = 16$ Bestellungen durchzuführen,

pro Bestellung fallen Kosten in Höhe von 16.075 €

$$\left(= 75 \text{ €} + \frac{10 \text{ €}}{\text{Stück}} \times 1.600 \text{ Stück} \right) \text{ an.}$$

Neben der Bestellmenge muss unter Berücksichtigung der Beschaffungszeit der **Bestellzeitpunkt** festgelegt werden. Der Zeitpunkt ist so zu wählen, dass zum einen die Kapitalbindung und die Lagerhaltungskosten durch das im Lager liegende Material möglichst gering gehalten werden. Andererseits muss sichergestellt sein, dass stets genügend Material vorrätig ist, damit es nicht zu Engpässen und damit zu Produktionsstörungen kommt, die wiederum zu Fehlmengenkosten führen. Das bedeutet, dass stets ein Sicherheitsbestand im Lager eingeplant werden muss, der im wesentlichen von der Beschaffungszeit und der Lieferbereitschaft des Lieferanten abhängig ist. Bei schwankenden Preisen kann als weiteres Entscheidungskriterium die Höhe des Einkaufspreises eine Rolle spielen, indem gezielt versucht wird, die Beschaffung bei niedrigem Preisniveau durchzuführen.

Zur Festlegung des Bestellzeitpunktes können drei Vorgehensweisen unterschieden werden, das Bestellrhythmus-, das Bestellpunkt- und das Optionalverfahren. Beim **Bestellrhythmusverfahren** wird in gleich bleibenden Zeiträumen bestellt (z. B. monatlich). Die Bestellmenge variiert und wird auf der Basis des Bedarfs der letzten Periode so festgelegt, dass das Lager nach der Beschaffung wieder aufgefüllt ist. Beim **Bestellpunktverfahren** ist der Bestellzeitpunkt hingegen variabel. Ein Bestellvorgang wird bei Unterschreitung eines bestimmten Lagerbestandes, des sog. Meldebestandes, eingeleitet. Als Meldebestand wird der Lagerbestand festgesetzt, mit dem der Materialbedarf während der Wiederbeschaffungszeit gedeckt werden kann. Das **Optionalverfahren** stellt eine Kombination der beiden anderen Verfahren dar: In bestimmten Zeiträumen wird überprüft, ob ein bestimmtes Lagerbestandsniveau unterschritten ist. Dies ermöglicht Bestellungen zu bestimmten Terminen, wobei zugleich Kleinstbestellungen vermieden werden.

Bei der Planung von Beschaffungsvorgängen ist auch eine Entscheidung darüber zu treffen, welche Materialien und Produkte durch das Unternehmen selbst gefertigt oder über Lieferanten bezogen werden sollen („Make-or-buy-Entscheidung", vgl. Kap. 8.1.4).

7.3.4 Formen der Bestellung

Eine klassische Bestellung erfolgt in Papierform, indem entweder als Brief oder mittels eines Bestellformulars dem Lieferanten ein Auftrag erteilt wird. Eine Variante dieser Bestellungsform bildet die Übermittlung des Bestelltextes per Telefax, Telex oder als elektronische Nachricht (E-Mail). Neben schriftlichen Bestellungen können Aufträge auch mündlich per Telefonanruf oder durch die Einschaltung von Außendienstmitarbeitern erteilt werden.

In jüngerer Zeit werden verstärkt Wege der elektronischen Bestellung unter der Bezeichnung „**E-Commerce**" propagiert. Darunter sind Bestellungsvorgänge über EDV-Systeme (über das Internet oder das unternehmensinterne Intranet) zu verstehen. Der Kunde kann von seinem Computer aus auf **elektronische Kataloge** zurückgreifen, sich am Bildschirm die Produktpalette anzeigen lassen, Waren auswählen und direkt bestellen. Diese Bestellform ist für Privatpersonen (z. B. Internet-Versandhandel) und für Unternehmen möglich. Bei Verwendung einer entsprechenden Software ist es im Bereich des E-Commerce möglich, die Bestelldaten direkt in die entsprechenden Datenbanken zu übernehmen, so dass über das EDV-System neben der Bestellung auch die Kontrolle des Wareneingangs, die Zahlung der Rechnung und die Lagerbuchhaltung abgewickelt werden kann.

7.4 Materiallagerung

Wenn das Material nicht just-in-time angeliefert (vgl. Kap. 7.3.1) und verkauft wird, ist eine Lagerung erforderlich. Lager dienen der Aufbewahrung und der Bevorratung von Material. Sie sind sowohl in produzierenden Unternehmen wie auch in reinen Handelsunternehmen von Bedeutung.

Es lassen sich folgende **Lagertypen** unterscheiden:

- **Eingangslager** nehmen extern beschaffte Materialien auf und halten sie für die Weiterbearbeitung im Unternehmen bereit.
- In **Zwischenlagern** werden halbfertige Produkte gelagert, die sich zwischen verschiedenen Produktionsstufen befinden und deren Produktionsprozess noch nicht abgeschlossen ist. Zwischenlager dienen dem Unternehmen als Puffer und sind produktionstechnisch häufig nicht zu vermeiden. In bestimmten Sonderfällen können Zwischenlager ein Bestandteil des Produktionsprozesses bilden (z. B. Gärungs- und Reifungsprozesse bei der Weinherstellung). Nur wenn der Produktionsablauf so gestaltet ist, dass in einer einzigen Produktionsstufe aus den extern beschafften Materialien das Endprodukt erzeugt wird, entfallen Zwischenlager.

- Für den Absatz bestimmte Produkte werden im **Endproduktlager** eingelagert. Je nach Sortiment des Unternehmens kann es sich um Fertigprodukte, die an Endabnehmer verkauft werden, oder um Halbfabrikate, die von einem anderen Unternehmen weiterverarbeitet werden, handeln.

Die **Überwachung** des Lagers geschieht durch die Lagerbestandsverwaltung. Im Rahmen einer laufenden Bestandsfortschreibung werden sämtliche Zugänge und Abgänge verbucht. Durch eine jährliche Inventur wird zusätzlich überprüft, ob die Aufzeichnungen der Wirklichkeit entsprechen. Dadurch werden Fehlbuchungen, aber auch Diebstähle oder das Verderben von eingelagerten Materialien sichtbar.

Zusätzlich lassen sich Kennzahlen hinzuziehen, durch die Veränderungen bei der Lagerhaltung aufgezeigt und ein Vergleich mit anderen Perioden oder anderen Unternehmen ermöglicht wird. Eine wichtige Kenngröße ist die **Lagerumschlagshäufigkeit**. Sie gibt an, wie oft der Lagerbestand innerhalb eines Jahres ausgetauscht wurde:

$$\text{Lagerumschlagshäufigkeit} = \frac{\text{Lagerabgang pro Jahr}}{\text{Durchschnittlicher Lagerbestand}}$$

Der durchschnittliche Lagerbestand eines Jahres lässt sich wie folgt errechnen:

$$\text{Durchschnittlicher Lagerbestand} = \frac{\text{Anfangsbestand} + 12 \text{ Monatsendbestände}}{13}$$

Eine regelmäßige Aufgabe ist die Auffüllung des Lagerbestandes. Zur Festlegung der Bestellmenge und des Bestellzeitpunktes werden verschiedene Verfahren eingesetzt, die in Abschnitt 7.3.3 (Optimierung der Bestellung) erläutert sind. Diese Verfahren werden im Schrifttum auch als **Lagerhaltungsmodelle** bezeichnet.

Im Bereich der Lagerhaltung müssen neben diesen dispositiven Fragestellungen auch grundsätzliche Entscheidungen bezüglich der Lagergestaltung und der Lagerorganisation getroffen werden. Die **Lagergestaltung** ergibt sich aus den zu lagernden Gegenständen. Je nach Material kommen Flachlager, Etagenlager,

Hochregallager, Tanks, Silos oder Bunker in Frage. Neben der Lagerung in Gebäuden (Lagerhallen) ist auch eine offene Lagerung (Lagerplatz im Freien) möglich.

Die traditionelle, nach Materialarten oder Artikelnummern geordnete Lagerung kann bei modernen **Hochregallagersystemen** aufgegeben werden, da durch Computerunterstützung der Lagerplatz registriert ist und eine Warenentnahme so problemlos erfolgen kann. Bei diesen Lagersystemen lassen sich die Ein- und Auslagerungszeiten optimieren, indem häufig benötigte Materialien an leicht erreichbaren Lagerplätzen untergebracht werden, bei denen die Transportwege kurz sind.

Hat ein Unternehmen mehrere Produktions- und Vertriebsstätten stellt sich die Frage nach dem optimalen **Lagerstandort**. Können alle Produktions- und Vertriebsstätten von einem Zentrallager versorgt werden oder ist es sinnvoll, mehrere dezentrale Lager einzurichten? Insbesondere bei Handelsunternehmen spielt diese Fragestellung eine bedeutende Rolle. Die Lagerstandorte sind so zu wählen, dass die anfallenden Transportkosten möglichst gering werden. Im Rahmen des Operations Research wird versucht, auf mathematischem Wege dieses Minimum zu bestimmen.

7.5 Beschaffungspolitik

Ebenso wie im Absatzbereich der Käufermarkt beobachtet, analysiert und bearbeitet wird, müssen auch im Beschaffungsbereich analoge Aktivitäten bezüglich des Beschaffungsmarktes durchgeführt werden. Als Oberbegriff für die vielfältigen Aktivitäten, von denen einige in den vorangegangenen Abschnitten vorgestellt wurden, dient die Bezeichnung **„Beschaffungspolitik"**. Es lassen sich vier Bereiche der Beschaffungspolitik unterscheiden:

Beschaffungs-Programmpolitik: Bei der Festlegung, welche Produkte beschafft werden sollen, wird unmittelbar auf die Ergebnisse der Materialbedarfsermittlung (vgl. Kap. 7.2) zurückgegriffen. Auch die Entscheidung, welche Produkte selbst gefertigt und welche zugekauft werden sollen („Make-or-buy-Entscheidung"), lässt sich diesem Aspekt zuordnen.

Darüber hinaus kann versucht werden, das Produktprogramm eines Lieferanten gezielt zu beeinflussen. Mit der Drohung, ansonsten zu einem anderen Lieferanten zu wechseln, können größere, aber auch kleinere Nachfrager auf ihre Lieferanten einwirken. Die Beeinflussung kann sich auf Qualitätsanforderungen, aber auch auf die Anfertigung von speziell entwickelten Produkten sowie die Weiterentwicklung oder die Verbesserung des bestehenden Angebots des Lieferanten beziehen.

Konditionenpolitik (vgl. Kap. 7.3.2): Preise und die gewährten Konditionen (wie Zahlungsbedingungen und Rabatte) werden durch den Lieferanten vorgegeben, lassen sich aber je nach Branche und nach der Marktmacht des Käufers durch Verhandlungen verändern. Ergebnis der Verhandlungen ist ein Vertrag. Bei einer längerfristigen Zusammenarbeit zwischen Lieferant und Käufer werden häufig besondere Vertragsformen gewählt, durch die vereinbarte Konditionen für einen längeren Zeitraum festgeschrieben werden. Zu diesen Vertragsformen zählen

- Rahmenverträge (Konditionen sind festgeschrieben, Liefermenge und Liefertermin sind offen)
- Kauf auf Abruf (Konditionen und Liefermenge sind in einem „Kontrakt" festgeschrieben, Liefertermin ist offen)
- Optionsverträge (sämtliche Bedingungen stehen fest, der Käufer hat jedoch ein Wahlrecht, ob er den Kauf auch tatsächlich tätigt)

Distributionspolitik: In Rahmen der Distributionspolitik geht es um die Festlegung der Beschaffungswege, wobei ein enger Zusammenhang zur Logistik (vgl. Kap. 7.6) besteht. Die zu beschaffenden Güter können entweder direkt beim Produzenten, im Groß- oder im Einzelhandel gekauft werden. Der Transport kann selbst, durch den Lieferanten oder durch ein drittes Unternehmen organisiert und abgewickelt werden. Um die Transportkosten zu minimieren, kann auf regionale Lieferanten zurückgegriffen werden.

Gleichartige Güter können ausschließlich von einem Anbieter bezogen werden; es ist aber auch möglich, auf mehrere Lieferanten zurückzugreifen, um so die Unabhängigkeit zu bewahren oder um günstige Konditionen zu erzielen.

Kommunikationspolitik: Im Rahmen der Kommunikationspolitik sind dem Lieferanten die Zielsetzungen der Beschaffungspolitik des Unternehmens zu verdeutlichen. Zugleich soll im Rahmen einer Öffentlichkeitsarbeit auch im Bereich des Einkaufs ein positives Unternehmensimage aufgebaut werden, aus dem sich in der Folge langfristige, gute und ausbaufähige Geschäftsbeziehungen ergeben.

Die vier Bereiche der Beschaffungspolitik zeigen, dass innerhalb der Materialwirtschaft ganz ähnliche Aufgaben wie in der Absatzwirtschaft zu bewältigen sind. Die Ähnlichkeit der Aufgaben bei der Marktbearbeitung hat dazu geführt, dass sich dafür auch der Begriff des **„Beschaffungs-Marketing"** eingebürgert hat. Die Kombination und gegenseitige Abstimmung der aufgeführten Bereiche der Beschaffungspolitik wird in Anlehnung an die entsprechende Bezeichnung im Absatz-Marketing als **„Beschaffungs-Marketing-Mix"** bezeichnet.

Die Bereiche der Beschaffungspolitik werden im Beschaffungs-Marketing durch die **Beschaffungsmarktforschung** ergänzt, die zur Erkundung der Beschaffungsmärkte, der möglichen Lieferanten, der herrschenden Bedingungen und zur Abschätzung künftiger Entwicklungstendenzen dient.

7.6 Logistik

Die Logistik befasst sich mit der Planung, Steuerung und Kontrolle von **Güterbewegungen.*** Sie erfüllt nicht nur im Bereich der Materialwirtschaft wichtige Aufgaben, sondern verknüpft als umfassende **Querschnittsfunktion** die betrieblichen Funktionsbereiche Beschaffung, Produktion und Absatz. Im folgenden erfolgt zunächst eine begriffliche Klärung. Anschließend werden die Aufgaben- und Einsatzbereiche der Logistik näher erläutert, die auch auf Bereiche der Produktions- und Absatzwirtschaft verweisen.

---

* Da in der Logistik nicht nur Materialien (gemäß Kap. 7.1) betrachtet werden, wird in diesem Abschnitt bewusst von „Gütern" gesprochen.

7.6.1 Logistikbegriff

Im militärischen Bereich werden unter dem Begriff „Logistik" alle Tätigkeiten zusammengefasst, die der Versorgung der Truppe dienen. Die Logistik hat den Nachschub an Verpflegung und an Ausrüstungsgegenständen sicherzustellen. An dieser Bereitstellungsaufgabe knüpft der betriebswirtschaftliche Logistikbegriff an. Zur Logistik zählen alle Transport-, Lager- und Umschlagstätigkeiten, die in einem Unternehmen („interne Logistik") und zwischen verschiedenen Unternehmen (Lieferanten-Kunden-Beziehung, sog. „externe Logistik") stattfinden.

Die Logistik unterstützt die **Raum- und Zeitüberbrückung** von Gütern. Die Raumüberbrückung geschieht durch Transporte, während die Zeitüberbrückung durch die Lagerung der Güter erfolgt.

Die Logistik soll sicherstellen, dass die benötigten Güter zum richtigen Zeitpunkt am richtigen Ort in der erforderlichen Menge und Qualität zu minimalen Kosten bereitstehen. Dazu wird durch die Logistik der **Fluss von Gütern** zwischen Beschaffungsmärkten, Produktionsstätten und Absatzmärkten bewusst gestaltet und begleitet. Bei der Gestaltung werden so grundlegende Fragen wie die Standortwahl oder Produktionsablauf ebenso einbezogen wie eine logistikgerechte Produkt- und Verpackungsgestaltung.

7.6.2 Aufgabenbereiche der Logistik

Es lassen sich folgende Aufgabenbereiche der Logistik unterscheiden, die auch als „verrichtungsspezifische Subsysteme" bezeichnet werden (vgl. *Pfohl*, Logistiksysteme, S. 77):

Auftragsabwicklung: Anlass für eine Güterbewegung bildet ein Auftrag. Im Rahmen der Auftragsabwicklung wird sichergestellt, dass die zur Ausführung des Auftrags erforderlichen **Informationen** bereit stehen. Die Auftragsabwicklung lässt sich in einzelne Teilschritte zerlegen. Ausgangspunkt bildet die Auftragserteilung durch den Kunden, die in schriftlicher, elektronischer oder mündlicher Form erfolgen kann. Diese Ausgangsinformationen werden aufbereitet und in interne Papiere (Formulare, EDV-Dateien) umgesetzt, die weitere Schritte auslösen oder die Güter begleiten. Anschließend erfolgt die Kommissionierung (Zusammenstellung der Güter im Lager) und der Versand. Letzter Schritt ist die Fakturierung (Rechnungsstellung).

Lagerhaltung: Auf Fragen der Lagerhaltung wird in Kap. 7.4 näher eingegangen.

Verpackung: Aus Sicht der Logistik soll eine Verpackung die Güter gegen Beschädigung oder Zerstörung schützen sowie Lagerung (Stapelbarkeit) und Transport erleichtern. Zudem kommt der Beschriftung der Verpackung neben einem Werbeeffekt eine wichtige Informationsfunktion zu. Durch die Zusammenfassung von einzelnen Gütern zu „logistischen Einheiten" lassen sich Lagerungs- und Transportvorgänge vereinfachen. Durch die Verwendung von standardisierten Verpackungen in Form von Kisten, Behältern, Paletten (z. B. die 1961 geschaffene Euro-Palette) oder Containern lassen sich Leerräume bei der Lagerung oder in Transportfahrzeugen vermeiden und damit die Logistikkosten senken.

Transport: Der Transport wird häufig als wichtigste Aufgabe der Logistik gesehen. Ziel muss es sein, die Transportkosten zu minimieren. Dies geschieht zum einen durch die Wahl des kostengünstigsten Verkehrsmittels (oder der kostengünstigsten Kombination von Verkehrsmitteln), zum anderen durch die Optimierung des Transportweges und durch die weitgehende Vermeidung von Leerfahrten.

Als **Transportmittel** stehen Kraftfahrzeuge, Eisenbahn, Schiffe und Flugzeuge, aber auch unternehmensinterne Fördereinrichtungen zur Verfügung. Um Güter zu ihrem Bestimmungsort zu bringen, sind ggf. verschiedene Verkehrsmittel zu kombinieren.

Zur Optimierung des Transportweges muss die günstigste Route ermittelt werden; zudem ist zu entscheiden, von welchen Lagerorten die Güter abgeholt werden sollen. Engpässe (z. B. eine knappe Transportkapazität) erschweren das Problem. Zur Lösung dieser Aufgaben steht eine Vielzahl von mathematischen Optimierungsverfahren zur Verfügung, die im Rahmen des Operations Research weiterentwickelt und verfeinert werden.

7.6.3 Einsatzbereiche der Logistik

Die Logistik stellt eine Querschnittsaufgabe dar, die in den betrieblichen Funktionsbereichen Beschaffung, Produktion und Absatz zum Einsatz kommt. Ein besonderes Einsatzfeld bildet zudem der Bereich der Entsorgung.

Die **Beschaffungs-Logistik**, die auch als Versorgungs-Logistik bezeichnet wird, sorgt für eine Verknüpfung zwischen den Logistik-Systemen der Lieferanten und dem Eingangslager oder der ersten Produktionsstufe des eigenen Unternehmens. Während der Begriff der Materialwirtschaft auch vertragliche Aspekte beinhaltet, beschäftigt sich die Beschaffungs-Logistik mit den Aspekten des Transports und der Lagerung. Aufgabe der Beschaffungs-Logistik ist es, die benötigten Güter bedarfsgerecht bereit zu stellen. Zur Unterstützung ist es möglich, Logistik-Dienstleister (z. B. Speditionen, aber auch Unternehmen zur Beschaffungskoordination) einzuschalten.

Die **Produktions-Logistik** ist eine innerbetriebliche Aufgabe. Durch sie wird die Versorgung des Produktionsprozesses mit den benötigten Materialien, Transport- und Lagerungsvorgänge zwischen einzelnen Produktionsstufen und die Verbringung der fertigen Produkte in das Absatzlager sichergestellt. Einzelne Fragestellungen der Produktionslogistik sind bereits in vorangegangenen Abschnitten behandelt worden, wie z. B. das Just-in-time- oder das Kanban-Konzept (Kap. 7.3.1) sowie Aspekte der Materiallagerung (Kap. 7.4). Großen Einfluss auf die Ausgestaltung der Produktions-Logistik besitzen die ablaufenden Produktionsprozesse und deren Organisation, die technische Ausstattung des Unternehmens sowie die eingesetzten Produktionsplanungs- und Steuerungssysteme.

An den Bereich der Produktions-Logistik knüpft unmittelbar die **Absatz-Logistik** (vgl. auch Kap. 9.3.3.3) an, die auch als Distributions-Logistik bezeichnet wird. Sie verbindet die Absatzlager des eigenen Unternehmens mit den Absatzmärkten und damit mit dem Käufer. Es lassen sich zwei Grundprinzipien unterscheiden: Beim **Bringprinzip** liefert das Unternehmen die erstellten Güter bei seinem Kunden an. Die logistische Transportaufgabe ist also durch das eigene Unternehmen zu erbringen. Dem steht das **Holprinzip** gegenüber, bei dem der Kunde die gewünschten Güter selbst abholt, das eigene Unternehmen im Distributionsbereich somit keine Transportleistungen erbringen muss.

Die drei bisher erläuterten Logistik-Teilsysteme werden im Rahmen des **Supply-Chain-Management** miteinander verknüpft. Unter einer „Supply Chain" wird eine Wertschöpfungskette verstanden, die vom Material über Produktion und Vertrieb bis hin zum Endabnehmer führt. Wichtig ist die optimale Verknüpfung der einzelnen Teilsysteme, so dass der Fluss des Materials, der Informationen, aber auch der Finanzmittel aufeinander abgestimmt und störungsfrei verläuft. Dazu werden Logistikaspekte mit anderen betrieblichen Funktionsbereichen sowohl im Bereich der Planung als auch im operativen Geschäft miteinander verknüpft. Die Wertschöpfungskette überschreitet auch Unternehmensgrenzen, so dass im Rahmen des Supply-Chain-Managements verschiedene Unternehmen als ein Gesamtsystem betrachtet werden. Ziel ist die Optimierung der Wertschöpfungskette, insbesondere die Steigerung der Termintreue in allen Phasen des Materialflusses.

Die **Ersatzteil-Logistik** befasst sich mit der Beschaffung von beschädigten oder verschlissenen Teilen von Maschinen, Anlagen und Geräten. Da diese Teile unverzüglich gebraucht werden, um Stillstandszeiten und Produktionsausfälle zu vermeiden, andererseits eine aufwendige Lagerhaltung zu viel Kapital binden würde, sind besondere logistische Anforderungen zu erfüllen. Unter Kosten-Nutzen-Aspekten muss abgewogen werden, welche Ersatzteile bevorratet werden müssen und welche nicht. Dies wird durch eine Planung der **Instandhaltung** unterstützt, so dass Verschleißteile einerseits möglichst lange genutzt, zugleich aber auch rechtzeitig ausgetauscht werden, bevor es zu einem Schadensfall kommt.

Die Logistik erfüllt nicht nur Versorgungsaufgaben, sondern wird auch im Bereich der Entsorgung eingesetzt. Die Entsorgung befasst sich mit Rückständen, die im Unternehmen entstehen. **Rückstände** können entweder als Sekundärrohstoffe aufbereitet und für andere Zweck eingesetzt werden, oder als Abfall beseitigt werden. Die **Abfälle** können in solche, die sich ohne eine wesentliche Beeinträchtigung der Umwelt beseitigen lassen, und in Sonderabfälle, die aufwendig und teuer entsorgt werden müssen, unterschieden werden. Die **Entsorgungs-Logistik** hat vielfältige Aufgaben beim Einsammeln, Lagern und Transportieren von Rückständen. Insbesondere bei gefährlichen Stoffen muss sichergestellt werden, dass eine Gefährdung der Umwelt bei Transport und Lagerung ausgeschlossen ist.

Weiterführende Literatur: *Large, Rudolf:* Strategisches Beschaffungsmanagement. Eine praxisorientierte Einführung. 2. Auflage. Wiesbaden: Gabler 2000; *Oeldorf, Gerhard/Olfert, Klaus:* Materialwirtschaft. 10. Auflage. Ludwigshafen: Kiehl 2002; *Pfohl, Hans-Christian:* Logistiksysteme: Betriebswirtschaftliche Grundlagen. 6. Auflage. Berlin u. a.: Springer 2000.

8. Produktionswirtschaft

Als Produktion wird der Leistungserstellungsprozess eines Unternehmens bezeichnet. Abb. 8.1 zeigt, wie der Produktionsprozess Einsatzgüter, die auch als „Input" bezeichnet werden, so miteinander verknüpft, dass als „Output" Ausbringungsgüter entstehen. Als Einsatzgüter gehen in den Produktionsprozess verschiedene Ressourcen ein, deren Beschaffung durch die Finanz-, Personal- und Materialwirtschaft sichergestellt werden (vgl. Kap. 5, 6 und 7). Ausbringungsgüter sind je nach Branche und Ausrichtung des Unternehmens entweder produzierte Güter (Zwischen- und Fertigprodukte) oder Dienstleistungen.

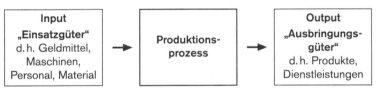

Abb. 8.1: Produktionsprozess

Im betriebswirtschaftlichen Schrifttum spielt die industrielle Herstellung von Gütern eine wichtige Rolle. Dieser Bereich wird auch „Produktion im engeren Sinne" oder als **Fertigung** bezeichnet; daher heißt die Produktionswirtschaft bei Industrieunternehmen auch **Fertigungswirtschaft**.

In den Bereich der Produktionswirtschaft fließen sowohl technische wie auch kaufmännische Aspekte ein: Die Technik gibt vor, welche Güter auf welche Weise produziert werden können. Durch die technischen Möglichkeiten und das technische Knowhow werden Rahmenbedingungen festgelegt, die ein Unternehmen besitzt oder die durch zusätzliche Investitionen zu schaffen sind. Betriebswirtschaftliche Aufgaben sind insbesondere die organisatorische Umsetzung, die Festlegung oder Abschätzung von Kosten sowie die Beurteilung der Verwertbarkeit von geplanten Produkten.

Während die technische Ausgestaltung von Produktionsprozessen den Ingenieurwissenschaften und der entsprechenden Fachliteratur vorbehalten ist, werden im folgenden produktionswirtschaftliche Grundlagen (Kap. 8.1), die Planung des Produktionsablaufs (Kap. 8.2) sowie betriebswirtschaftliche Aspekte des Produktionsprozesses (Kap. 8.3) erläutert. Die Vorstellung von Verfahren zur computergestützten Produktion (Kap. 8.4) runden das Kapitel ab.

8.1 Produktionswirtschaftliche Grundlagen

8.1.1 Produktions- und Kostentheorie

Im Rahmen der Produktionstheorie wird versucht, Produktionsvorgänge in Form von mathematischen Gleichungen abzubilden. Für verschiedene Anwendungsfälle bestehen **Produktionsfunktionen**, die einen mathematischen Zusammenhang zwischen Einsatzgütern (Input) und Ausbringungsgütern (Output) herstellen. Eine Produktionsfunktion hat folgenden grundsätzlichen Aufbau:

$$\text{Ausbringungsmenge} = f\left(e_1, e_2, ..., e_n\right)$$

mit e_k = Einsatzgut k und f = Allgemeines Symbol für eine funktionelle Verknüpfung.

Aufgabe der **Produktionstheorie** ist es, die funktionellen Verknüpfungen der Einsatzgüter zu ermitteln und in Form von Produktionsfunktionen abzubilden. Da es sich bei Produktionsvorgängen zumeist um hochkomplexe Sachverhalte handelt, bei denen eine Vielzahl von Einflussgrößen zusammenwirken, basieren Produktionsfunktionen auf vereinfachenden Annahmen. Vereinfachte Gleichungen spiegeln die Realität jedoch oft nicht korrekt wider und sind daher wenig praxisrelevant.

Auf den Erkenntnissen der Produktionstheorie und den dort ermittelten Produktionsfunktionen aufbauend werden in der **Kostentheorie** unter zusätzlicher Berücksichtigung von Wertkomponenten (z. B. von Preisen) Kostenfunktionen aufgestellt. **Kostenfunktionen** stellen einen Zusammenhang zwischen den entstehenden Kosten und einer oder mehreren Kosteneinflussgrößen dar. Als Kosteneinflussgröße wird häufig der Beschäftigungsgrad oder die Produktionsmenge angesetzt. Beispiele für verschiedene Kostenfunktionen finden sich in Kap. 4.3.2.2 in Abb. 4.8.

Die Kostentheorie als theoretische Grundlage der Kostenrechnung soll an dieser Stelle nicht weiter betrachtet werden. Statt dessen werden zwei grundlegende Produktionsfunktionen, das so genannte Ertragsgesetz und die Verbrauchsfunktionen, herausgegriffen und exemplarisch erläutert.

Das **Ertragsgesetz**, das auch als **Produktionsfunktion vom Typ A** bezeichnet wird, geht zurück auf den französischen Finanzminister Jacques Turgot. Aufgrund von Beobachtungen in der Landwirtschaft formulierte Turgot im 18. Jahrhundert das Gesetz vom abnehmenden Ertragszuwachs („Ertragsgesetz"). Trotz der Erhöhung des Arbeitseinsatzes oder der Saatgutmenge lässt sich der Ertrag eines Ackers nicht beliebig steigern; er nimmt nach Erreichen eines Maximums sogar wieder ab. Dieser Sachverhalt wurde dann auf die nichtlandwirtschaftliche Produktion übertragen.

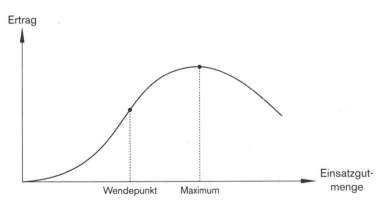

Abb. 8.2: Ertragsgesetz (Produktionsfunktion vom Typ A)

Abb. 8.2 zeigt das Ertragsgesetz in allgemeiner Form; es ist der Ertrag in Abhängigkeit von einem einzigen Einsatzgut dargestellt; sollten weitere Einsatzgüter vorhanden sein, sind diese konstant zu halten. Abb. 8.2 verdeutlicht, dass bei zunehmender

Einsatzgutmenge der Ertrag zunächst stark (progressiv) ansteigt. Ab einem Wendepunkt vermindert sich der Anstieg, die Kurve besitzt einen degressiven Verlauf. Schließlich wird ein Ertragsmaximum erreicht. Danach kommt es trotz weiterer Steigerung der Einsatzmenge zu Ertragsrückgängen.

Werden zwei variable Produktionsfaktoren betrachtet, die sich in gewissen Grenzen gegenseitig ersetzen („substituieren") können, ergibt sich eine dreidimensionale Darstellung, ein so genanntes „Ertragsgebirge". So lässt sich im landwirtschaftlichen Bereich der Ertrag eines Feldes in Abhängigkeit von der eingesetzten Saatgutmenge und von der Düngermenge darstellen.

Bei mehr als zwei variablen Einflussfaktoren werden die Möglichkeiten der grafischen Darstellung gesprengt, aber auch die mathematische Abbildung des Sachverhaltes wird zunehmend komplizierter. Die Komplexität kann durch eine Zusammenfassung der Einsatzgüter zu Gruppen oder durch das Konstanthalten von bestimmten Produktionsfaktoren vermindert werden.

Produktionsfunktionen auf ertragsgesetzlicher Grundlage gehen davon aus, dass sich einzelne Einsatzgüter substituieren lassen. So kann z. B. durch den verstärkten Einsatz von Maschinen in einem gewissen Umfang die menschliche Arbeitskraft ersetzt werden. Doch die Substituierbarkeit von Faktoren ist nur in engen Grenzen möglich, bei vielen technischen Prozessen ist sie nicht gegeben. Industrielle Fertigungsprozesse lassen sich besser durch so genannte Verbrauchsfunktionen abbilden.

Eine **Verbrauchsfunktion,** die auch als **Produktionsfunktion vom Typ B** oder als limitationale Funktion bezeichnet wird, bildet die erbrachte technische Leistung einer Maschine (oder einer Anlage) als Funktion von Einsatzgütern ab. Dabei wird für jedes einzelne Einsatzgut eine eigene Verbrauchsfunktion aufgestellt.

Beispiel Benzin-Motor: Ein Maßstab für die Leistung eines Motors ist die erbrachte Drehzahl. Für die Einsatzgüter Benzin, Schmieröl oder Ersatzteile können jeweils eigene Verbrauchsfunktionen aufgestellt werden, die von der Drehzahl, mit der der Motor betrieben wird, abhängen.

Für die einzelnen Verbrauchsgüter können sich sehr unterschiedliche Kurvenverläufe ergeben. Abb. 8.3 zeigt verschiedene Verbrauchsfunktionen, bei denen über der Leistung d der Verbrauch von verschiedenen Einsatzgütern aufgetragen ist. Aus der Vielfalt der möglichen Kurvenverläufe seien drei typische Fälle herausgegriffen:

- **Fall 1:** Der Verbrauch ist von der Leistung zunächst unabhängig (d. h. konstant). Ab einem bestimmten Leistungsgrad steigt der Verbrauch an.
- **Fall 2:** Mit zunehmender Leistung fallender Verbrauch.
- **Fall 3:** Mit zunehmender Leistung zunächst auf ein Optimum fallender und anschließend wieder ansteigender Verbrauch; diese Variante liegt beispielsweise beim Kraftstoffverbrauch bei Automobilen vor: Es gibt einen optimalen Drehzahlbereich, in dem der Motor am wenigsten Benzin verbraucht.

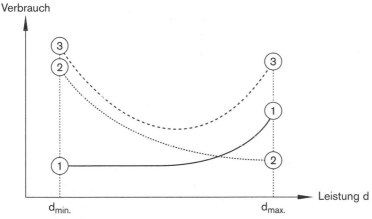

Abb. 8.3: Verbrauchsfunktion (Produktionsfunktion vom Typ B)

Die Gesamtverbrauchsfunktion einer Maschine oder eines Fertigungsprozesses ergibt sich aus den ermittelten Teilfunktionen für alle benötigten Produktionsfaktoren. Daraus lassen sich Kostenfunktionen entwickeln, indem die mengenmäßigen Verbrauchsfunktionen um eine Preiskomponente ergänzt werden. Diese Funktionen geben für jeden Produktionsfaktor an, welche

Kosten in Abhängigkeit von der Leistung anfallen. Die Kostenfunktionen für die einzelnen Produktionsfaktoren können zu einer Gesamtkostenfunktion zusammengefasst werden, aus der sich wiederum die **optimale Leistung** (oder der optimale Leistungsbereich) für eine Maschine, für eine Anlage oder einen Fertigungsprozess bestimmen lässt. Unter der optimalen Leistung wird diejenige Leistung verstanden, bei der die Gesamtkosten minimal werden.

Neben den beiden erläuterten Produktionsfunktionen finden sich im Schrifttum weitere Produktionsfunktionen (z. B. die Funktionen vom Typ C, D, E oder F), die den Zeitablauf mit einbeziehen. Auf diese Funktionen wird hier nicht weiter eingegangen.

8.1.2 Fertigungstypen

Aufgrund der Organisation des Produktionsprozesses und des Produktionsprogramms lassen sich mehrere **Fertigungstypen** unterscheiden, die in Abb. 8.4 zusammengefasst sind.

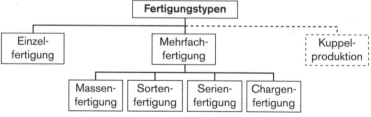

Abb. 8.4: Fertigungstypen

Bei der **Einzelfertigung** wird jedes Produkt individuell, häufig nur auf Bestellung, erstellt. Dieser Fertigungstyp ist in der Bauindustrie (z. B. Brückenbau), im Anlagenbau (z. B. Großschiffbau), aber auch handwerklichen Bereich (z. B. bei Maßschneidereien oder Schreinereien) üblich.

Der Einzelfertigung stehen verschiedene Ausprägungsformen der **Mehrfachfertigung** gegenüber. Bei der Mehrfachfertigung werden von einem Produkt mehrere Mengeneinheiten produziert. Für ein Unternehmen ist es immer wirtschaftlicher, größere Stückzahlen zu fertigen, da sich zum einen die mengenunabhängigen

Fixkosten (vgl. Kap. 4.3.2.2) auf mehr Produkte verteilen und zum anderen sich arbeitsorganisatorische Vorteile (z. B. Lerneffekte, günstigerer Einkauf) ergeben. Die Entscheidung, welcher Fertigungstyp gewählt wird, hängt jedoch nicht nur am Unternehmen, sondern letztlich an den Absatzmärkten: Eine Mehrfachfertigung ist nur sinnvoll, wenn das entsprechende Erzeugnis auch in der produzierten Stückzahl verkauft werden kann. Gleichwohl ist immer zu prüfen, ob in Bereichen, in denen traditionell der Fertigungstyp „Einzelfertigung" eingesetzt wird, in Sonderfällen der Übergang zur Mehrfachfertigung erfolgen kann. So kann durch eine modulare, baukastenartige Konstruktionsweise die Variantenvielfalt im Produktionsprogramm eines Unternehmens reduziert werden, wenn individuell angepasste Produkte aus mehrfach einsetzbaren Komponenten zusammengesetzt sind. Diese Komponenten lassen sich dann in Form einer Kleinserie mehrfach fertigen. Auch in der Bauindustrie lassen sich bei der Errichtung von gleichartigen Wohnhäusern durch den Einsatz der Mehrfachfertigung die Herstellkosten erheblich senken.

Varianten der Mehrfachfertigung sind Massenfertigung, Sortenfertigung, Serienfertigung und Chargenfertigung.

Bei der **Massenfertigung** wird ein einheitliches Produkt in großer Stückzahl hergestellt. Dies ist bei der Produktion von Baumaterialien (Sand, Kies, Steine), bei der Kohleförderung, bei der Stromerzeugung, aber auch bei Fertigung von Massenartikeln wie Zigaretten der Fall. Die Produktion erfolgt über einen längeren Zeitraum, ohne dass sich Änderungen im Produktionsablauf oder bei den erzeugten Produkten ergeben. Daher ist die Anschaffung von speziellen Maschinen und Produktionsanlagen rentabel, die weitgehend automatisiert produzieren können.

Unter **Sortenfertigung** wird die Massenfertigung von Erzeugnissen verstanden, die sich wegen ihrer fertigungstechnischen Ähnlichkeit und ihrer ähnlichen Kostenstruktur zu einer Produktgattung zusammenfassen lassen. Die verschiedenen Sorten können zumeist mit geringem Umstellungsaufwand auf identischen Produktionsanlagen hergestellt werden. Die Sortenfertigung ist typisch für Ziegeleien, Sägewerke, Papierfabriken oder Blechwalzwerke.

Die **Serienfertigung** liegt zwischen Massen- und Einzelfertigung. Es werden gleichartige Produkte neben- oder nacheinander in einer begrenzten Stückzahl (Artikelserie) hergestellt. Je nach Höhe der Stückzahl lassen sich Großserien (z. B. Autoindustrie) und Kleinserien (z. B. Möbelindustrie) unterscheiden.

Auch bei der **Chargenfertigung** ist die Produktionsmenge begrenzt. Aufgrund der Produktionsprozesses sind nur die Erzeugnisse einer Charge identisch, unterschiedliche Chargen können sich jedoch unterscheiden. Dies ist bei chemischen Produktionsprozessen (z. B. Farbenherstellung) oder bei der Weinherstellung (ein Fass bildet jeweils eine Charge) der Fall.

Die **Kuppelproduktion** wird teilweise nicht als eigener Fertigungstyp abgegrenzt. Da sie aber weder der Einzelfertigung noch der Mehrfachfertigung sinnvoll zuzuordnen ist wird sie an dieser Stelle explizit aufgeführt. Bei der Kuppelproduktion entstehen innerhalb eines Produktionsprozesses verfahrenstechnisch, technologisch oder natürlich bedingt zwangsläufig mehrere verschiedenartige Erzeugnisse (Kuppel- oder Spaltprodukte). Im industriellen Bereich laufen viele chemische Prozesse (insbesondere bei Raffinerien), aber auch die Metallverhüttung im Hochofen als Kuppelprozess ab. Ein Beispiel aus der Landwirtschaft ist die Schlachtung eines Tieres: So bildet die Schlachtung eines Schweins einen Kuppelprozess, bei dem als Produkte unter anderem ein Kopf, Schulter, Nacken, Lende, Kotelett, Bauchfleisch, Schinken und vier Haxen anfallen. Da nicht für alle Produkte, die entstehen, die gleiche Nachfrage besteht, müssen die weniger nachgefragten Kuppelprodukte subventioniert oder sogar entsorgt werden.

8.1.3 Organisationsformen der Fertigung

Es lassen sich eine verrichtungs- und eine ablauforientierte Anordnung von Arbeitsplätzen, Maschinen und Produktionsanlagen unterscheiden. Bei der **verrichtungsorientierten** oder funktionellen Organisationsform werden gleichartige Tätigkeiten organisatorisch durch die Schaffung von **Werkstätten** zusammengefasst. So wird eine „Dreherei" gebildet, in der alle Dreharbeiten ausgeführt

werden, eine Schleiferei für Schleifarbeiten und eine Montage-
werkstatt für den Zusammenbau des Endprodukts. Die Schaffung von Werkstätten bündelt das Know-how der Mitarbeiter,
wodurch sich eine hohe Produktqualität erzielen lässt. Andererseits
ist es schwierig, eine gleichmäßige Auslastung der verschiedenen
Werkstätten sicherzustellen. Um Warte- oder Stillstandzeiten zu
vermindern müssen Zwischenlager geschaffen werden, durch die
sich eine unterschiedliche Kapazitätsauslastung ausgleichen lässt.
Zudem können sich lange Transportwege zwischen den einzelnen
Werkstätten ergeben. Deshalb wird die Werkstattfertigung nur im
Bereich der Einzel- oder der Kleinserienfertigung eingesetzt.

Der Werkstattfertigung steht die **ablauforientierte** Organisationsform gegenüber. Hierbei orientiert sich die Anordnung von
Arbeitsplätzen und Maschinen an den Bearbeitungsgängen, die
ein Produkt durchläuft. Die Anordnung ist so gewählt, dass ein
Produkt in einem kontinuierlichen Fertigungsprozess die einzelnen Arbeitsplätze und Maschinen „durchfließt". Daher wird
auch von **Fließfertigung** gesprochen. Bekanntes Beispiel für eine
Fließfertigung ist die **Fließbandfertigung**, bei der das Produkt auf
einem Förderband („Fließband") die einzelnen Produktionsstufen
durchläuft.

Hauptvorteil der Fließfertigung ist die Verminderung der Durchlaufzeit, von innerbetrieblichen Transporten und von Zwischenlagern. Allerdings ist die Fließfertigung sehr störungsanfällig, wenn
einzelne Bestandteile des Fließprozesses ausfallen sollten. Zudem
ist die Fertigung speziell auf bestimmte Produkte ausgerichtet. Bei
der Einführung neuer Produkte fallen erhebliche Umstellungs-
kosten an, Spezialanforderungen von Kunden können nicht so
leicht erfüllt werden. Daher wird die Fließfertigung in der Mas-
sen- und Großserienfertigung eingesetzt.

Da beide Grundprinzipien Vor- und Nachteile aufweisen, haben
sich in der Praxis folgende **Mischformen** durchgesetzt:

- **Gruppen- oder Inselfertigung:** Es werden Fertigungsgruppen
  (Fertigungsinseln) gebildet, die für die Herstellung von bestimmten, in größerer Stückzahl produzierten Bauteilen oder
  Produktgruppen zuständig sind. Innerhalb dieser Gruppen
  wird das Fließprinzip angewandt. Daneben bestehen auch tra-

ditionelle Werkstätten für Bauteile, die in kleiner Stückzahl erstellt werden, oder für die Erfüllung von speziellen Kundenwünschen.

- **Straßenfertigung:** Arbeitsplätze und Maschinen werden zwar in der Reihenfolge der Bearbeitung angeordnet („Fertigungsstraße"), sind aber nicht durch ein getaktetes Förderband verbunden. Dadurch entfällt der Zwang und die Monotonie der zeitlichen Taktung, die durch ein Fließband entstehen.
- **Bearbeitungszentren:** Bei Bearbeitungszentren handelt es sich um numerisch gesteuerte Maschinen, die voll- oder halbautomatisch eine Vielzahl von verschiedenen Arbeitsgängen ausführen können. Da für jedes unterschiedliche Werkstück eine spezielle Programmierung erforderlich ist, rentiert sich der Einsatz von Bearbeitungszentren nur, wenn größere Stückzahlen eines Produktes hergestellt werden.

Neben den angeführten Organisationstypen, die alle einen festen Produktionsstandort voraussetzen, besteht noch der Typ **„Baustellenfertigung"**. Bei der Baustellenfertigung, die in der Bauindustrie und im Anlagenbau zur Anwendung kommt, müssen Arbeitsplätze, Maschinen und Geräte zeitlich befristet zu einem externen Produktionsort, der Baustelle, verlagert werden. Dies bedingt besondere Anforderungen bei Planung und Arbeitsorganisation.

8.1.4 Produktionsprogrammplanung

Die Festlegung des Produktionsprogramms eines Unternehmens orientiert sich am geplanten Absatzprogramm, das durch langfristige Entscheidungen bezüglich der Ausrichtung des Unternehmens sowie aufgrund von kurz- und mittelfristigen Absatzerwartungen festgelegt wird.

Produktionsprogramm und **Absatzprogramm** weichen bei den meisten Unternehmen voneinander ab. Denn zum einen bieten Unternehmen zumeist nicht alle erbrachten Leistungen auf dem Absatzmarkt an, sondern erstellen bestimmte Leistungen für den Eigenverbrauch (z. B. die Leistungen eines unternehmenseigenen Kraftwerks). Zum anderen werden bei vielen Unternehmen nicht alle Leistungen selbst erstellt, sondern teilweise auch zugekauft. Der Zukauf kann sich auf einzelne Bauteile beziehen, die dann zu einem neuen Produkt zusammengebaut werden; es ist aber auch denkbar, dass Endprodukte zur Ergänzung der eigenen Produktpalette hinzugekauft werden. Ein Sonderfall ist der Bereich des reinen Handels: Hier werden alle Produkte des Absatzprogramms hinzugekauft, da keine eigene Produktion besteht.

Die Entscheidung zwischen der Eigenfertigung und dem Zukauf (Fremdbezug) wird als **„Make-or-buy-Entscheidung"** bezeichnet. Sie basiert auf Kostengesichtspunkten, den bestehenden Produktionsmöglichkeiten (Maschinenausstattung) und der Auslastung der eigenen Produktionskapazitäten. Daneben spielen weitere Kriterien wie die Unabhängigkeit des Unternehmens von Lieferanten, die Sicherstellung von hohen Qualitätsstandards oder die Bewahrung des Know-how des eigenen Unternehmens eine Rolle.

Der Übergang von Eigenfertigung zu Fremdbezug wird als **„Outsourcing"** bezeichnet. Das Outsourcing vermindert die Produktionstiefe eines Unternehmens, indem sich das Unternehmen auf seine Kernkompetenzen konzentriert. Diese „Verschlankung" der Unternehmen wurde verstärkt in den Lean-Management-Ansätzen in den 1990er Jahren propagiert.

Bei der Planung des Produktionsprogramms muss häufig infolge der begrenzten Kapazitäten eine Entscheidung zwischen mehreren Alternativen getroffen werden. Eine Hilfestellung bei derartigen Entscheidungsproblemen bietet der Ansatz der **linearen Programmierung**, der auf Basis der Deckungsbeitragsrechnung (vgl. Kap. 4.3.2.9) das gewinnoptimale Produktionsprogramm ermittelt. Dazu wird ein Gleichungssystem aufgestellt, das aus einer Zielfunktion (Ziel: Maximierung des Deckungsbeitrags) und mehreren Gleichungen für Nebenbedingungen (vorhandene Kapazitätsgrenzen sowie Nichtnegativitätsbedingung, da keine negative Mengen produziert werden können) besteht. Das Gleichungssystem wird dann mathematisch (z. B. über den sog. Simplex-Algorithmus) oder grafisch gelöst. Ein übersichtliches Beispiel zur linearen Programmierung findet sich bei *Thommen/ Achleitner*, Betriebswirtschaftslehre, S. 326 ff.

8.1.5 Ressourcenplanung

Durch die Ressourcen- oder Bereitstellungsplanung wird sichergestellt, dass die für die Produktion erforderlichen Einsatzgüter in der erforderlichen Menge und Qualität zum benötigten Zeitpunkt bereitstehen. Damit die für die Beschaffung zuständigen betrieblichen Funktionsbereiche ihre Aufgabe erfüllen können, sind Informationen bezüglich der Produktionsplanung rechtzeitig weiterzuleiten.

Es ist eine langfristige (strategische) und eine kurzfristige (operative) Ressourcenplanung zu unterscheiden. **Langfristig** ist die Bereitstellung von Arbeitskräften und Produktionsanlagen sowie der Bau von Büro- und Fabrikationsgebäuden zu planen. Zu den strategischen Entscheidungen, die Auswirkungen auf den Ressourcenbedarf besitzen, zählt z. B. die Absicht

- neue Produktionskapazitäten zu schaffen,
- das Produktionsprogramm zu erweitern oder
- Rationalisierungsmaßnahmen durchzuführen, die einen Personalabbau erforderlich machen.

Die **kurzfristige** Ressourcenplanung ergibt sich aus dem Materialbedarf des laufenden Produktionsprogramms, der durch die Materialwirtschaft sichergestellt wird (vgl. Kap. 7.2.2). Die Ermittlung des erforderlichen Materials, der notwendigen Baugruppen und der erforderlichen Werkzeuge geschieht durch Auswertung von vorhandenen Stücklisten* und Konstruktionsunterlagen. Durch Verknüpfung von Einzelstücklisten zu einem Gesamtsystem erhält man eine Mengenübersichtsstückliste, aus der der Gesamtbedarf hervorgeht.

8.2 Produktionsablaufplanung (Arbeitsplanung)

Bevor ein Produkt gefertigt werden kann, ist der Produktionsablauf zu planen. Unter dem **Produktionsablauf** oder dem **Produktionsprozess** wird das räumliche und zeitliche Zusammenwirken

---

* Eine Stückliste stellt eine Tabelle dar, in der alle Teile, die zur Fertigung eines Erzeugnisses benötigt werden, nach Art und Menge aufgelistet sind.

von Mensch und Betriebsmittel (z. B. Maschine) zum Zweck der Erfüllung der Produktionsaufgabe verstanden. Während es bei einem kleinen, handwerklichen Unternehmen genügen kann, wenn der zuständige Meister den Produktionsablauf „in seinem Kopf" geplant hat, ist dies bei Industrieunternehmen nicht mehr ausreichend. Je größer die Anzahl der am Produktionsprozess beteiligten Mitarbeiter oder je höher der Automatisierungsgrad der Fertigung ist, desto aufwendiger und detaillierter muss die Planung des Produktionsablaufs und der einzelnen Arbeitsschritte sein.

In vielen Unternehmen erfolgt die Planung des Produktionsablaufs in der so genannten „**Arbeitsvorbereitung**". In dieser Abteilung werden auf der Basis von Auftrags- und Konstruktionsunterlagen (Zeichnungen, Stücklisten) die Grundlagen für die Durchführung des Fertigungsprozesses geschaffen. Dazu sind folgende Planungsschritte erforderlich:

- **Strukturplanung:** Unter Beachtung von bestehenden Abhängigkeiten wird die exakte Reihenfolge der erforderlichen Fertigungsschritte festgelegt.
- **Zeitplanung:** Festlegung der benötigten Zeiten und Minimierung der Gesamtprojektdauer.
- **Kapazitätsplanung:** Optimierung der Kapazitätsauslastung und Vermeidung von Engpässen.

Wichtiges Hilfsmittel bei der Durchführung von Struktur- und Zeitplanung ist die **Netzplantechnik**. In den 1950er Jahren wurden in den USA und in Europa zur Planung und Strukturierung von komplexen Vorhaben unabhängig voneinander verschiedene Verfahren der Netzplantechnik entwickelt. Die Netzplantechnik eignet sich für einen Einsatz bei Forschungs- und Entwicklungsprojekten, Bauprojekten (z. B. Errichtung von Staudämmen, Kraftwerken, Industrieanlagen oder Flughäfen), aber auch zur logischen Durchdringung von Fertigungsprozessen. Aus einem Netzplan können die Anfangs- und Endtermine für die einzelnen Aktivitäten, Engpässe und mögliche Pufferzeiten abgelesen werden (dazu vgl. Kap. 8.2.2).

Ein **Netzplan** ist die grafische Darstellung einer komplexen Ablaufstruktur. Er bringt alle erforderlichen Aktivitäten eines

Produktionsprozesses in einen logischen und einen zeitlichen Zusammenhang. Der Netzplan besteht aus einer Vielzahl von Kreisen oder Vierecken, die auch als „**Knoten**" bezeichnet werden, und **Pfeilen**, die diese Konten verbinden. Je nachdem, ob die Aktivitäten den Pfeilen oder den Knoten zugeordnet sind, lassen sich Vorgangs-Pfeil-Netzpläne und Vorgangs-Knoten-Netzpläne unterscheiden (vgl. Abb. 8.5).

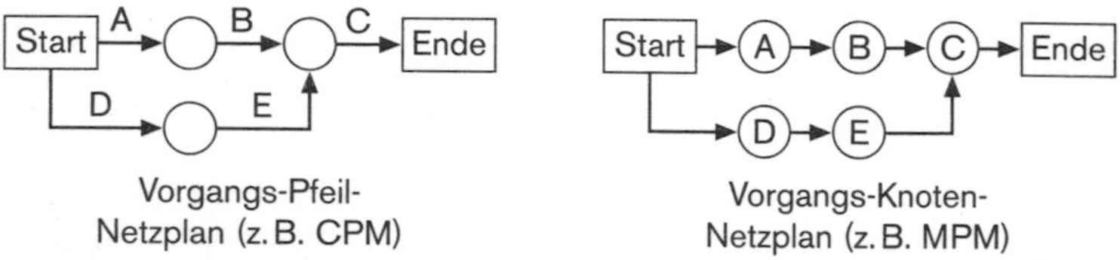

Vorgangs-Pfeil-
Netzplan (z. B. CPM)

Vorgangs-Knoten-
Netzplan (z. B. MPM)

Abb. 8.5: Netzplan-Typen

Die bekanntesten **Methoden der Netzplantechnik** sind die Critical-Path-Method (kurz: CPM), die Metra-Potential-Method (kurz: MPM) sowie PERT (Program Evaluation and Review Technique), das in den USA erfolgreich bei der Entwicklung der Polaris-Rakete eingesetzt wurde. In den folgenden beiden Abschnitten wird die Anwendung der Netzplantechnik für den Bereich der Struktur- und Zeitplanung exemplarisch erläutert.

8.2.1 Strukturplanung

Ein Produktionsprozess (gleich, ob es sich um eine Fertigung oder um eine Leistungserstellung handelt) setzt sich aus mehreren Ablaufabschnitten (Aktivitäten, Tätigkeiten) zusammen, die als „Vorgänge" bezeichnet werden. Um einen Überblick zu erhalten, welche Tätigkeiten auszuführen sind, werden **Vorgangslisten** aufgestellt. In diesen Listen sind alle Vorgänge, die in einem Produktionsprozess ablaufen, und der jeweilige Zeitbedarf zusammengestellt.

Bestimmte Vorgänge sind von anderen abhängig, also können erst begonnen werden, wenn ein vorangegangener Vorgang abgeschlossen ist. Diese Abhängigkeitsbeziehungen sind in der Vorgangsliste abzubilden, indem bei jedem Vorgang dessen Vorgänger angegeben wird. Abb. 8.6 zeigt ein Beispiel für eine solche Liste.

Gewerk	Vor-gangs-bezeich-nung j	Beschreibung des Vorgangs	Unmit-telbare Vor-gänger	Dauer (in h)
Boden-belags-arbeiten	A	Herausreißen Teppichboden	–	1
	B	Verlegung Laminatboden	A, F	7
	C	Anbringen Sockelleisten	B, E	2
Tapezier-arbeiten	D	Entfernen alte Tapete	–	2
	E	Neutapezieren	D, G, L	6
Maler-arbeiten	F	Streichen Decke	A, D, H	2
	G	Trockenzeit Deckenanstrich	F	3
Elektro-arbeiten	H	Aufstemmen Wand	D	1
	J	Installation Elektroleitung	H	2
	K	Verputzen Kabelschlitze	J	2
	L	Trockenzeit Verputz	K	6

Abb. 8.6: Vorgangsliste zum Beispiel „Innenraumrenovierung"

Beispiel „Innenraumrenovierung": In Abb. 8.6 sind Vorgänge zusammengestellt, die bei der Renovierung eines Innenraums anfallen, wenn Boden und Tapete erneuert, Decken gestrichen sowie eine Elektroleitung unter Putz verlegt werden soll. In der Liste sind die Vorgänge nach „Gewerken" geordnet, die einen speziellen Teilbereich betreffen. In der vorletzten Spalte ist angegeben, welche anderen Vorgänge unbedingt bei Beginn dieses Vorgangs abgeschlossen sein müssen. So ist es sinnvoll, dass vor dem Neutapezieren (Vorgang E) zum einen die alte Tapete entfernt (D), zum anderen der Deckenanstrich getrocknet (G) und zum dritten das Unter-Putz-Legen der Elektroleitung (L) abgeschlossen ist.

Im Rahmen der Strukturplanung wird aus der Vorgangsliste ein Netzplan abgeleitet, der die Reihenfolge der einzelnen Vorgänge in grafischer Form darstellt. Dadurch werden Abhängigkeitsbeziehungen deutlich. Abb. 8.7 zeigt einen Vorgangs-Knoten-Netzplan,

d. h. einen Netzplan, bei dem die Vorgänge als Knoten dargestellt werden. Abb. 8.7 basiert auf den Vorgängen aus Abb. 8.6.

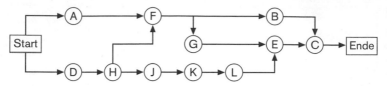

Abb. 8.7: Strukturplanung in Form eines Vorgangs-Knoten-Netzplans (für das Beispiel aus Abb. 8.6)

8.2.2 Zeitplanung

Die Zeitplanung besitzt zwei Dimensionen: Zum einen muss für jeden einzelnen Vorgang ermittelt werden, welche Zeit für seine Ausführung erforderlich ist (Vorgabezeitermittlung). Zum anderen ist unter Beachtung der Abhängigkeitsverhältnisse und der Struktur des Produktionsprozesses die für die Fertigung erforderliche Gesamtzeit zu bestimmen.

Zur **Ermittlung von Vorgabezeiten** werden sowohl Zeiten für die menschliche Arbeitsleistung als auch Vorgabezeiten für die Betriebsmittel (z. B. Maschinen) festgesetzt. Während sich die Vorgabezeiten für Betriebsmittel aus den technischen Gegebenheiten berechnen lassen (beispielsweise aus Schnittlänge und optimaler Schnittgeschwindigkeit), müssen die Vorgabezeiten für die menschliche Arbeitsleistung analytisch aus Ist-Werten abgeleitet werden. Diese Zeitermittlung zählt zum Bereich der Arbeitswissenschaften.

Zur Zeitermittlung können verschiedene Verfahren eingesetzt werden, die von einer Selbstaufschreibung durch den Mitarbeiter über die automatische Messung (durch spezielle Vorrichtungen) bis hin zur Beobachtung des Produktionsprozesses durch speziell geschulte „Zeiterfasser" reichen.

Im Rahmen der Zeitermittlung werden Rüst- und Ausführungszeiten unterschieden, die sich jeweils in Grund-, Erholungs- und Verteilzeit unterteilen. Die **Rüstzeit** dient der Arbeitsvor- und Nachbereitung, z. B. für das Herrichten der Maschine, für einen

Werkzeugwechsel oder für das Rückversetzten der Maschine in den Ausgangszustand. Die **Ausführungszeit** wird für die Verrichtung der eigentlichen Arbeitsaufgabe aufgewandt. In der **Grundzeit** erfolgt die planmäßige Ausführung des Vorgangs, die **Erholungszeit** dient der körperlichen Regeneration des Menschen, während über die **Verteilzeit** unvorhergesehene Unterbrechungen des Produktionsprozesses (z. B. durch technische Defekte) eingeplant werden. In Abb. 8.8 sind einzelne Komponenten, aus der sich die für einen Auftrag benötigte Zeit zusammensetzt, und deren mathematische Verknüpfung dargestellt.

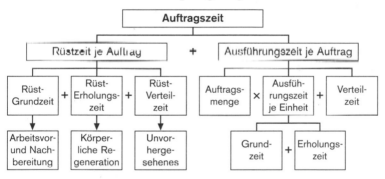

Abb. 8.8: Bestandteile der Auftragszeit

Grundzeiten können ganzheitlich für Arbeitsvorgänge oder für einzelne Vorgangselemente ermittelt werden. Die **Zerlegung von Arbeitsabläufen** in kleinste Teilschritte geht auf *Frederick W. Taylor*, der am Anfang des 20. Jahrhunderts die Automobilproduktion in den USA rationalisierte, zurück. Dabei werden „Bewegungselemente" (wie z. B. Werkstück greifen, fügen oder loslassen) abgegrenzt, für die durch Messung mit der Stoppuhr Ist-Zeiten zu ermitteln sind. Unter Beachtung einer „Normalleistung" werden daraus Vorgabezeiten („Sollzeiten") für jedes Bewegungselement bestimmt. Aus diesen Werten lassen sich synthetisch die Zeiten für neue Vorgänge bestimmen, indem die Zeiten für alle erforderlichen Bewegungselemente aufaddiert werden. Neben diesem Verfahren finden sich weitere Methoden der Sollzeiten-Festlegung. In Deutschland ist das Aufgabenfeld der Zeitermittlung eng mit dem „REFA-Verband für Arbeitsstudien" verbunden, der zu diesem Zweck bereits vor dem zweiten Weltkrieg gegründet wurde und eine Vielzahl von Verfahren und Vorgehensweisen zur Zeiterfassung entwickelt hat.

Zur **Zuordnung der Vorgabezeiten** zu einzelnen Vorgängen und zur Bestimmung der benötigten Gesamtzeit lässt sich wiederum die Netzplantechnik einsetzen. Dazu wird der Netzplan um eine **Terminplanung** ergänzt. Im Rahmen der Terminplanung wird die kürzestmögliche Zeitdauer für die Ausführung des Auftrags ermittelt sowie Zeitreserven („**Pufferzeiten**") und der „kritische Pfad" aufgezeigt. Der **kritische Pfad** gibt an, bei welchen Vorgängen keinerlei Pufferzeiten vorhanden sind; Verzögerungen bei diesen Vorgängen führen unvermeidlich zu einer Verlängerung der Gesamtbearbeitungszeit.

Zur Terminplanung werden für alle Vorgänge des Netzplans die Anfangs- und Endzeitpunkte der Bearbeitung bestimmt. Diese Zeitpunkte sind abhängig von der Vorgabezeit des Vorgangs, von den Vorgabezeiten für alle vorgelagerten Vorgänge sowie von den nachfolgend angeordneten Vorgängen. Insgesamt werden für jeden Vorgang folgende vier Zeitpunkte ermittelt:

- FA_j: Frühestmöglicher Anfangszeitpunkt für Vorgang j
- FE_j: Frühestmöglicher Endzeitpunkt für Vorgang j
- SA_j: Spätestzulässiger Anfangszeitpunkt für Vorgang j
- SE_j: Spätestzulässiger Endzeitpunkt für Vorgang j

Die Bestimmung dieser Zeitpunkte erfolgt in einem zweistufigen Verfahren: Zunächst wird beginnend am „Start" für jeden Vorgang des Netzplans unter Berücksichtigung der Vorgänger-Nachfolger-Beziehungen der frühestmögliche Anfangs- und Endzeitpunkt bestimmt. Anschließend erfolgt ausgehend von Endpunkt des Netzplans die Bestimmung der spätestzulässigen Anfangs- und Endzeitpunkte. Bei Vorgängen, die auf dem kritischen Pfad liegen, sind die frühestmöglichen und spätestzulässigen Zeitpunkte identisch, sie besitzen keine Pufferzeit. Bei den Vorgängen, die nicht auf dem kritischen Pfad liegen, errechnet sich die Pufferzeit aus der Differenz zwischen frühestmöglichem Anfangszeitpunkt (FAj) und spätestzulässigem Anfangszeitpunkt (SAj).

Um diese Angaben der Zeitplanung in einem Netzplan grafisch darzustellen, werden die Knoten auf sechs Felder erweitert, so dass sich für jeden Knoten die in Abb. 8.9 dargestellte Matrix ergibt.

Vorgangsbezeichnung j	Vorgangsdauer
FA_j (Frühestmöglicher Anfangszeitpunkt)	FE_j (Frühestmöglicher Endzeitpunkt)
SA_j (Spätestmöglicher Anfangszeitpunkt)	SE_j (Spätestmöglicher Endzeitpunkt)

Abb. 8.9: Vorgangsknoten mit Angaben zur Zeitplanung

In Abb. 8.10 ist ein Netzplan unter Einbeziehung der Zeitplanung dargestellt. Die einzelnen Vorgänge und die Vorgabezeiten basieren auf den Angaben in Abb. 8.6.

In Fortsetzung des **Beispiels** aus Abb. 8.6 wird für einige Vorgänge die Vorgehensweise der Zeitplanung exemplarisch erläutert:

Frühestmögliche Zeitpunkte für Vorgang A:
FA_A: 0 (hat keine Vorgänger)
FE_A: 1 h (ergibt sich aus der für A vorgegebenen Dauer V_A)

Frühestmögliche Zeitpunkte für Vorgang D:
FA_D: 0 (hat keine Vorgänger)
FE_D: 2 h (ergibt sich aus der für D vorgegebenen Dauer V_D)

Frühestmögliche Zeitpunkte für Vorgang H:
$FA_H = FE_D = 2$ h (H kann begonnen werden, wenn D abgeschlossen ist)
$FE_H = FE_D + V_H = 2$ h + 1 h = 3 h

Frühestmögliche Zeitpunkte für Vorgang F:
$FA_F = FE_H = 3$ h (F kann begonnen werden, wenn A und H abgeschlossen sind; da H zu einem späteren Zeitpunkt als A abgeschlossen ist, ist für die Berechnung von FA_F ausschließlich FE_H maßgeblich.)
$FE_F = FE_H + V_F = 3$ h + 2 h = 5 h

Auf diese Weise werden die frühestmöglichen Zeitpunkte für alle Vorgänge bestimmt. Anschließend erfolgt die Berechnung der spätestmöglichen Zeitpunkte, ausgehend vom Endpunkt des Netzplans:

Spätestmögliche Zeitpunkte für Vorgang C:

SE_C=Gesamtendzeitpunkt=21h (= FE_C, da Vorgang C auf dem kritischen Pfad liegt)

SA_C=SE_C-V_C=21h-2h=19h (= FA_C, da Vorgang C auf dem kritischen Pfad liegt)

Spätestmögliche Zeitpunkte für Vorgang B:

SE_B=SA_C=19h (es genügt, wenn Vorgang B zu diesem Zeitpunkt abgeschlossen ist, weil Vorgang C aufgrund seines Vorgängers E nicht früher begonnen werden kann.)

SA_B=SE_B-V_B=19h-7h=12h

Pufferzeit: SA_B-FA_B=12h-5h=7h

In Abb. 8.10 sind diese und alle übrigen, in analoger Weise ermittelten frühest- und spätestmöglichen Zeitpunkte eingetragen.

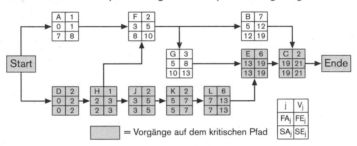

Abb. 8.10: Zeitplanung in Form eines Vorgangs-Knoten-Netzplans (für das Beispiel aus Abb. 8.6)

Die Netzplantechnik zwingt nicht nur zum Durchdenken der Arbeitsaufgabe, sie bietet auch eine gute grafische Übersicht und ermöglicht die laufende Kontrolle der Zeiteinhaltung. Insbesondere richtet sie das Augenmerk auf die auf dem kritischen Pfad liegenden Vorgänge. Es wird sofort deutlich, wie sich eine Verzögerung bei einem einzelnen Vorgang auf die Gesamtausführungszeit auswirkt. Zugleich eröffnen sich völlig neue Perspektiven: Durch die Netzplandarstellung in Abb. 8.10 wird deutlich, dass die Ausführung des Vorgangs A (d. h. des Gewerks „Bodenbelagsarbeiten") erst begonnen werden muss, wenn Vorgang K (d. h. das Gewerk Elektroarbeiten) abgeschlossen ist, ohne dass sich die Gesamtausführungszeit für das Renovierungsprojekt verändert.

8.2.3 Kapazitätsplanung

Die Ergebnisse der Struktur- und Zeitplanung berücksichtigen nicht die vorhandenen Kapazitäten an Personal oder an Betriebsmitteln (Maschinen, Geräte). Dies geschieht im Rahmen der Kapazitätsplanung. Dazu werden die vorhandenen Kapazitäten dem sich ergebenden Kapazitätsbedarf gegenübergestellt.

Bei **Kapazitätsengpässen** können folgende Maßnahmen ergriffen werden:

- Erhöhung der Kapazität durch Sonderschichten, Überstunden, die Einstellung von zusätzlichen Arbeitskräften oder die Beschaffung von zusätzlichen Maschinen. Ferner können Fertigungskapazitäten bei anderen Unternehmen hinzugekauft oder Unteraufträge an Fremdunternehmen vergeben werden.

- Verlängerung der Ausführungszeit: Durch eine Änderung der Terminplanung wird die Ausführungszeit so verlängert, dass die vorhandenen Kapazitäten ausreichend sind.

- Ausweichen auf andere Maschinen, die für den Produktionsvorgang zwar nicht optimal, die aber auch einsetzbar sind.

- Setzen von Prioritäten durch Verschiebung des Fertigstellungstermins, Zurückstellung oder Nichtannahme von konkurrierenden Aufträgen.

Daneben ist es Aufgabe der Kapazitätsplanung, die **Kapazitätsauslastung** zu optimieren. Die Bearbeitung von allen vorliegenden Aufträgen ist so einzuplanen, dass die vorhandenen Kapazitäten optimal ausgenutzt werden, also möglichst wenig Leerzeiten entstehen, andererseits die einzelnen Aufträge zu den vereinbarten Zeitpunkten fertig gestellt sind. Für jede einzelne Maschine und jede Produktionsanlage ist eine eigene Belegungsplanung durchzuführen.

Zur **Maschinenbelegungsplanung**, aber auch zur Einplanung von Mitarbeitern werden **Balkendiagramme** (Gantt-Diagramme) eingesetzt. In Abb. 8.11 ist ein derartiges Diagramm für das Beispiel „Immobilienrenovierung" (aus Abb. 8.6) dargestellt. Dabei sind die einzelnen Vorgänge in der frühestmöglichen Lage eingezeichnet. Balkendiagramme bieten bei kleineren Projekten mit wenigen Vorgängen eine übersichtliche Darstellung des Projektablaufs. Für Aufgaben, die über die Belegungsplanung hinausgehen, sind sie nicht einsetzbar, da sie nicht wie ein Netzplan eine logische Verknüpfung der einzelnen Tätigkeiten enthalten.

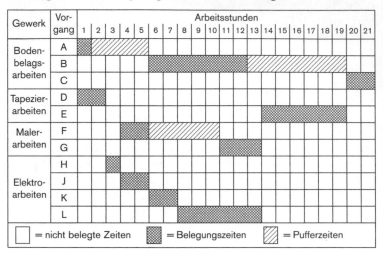

Abb. 8.11: Balkendiagramm zur Kapazitätsplanung (für das Beispiel aus Abb. 8.6)

8.2.4 Arbeitsplan

Der Arbeitsplan, der auch als „Werkstattpapier" bezeichnet wird, fasst die Ergebnisse der Produktionsablaufplanung zusammen und dient der Steuerung des Fertigungsprozesses. Für jedes Bauteil und jede Bauteilgruppe eines Fertigungsauftrags wird ein eigener Arbeitsplan erstellt, der die einzelnen Arbeitsschritte, die geplante Auftragszeiten und eine Zuordnung zu Maschinen und Kostenstellen enthält. Arbeitspläne für Bauteilgruppen enthalten zusätzlich Hinweise zum Zusammenbau und den dazu benötigen Bauteilen.

Abb. 8.12 zeigt das Beispiel eines Arbeitsplans für ein Bauteil, das gefertigt werden soll. Neben allgemeinen Angaben, die das zu fertigende Werkstück beschreiben (Bezeichnung, Teil-Nr., Werkstoff, Abmessung des Rohlings, Auftrags-Nr., Zeichnungs-

Nr. und Losgröße), sind alle auszuführenden Arbeitsgänge in der logischen Reihenfolge aufgeführt.

Arbeitsplan		Werkstück: Antriebswelle				Teil-Nr: 5-16-37- 610	
Werkstoff: 34 CrNiMo 6		Werkstoff- Nr: 1.6582	Abmessung Rohling: 260 mm lang, Ø 20 mm			Erstellt: H.Zeit, 16.9.1998	
Auftrags-Nr. K 5566 / 02		Zeichnungs- Nr. 87.456.98	Losgröße: 30 Stück			Zuletzt geändert: G.Burt, 29.9.2000	
Nr	Bezeichnung des Arbeitsganges	Kos- ten- stelle	Lohn- grup- pe	Maschine (Code- Bez.)	Werk- zeug (Code- Bez.)	Rüst- zeit (in min.)	Ausführ.- Zeit (min/ Stück)
1	Absägen, 254 mm	2010	03	SP 600	–	5	0,5
2	Plandrehen	3020	06	DE 1000	D12	8	1,2
3	Plandrehen, 250 mm	3020	06	DE 1000	D12	3	1,2
4	Langdrehen, 2 Absätze	3020	06	DE 1000	D15	5	2,8
5	Fräsen Passfedernut	4010	06	FR 500	F8	8	1,5
6	Bohren Ø 2	5040	04	B 25	B2	5	0,2
7	Gewindeschneiden M2	5040	04	B 25	M2	5	1,0
8	Entgraten	5040	03	–	–	–	0,5

Abb. 8.12: Beispiel für einen Arbeitsplan

Bei jedem Arbeitsgang wird angegeben:
- Bezeichnung des Arbeitsgangs
- Kostenstelle, von der der Arbeitsgang ausgeführt werden soll (z. B. Sägerei, Dreherei)
- Lohngruppe, deren Festsetzung von der Schwierigkeit und Komplexität des Arbeitsgangs abhängig ist
- Maschine, auf der der Arbeitsgang auszuführen ist (z. B. spezielle Säge in der Sägerei, spezielle Drehmaschine in der Dreherei)
- Werkzeuge, die zur Ausführung des Arbeitsgangs erforderlich sind (z. B. spezielles Sägeblatt)
- Planvorgabe für die **Rüstzeit** (vgl. dazu Abb. 8.8), die nur einmal für die Fertigung des gesamten Loses anfällt. Bei der Rüst-

zeit handelt es sich um den Zeitbedarf, der für die Vorbereitung und Nachbereitung des Arbeitsgangs erforderlich ist (z. B.
Werkzeugwechsel bei der Maschine).

- Planvorgabe für die **Ausführungszeit** (vgl. dazu Abb. 8.8).
Dies ist die Zeit, die für die Fertigung für jedes Stück benötigt
wird. Diese Zeit ergibt sich aus technischen Bedingungen (z. B.
Maschinenschnittzeit), aber auch aufgrund der erforderlichen
Handgriffe.

Die Erstellung von Arbeitsplänen ist aufwendig, jedoch bei
komplexen Fertigungsvorgängen im Bereich der Serienfertigung
unabdingbar. Sie bilden detaillierte Arbeitsanweisungen für die
Mitarbeiter im Fertigungsbereich, durch die sichergestellt wird,
dass die Fertigung eines Bauteils entsprechend den Vorgaben erfolgt. Arbeitspläne können mehrfach verwendet werden, wenn
gleiche Bauteile gefertigt werden müssen. Da die Arbeitspläne für
neue Bauteilen leicht durch eine Anpassung von vorhandenen Arbeitsplänen von ähnlichen, bereits gefertigten Bauteilen erfolgen
kann, ist eine gute Archivierung der Arbeitspläne eine wichtige
Maßnahme zur Senkung der Produktionsplanungskosten.

8.3 Produktionsprozess

Der eigentliche Produktionsprozess (Fertigungsprozess, Her-
stellungsprozess) setzt sich im industriellen Bereich aus der **Bearbeitung** von Werkstücken und der anschließenden **Montage**
der Werkstücke zu Baugruppen und schließlich zum Endprodukt gemäß den Vorgaben der Produktionsablaufplanung zusammen. Im Dienstleistungsbereich erfolgt im Produktionsprozess die Dienstleistungserbringung (z. B. Beratungstätigkeit, Gut-
achtenerstellung).

Der Produktionsprozess ist ständig zu überwachen; bei Abwei-
chungen ist steuernd einzugreifen. Dazu werden die tatsächlich
eingetretenen Werte (Ist-Werte) mit den Vorgabewerten (Soll-
Werte) verglichen. Bei Abweichungen ist steuernd einzugreifen.
Im industriellen Bereich erfolgt die **Steuerung** heute zumeist
EDV-unterstützt über PPS-Systeme (vgl. Kap. 8.4).

Die Überwachung bezieht sich auf Zeit (Terminkontrolle), Kosten, aber auch auf die Qualität der erstellten Produkte. Die Bedeutung der **Qualitätssicherung** hat in den letzten Jahrzehnten erheblich zugenommen. Viele Unternehmen versuchen durch den Aufbau von **Qualitätsmanagementsystemen** Wettbewerbsvorteile zu erlangen. Durch Kontroll- und Rückkoppelungsmechanismen, prozessgestaltende Maßnahmen, Schaffung von Richtlinien und Vorgaben in Form eines Qualitätsmanagementhandbuchs sowie durch Schulung der Mitarbeiter werden Systeme geschaffen, die speziell an die jeweilige Produktionsstruktur angepasst sind. Vorgaben für derartige Systeme finden sich in den Normen ISO 9000 ff. Viele Unternehmen lassen ihr Qualitätsmanagementsystem anschließend durch eine neutrale Einrichtung akkreditieren oder zertifizieren und nutzen dann das erhaltene Zertifikat als Verkaufsargument.

Naturgemäß prallen im Produktionsprozess kaufmännische und technische Fragestellungen unmittelbar aufeinander. Zwischen diesen beiden Perspektiven, zwischen der kostenoptimierenden betriebswirtschaftlichen und der an optimalen technischen Lösungen orientierten ingenieurwissenschaftlichen Welt, müssen Kompromisse zum Wohle des Unternehmens gefunden werden, wobei je nach Unternehmensphilosophie unterschiedliche Wege beschritten werden können.

8.4 Computerunterstützte Produktionswirtschaft

Schon früh wurde versucht, Teile des Produktionsprozesses zu rationalisieren und damit die Produktionskosten pro Stück zu senken. Bereits in antiker Zeit finden sich große Manufakturen für Töpferwaren oder Waffen. Im 18. und 19. Jahrhundert wurden im großen Stile Manufakturen gegründet, die sich dann in Industriebetriebe wandelten. Ein weiterer großer Schritt war zu Beginn des 20. Jahrhunderts die Einführung des Fließbandes in der Automobilindustrie.

Durch die fortschreitende Entwicklung der Computertechnik hielten seit den 1970er Jahren zunächst in größeren, später auch in mittelgroßen Unternehmen des Maschinenbaus und der Elektroindustrie die Computer in verschiedenen Bereichen der Produktionswirtschaft Einzug. Als Insellösung wurden für die einzelnen Bereiche eigene Systeme geschaffen. Dabei lassen sich Systeme unterscheiden, die die technische und andere die die betriebswirtschaftliche Seite des Produktionsprozesses unterstützen. Die **technikorientierten Systeme** zeichnen sich durch die vorangestellte Abkürzung „CA" (= Computer aided, d. h. computerunterstützt) aus. Im einzelnen werden unterschieden:

- **CAD** (= Computer Aided Design): EDV-Unterstützung im Entwurfs- und Konstruktionsbereich durch computerbasierte Zeichnungs- und Stücklistenerstellung („konstruieren am Bildschirm")

- **CAP** (= Computer Aided Planning): EDV-Unterstützung bei der Produktionsablaufplanung durch die Erstellung und Anpassung von Arbeitsplänen (vgl. Kap. 8.2.4).

- **CAM** (= Computer Aided Manufacturing): EDV-Unterstützung beim Fertigungsprozess, z. B. durch die Steuerung und Überwachung vom Maschinen, Produktionsanlagen oder die diese verbindenden Transportsysteme. Durch die Automatisierung von Fertigung und Montage lassen sich Produktionsvorgänge erheblich beschleunigen. Dies geschieht u. a. durch den Einsatz von NC- oder CNC-Maschinen. NC-Maschinen (NC = Numerical Control) sind Maschinen, die einen Fertigungsvorgang (z. B. fräsen, drehen, bohren) mit Hilfe eines Programms, das zuvor in einer Fachabteilung erstellt wurde, ausführen. Fortschrittlicher sind CNC-Maschinen, die durch einen neben der Maschine stehenden Computer gesteuert werden, so dass ein geschulter Facharbeiter die Programmierung selbst vornehmen oder abändern kann.

- **CAQ** (= Computer Aided Quality Assurance): EDV-Unterstützung bei der Qualitätssicherung durch automatisierte Messungen, Kontrollen und Messdatenauswertungen.

Neben diesen technischen Systemen wurden für **betriebswirtschaftliche Aufgaben** Produktionsplanungs- und Steuerungssysteme **(PPS-Systeme)** entwickelt. PPS-Systeme werden in Industrieunternehmen zur mengenmäßigen und zeitlichen Planung, Steuerung und Kontrolle des Produktionsablaufes eingesetzt. PPS-Systeme bilden die in den vorangegangenen Kapiteln dargestellten Bereiche der Produktionswirtschaft ab. Üblicherweise lassen sich folgende **PPS-System-Komponenten** unterscheiden:

Grunddatenverwaltung: Zentraler „Kern" des PPS-Systems, in dem umfangreiche Datenbestände mit komplexen Wechselbeziehungen gepflegt werden müssen. Zu den Grunddaten zählen:

- Teilestammdaten (Teilenummer, Bezeichnung, sowie technische Daten)
- Erzeugnisstrukturdaten (Zusammensetzung von Erzeugnissen aus einzelnen Teilen, z. B. in Form von Stücklisten)
- Arbeitplandaten (in Arbeitsplänen zusammengefasste Daten, vgl. Kap. 8.2.4)
- Beschaffungsstammdaten (Lieferantendaten, u. a.)
- Verkaufsstammdaten

Produktionsprogrammplanung: Planung des aktuellen Produktionsprogramms aufgrund der vorliegenden Auftragslage und von Prognosen für künftige Bedarfe.

Materialbedarfsplanung: Planung des Bedarfs an Zwischen- und Vorprodukten, der sich aus der Produktionsprogrammplanung ergibt. Zumeist ist dieser Bereich unmittelbar mit dem Lager- und Bestellwesen (und damit mit der Materialwirtschaft) verknüpft.

Zeit- und Kapazitätsplanung: Durchlaufterminierung und Abstimmung mit den vorhandenen Kapazitäten; anschließend Planung der Belegung der einzelnen Maschinen und Anlagen. Bei Engpässen erfolgt eine zeitliche Verschiebung von einzelnen Aufträgen.

Produktionssteuerung: Feinterminierung und Überwachung der laufenden Produktion (Auftragsfortschrittskontrolle). Eine zeitnahe Erfassung aller relevanten Ist-Daten (z. B. Fertigstellungstermine für einzelne Produktionsvorgänge, Lagerorte) während des Produktionsprozesses wird durch produktionsnah aufgestellte Terminals sichergestellt. Durch diese **Betriebsdatenerfassung** können aus der zentralen PPS-Datenbank sofort vorhandene

Lagerbestände sowie der aktuelle Produktionsstand abgerufen werden. Auf Störungen des Produktionsablaufs kann flexibel und schnell reagiert werden.

PPS-Systeme besitzen eine produktions- und materialwirtschaftliche Zielrichtung. Darauf aufbauend wurden in den letzten Jahren umfassende Systeme entwickelt, die alle betriebswirtschaftlichen Teilbereiche in ein Gesamtsystem einbeziehen. Die einzelnen Teilbereiche werden in so genannten „Modulen" abgebildet, die für sich alleine eingesetzt werden können, die sich aber auch zu einem umfassenden betriebswirtschaftlichen System verknüpfen lassen, das in die Informationswirtschaft des Unternehmens fest eingebunden ist. Derartige Fortentwicklungen sind **MRP-Systeme** *(Manufacturing-Resource-Planning-System)*, bei denen Produktions-, Vertriebs- und Erfolgspläne einbezogen sind. Eine weitere Weiterentwicklung stellen **ERP-Systeme** *(Enterprise-Resource-Planning-System)* dar, die zusätzlich die Bereiche Personalwirtschaft, Qualitätssicherung und Instandhaltung berücksichtigen. Fließen auch Aspekte der unternehmensübergreifenden Planung und Steuerung ein, wird von Advanced-Planning-and-Scheduling-Systemen **(APS-Systemen)** gesprochen.

Für umfassende Informationsverarbeitungssysteme, die technische und betriebswirtschaftliche Teilsysteme verbinden, ist die Bezeichnung **CIM** *(Computer Integrated Manufacturing)* üblich. Abb. 8.13 zeigt die einzelnen Komponenten der computergestützten Produktion und ihre Verknüpfung zu einem CIM-System.

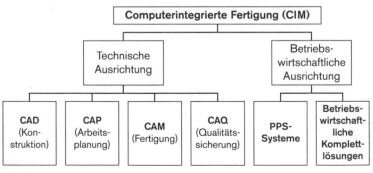

Abb. 8.13: Bestandteile der computerunterstützten Produktion

Es ist nahe liegend und sinnvoll, die einzelnen Bereiche zu einem Gesamtsystem zusammenzufügen, so dass ein einheitliches System mit einer einheitlichen Datenbasis für alle Bereiche des Unternehmens zur Verfügung steht. Allerdings sind EDV-Systeme, die alle technischen und alle betriebswirtschaftlichen Funktionen in einem System abbilden möchten, durch eine hohe, oft nicht mehr nachvollziehbare Komplexität gekennzeichnet. Solche Lösungen stellen zwar theoretisch ein hervorragendes Planungs- und Steuerungsinstrument dar, lassen sich in der Praxis kaum oder nur sehr zeitaufwendig umsetzen. Die Gefahr von gravierenden Fehlern, die nicht oder nur durch Zufall bemerkt werden, wächst. Daher ist die große Euphorie der vergangenen Jahre inzwischen gewichen. Die Fachwelt ist geteilt: Die eine Hälfte sieht in CIM-Konzepten weiterhin die „Fabrik der Zukunft", während die andere Hälfte das Ziel, ein allumfassendes Planungs- und Kontrollsystem für das gesamte Unternehmen zu schaffen, aufgrund der zu hohen Komplexität für nicht realisierbar hält.

Weiterführende Literatur: *Adam, Dietrich:* Produktions-Management. 9. Auflage. Wiesbaden: Gabler 1998; *Berning, Ralf:* Grundlagen der Produktion. Produktionsplanung und Beschaffungsmanagement. Berlin: Cornelsen 2001; *Günther, Hans-Otto/Tempelmeier, Horst:* Produktion und Logistik. 4. Auflage. Berlin u.a.: Springer 2000.

9. Absatzwirtschaft (Marketing)

Die letzte Phase des betrieblichen Leistungserstellungsprozesses bildet die Verwertung der erstellten Leistungen, indem Produkte oder Dienstleistungen auf den (Absatz-)Märkten angeboten und schließlich verkauft werden. Von betriebswirtschaftlicher Seite werden diese Aktivitäten durch die **Absatzwirtschaft** oder das **Marketing** unterstützt. Die Abgrenzung dieser beiden (häufig synonym verwendeten) und von weiteren Begriffen erfolgt in Kap. 9.1.

Um ein erfolgreiches Marketing betreiben zu können, sind eine gute Informationsbasis und geeignete Instrumente erforderlich. Die Möglichkeiten der absatzwirtschaftlichen Informationsbeschaffung werden in Kap. 9.2, das absatzwirtschaftliche Instrumentarium in Kap. 9.3 erläutert.

9.1 Begriffliche Grundlagen

Zur **Absatzwirtschaft** zählen alle vorbereitenden und ausführenden Tätigkeiten, die zur Verwertung der erstellten Produkte (oder Dienstleistungen) ausgeführt werden müssen. Die Spannweite reicht von der Informationsgewinnung über die Preisfestlegung bis hin zur Werbung. Die Absatzwirtschaft wird auch kurz als **„Absatz"** bezeichnet. Diese Bezeichnung ist jedoch nicht eindeutig, da unter Absatz auch die Anzahl der in einer Periode verkauften Produkte, also die Absatzmenge, verstanden wird.

Verkauf und Vertrieb bilden Teilbereiche der Absatzwirtschaft. Der **Verkauf** stellt die eigentliche Produkt- oder Dienstleistungsabgabe, d.h. den Vorgang der Veräußerung dar. Bereiche wie Werbung oder Informationsgewinnung sind ausgeklammert. Die technische Seite des Absatzes spiegelt der Begriff **„Vertrieb"** wider. Es geht hier um die Verteilung („Distribution") der Produkte. Auf diesen Aspekt wird in Kap. 9.3.3 näher eingegangen.

Neben diesen Begriffen steht das aus den USA stammende

Konzept des **Marketing**, das teilweise synonym zum Absatz-
wirtschaftsbegriff verwendet wird. Im betriebswirtschaftlichen
Schrifttum bezeichnet das Marketing eine „spezielle Denkhal-
tung", die als Unternehmensphilosophie eine Leitlinie für die
Unternehmensleitung darstellt.

Um die Entstehung des heutigen **Marketingbegriffs** zu verdeutlichen, ist ein Blick auf die sich verändernden Absatzmärkte des
20. Jahrhunderts sinnvoll. Zunächst herrschten **Verkäufermärkte**
vor, bei denen die Nachfrage größer als das Angebot war. Zunehmende Bevölkerungszahlen und steigende Einkommen führten
dazu, dass alle angebotenen Produkte einen Abnehmer fanden
und die Unternehmen keine Absatzprobleme besaßen. Engpass-
faktoren bildeten in dieser Zeit die Rohstoffbeschaffung und die
Produktionskapazitäten, so dass hauptsächlich material- und
produktionswirtschaftliche Probleme zu lösen waren.

In den USA wandelte sich diese Marktsituation bereits in den
1920er Jahren grundlegend. In Europa trat dieser Wandel erst in
der zweiten Hälfte des 20. Jahrhunderts ein, als der durch den
zweiten Weltkrieg entstandene Nachholbedarf gesättigt war. Aus
den Verkäufermärkten wurden nun **Käufermärkte**, bei denen das
Angebot größer als die Nachfrage ist. Gesättigte Märkte, steigende Produktionszahlen infolge besserer Produktionsanlagen, eine
sinkende Kaufkraft durch zunehmende Arbeitslosigkeit und eine
starke Konkurrenz führten dazu, dass viele Unternehmen sich
verstärkt dem Engpassfaktor Absatz zuwandten. An die Stelle der
Produktionsorientierung trat die **Marktorientierung** der Unternehmen. Darunter ist nicht nur der verstärkte Einsatz von absatzwirtschaftlichen Methoden zu verstehen, mit denen der Absatz
gefördert werden soll (z. B. Werbung), sondern darüber hinaus
eine vollständige Ausrichtung aller Unternehmensaktivitäten auf
die Anforderungen des Marktes. Dabei werden auch Änderungen
der Märkte (z. B. eine zunehmende Umweltorientierung) aufgegrif-
fen und für die Zwecke der Absatzförderung eingesetzt (z. B. durch
ein „Öko-Marketing"). Eine solche **marktbezogene Ausrichtung
des gesamten Unternehmens** ist Aufgabe des **Marketings**.

Das Marketing wird im Schrifttum zunehmend als **Unternehmensphilosophie**, als Leitkonzept für die Unternehmensführung

gedeutet, durch das eine „marktorientierte Koordination aller betrieblichen Funktionsbereiche" (so *Meffert*, Marketing, S. 7) sichergestellt werden soll. Daneben erfolgt eine Anwendung des Begriffs in anderen betrieblichen Funktionsbereichen: Neben das Absatz-Marketing treten das Beschaffungs-Marketing (vgl. dazu auch Kap. 7.5), das Personal-Marketing oder das Marketing-Controlling. Damit ist der Marketingbegriff so weit gefächert, dass er seine Eignung zur Abgrenzung eines betrieblichen Funktionsbereiches verliert, so dass an dieser Stelle durchgängig der Begriff der Absatzwirtschaft zur Anwendung kommt.

Neben den genannten Abgrenzungen finden sich zur Berücksichtigung von Besonderheiten bei speziellen Teilmärkten die Disziplinen Investitionsgüter-, Konsumgüter- und Dienstleistungsmarketing, bei denen die Absatzwirtschaft und ihre Instrumente aus einem bestimmten Blickwinkel beleuchtet werden.

9.2 Beschaffung von absatzwirtschaftlichen Informationen

9.2.1 Marktforschung

Marktforschung im engeren Sinne bezieht sich auf eine Untersuchung der für ein Unternehmen relevanten Märkte, indem das Marktpotential und der Marktanteil des eigenen Unternehmens analysiert werden. In den meisten Veröffentlichungen (und so auch an dieser Stelle) wird Marktforschung im weiteren Sinne abgegrenzt. Demnach erfolgt durch die Marktforschung die **systematische Sammlung und Aufbereitung** aller Informationen, die für Absatzwirtschaft von Relevanz sind; neben den Daten über die Märkte werden alle unternehmensexternen und unternehmensinternen Informationen ausgewertet, die für absatzpolitische Planungen und Entscheidungen erforderlich sind. Für diese weite Abgrenzung des Begriffs ist auch die Bezeichnung „**Marketingforschung**" üblich.

Die Methoden der Marktforschung lassen sich nach verschiedenen Kriterien untergliedern. Einige der Kriterien sind in Abb. 9.1 zusammengestellt.

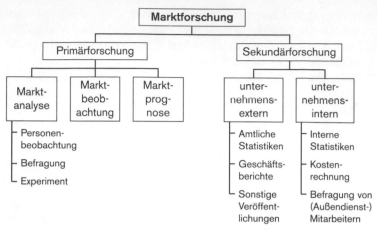

Abb. 9.1: Methoden der Marktforschung

Grundlegend ist die Unterscheidung in Primär- und Sekundärforschung. Die **Primärforschung** erschließt neue Informationen „im Markt" durch spezielle auf die Fragestellung abgestimmte Untersuchungen. Die Durchführung der Primärforschung übernehmen entweder die unternehmenseigene Marktforschungsabteilung oder darauf spezialisierte Dienstleistungsunternehmen. Um einen Eindruck von der gegenwärtigen Situation eines Marktes zu gewinnen, werden **Marktanalysen** durchgeführt. Dazu können verschiedene Analysemethoden eingesetzt werden:

- **Personenbeobachtung:** Bei der Beobachtung wird Verhalten von Marktteilnehmern (z. B. Kunden in einem Supermarkt) oder von Versuchspersonen erfasst. Dabei kann die Beobachtung offen oder versteckt erfolgen, wobei bei einer offenen Beobachtung die Gefahr des „Beobachtungseffektes" besteht (d. h. die Beobachteten ändern ihr Verhalten absichtlich oder unterbewusst).

- **Befragung:** Die Befragung ist die am weitesten verbreitete Marktforschungsmethode. Sie kann in schriftlicher oder in mündlicher Form erfolgen.

    Die **schriftliche Befragung** geschieht mit Fragebögen, bei denen Antwortvorgaben angekreuzt oder frei formulierte Antworten eingetragen werden müssen. Fragebögen ermöglichen die Befragung eines großen Personenkreises, doch die Rücklaufquoten sind erfahrungsgemäß schlecht (lediglich 20 bis 30 Prozent).

Bei der **mündlichen Befragung**, die auch als **Interview** bezeichnet wird, führt ein Interviewer direkt oder über das Telefon ein Gespräch, das entweder auf einem Fragebogen basiert oder als „freies" Interview geführt wird. Interviews besitzen eine hohe Erfolgsquote, ihre Durchführung ist jedoch aufwendig. Zudem besteht die Gefahr, dass die Ergebnisse stark durch den Interviewer und dessen Vorgehensweise beeinflusst werden.

- **Experiment:** Als Experiment oder Test werden Untersuchungen verstanden, bei denen unter exakt festgelegten Versuchsbedingungen der Einfluss oder die Veränderung von bestimmten Variablen ermittelt werden. Es lassen sich Feldexperimente und Laborexperimente unterscheiden. So können vor der Einführung neuer Produkte so genannte „Markt-Tests" durchgeführt werden, bei denen die Produkte auf einem abgegrenzten Markt getestet und der Einfluss der Veränderung von einzelnen absatzwirtschaftlichen Instrumenten gezielt untersucht wird.

Bei der **Marktbeobachtung** werden nicht wie bei der Marktanalyse ein gegenwärtiger Zustand, sondern Veränderungen und Entwicklungstendenzen über einen Zeitraum hinweg registriert. Das Ergebnis sind Zeitreihen, die auch in die Zukunft fortgeschrieben werden können. Der Übergang zwischen Marktanalyse und Marktbeobachtung ist jedoch fließend.

Die **Marktprognose** dient der Abschätzung von voraussichtlichen Entwicklungen auf den Absatzmärkten. Ein wichtiger Teilbereich sind **Absatzprognosen**, die die Absatzchancen für einzelne Produktarten eines Unternehmens ermitteln. Dabei werden folgende Größen bestimmt und verglichen:

- Marktvolumen: gesamter Absatz einer Produktart oder einer Branche
- Absatzvolumen: gesamter Absatz eines Unternehmens
- **Marktanteil** = Absatzvolumen/Marktvolumen
- Marktpotential: maximal möglicher Absatz für ein Produkt

- Absatzpotential: maximal möglicher Absatz eines Unternehmens
- **Sättigungsgrad** = Marktvolumen/Marktpotential

Zur Marktprognose lassen sich **quantitative Verfahren** (mathematische Verfahren, die eine „Vorausberechnung" der Zukunftsdaten durch Fortschreibung von Beobachtungswerten ermöglichen sollen wie z. B. die Regressionsanalyse) oder **qualitative Verfahren** (Befragung von Mitarbeitern, Kunden oder Groß- und Einzelhändlern) einsetzen.

Aus Marktprognosen können verschiedene Ergebnisse abgeleitet werden. Die Analyse der tatsächlich realisierten Ist-Werte verdeutlicht Veränderungen in den Märkten und die Stellung des eigenen Unternehmens. Die Schlüsse, die gezogen werden, sind von der jeweiligen Marktsituation abhängig: Auf Wachstumsmärkten verschlechtert sich die Marktstellung eines Unternehmens, wenn sein Absatz konstant bleibt. Andererseits sind Absatzsteigerungen möglich, ohne dass sich der Marktanteil vergrößern muss. Ferner zeigt die Prognose des Marktpotentials und des Sättigungsgrades Chancen oder Risiken von verschiedenen Markterweiterungsstrategien.

Die **Sekundärforschung** greift auf vorhandene Informationen zurück, die allgemein verfügbar sind oder auch für einen anderen Zweck erhoben wurden. Die Sekundärforschung ist „vom Schreibtisch aus" (so genanntes „Desk Research") wesentlich schneller und kostengünstiger als die Primärforschung („Field Research") durchzuführen. Allerdings sind die Informationen nicht auf den speziellen Untersuchungsbereich abgestimmt, häufig wenig detailliert, von unterschiedlicher Genauigkeit und geringer Qualität, so dass sie im Regelfall nur für Voruntersuchungen oder einfache Studien eingesetzt werden. Sekundärinformationen können aus dem Unternehmen selbst oder von externen Quellen stammen. Als **unternehmensexterne Sekundärinformationen** dienen unter anderem

- amtliche Statistiken (z. B. Veröffentlichungen des Statistischen Bundesamtes oder von Statististischen Landesämtern, der Bundesbank oder der Bundesregierung)

- Informationen von Verbänden und Kammern (z. B. Industrie- und Handelskammer)
- Geschäftsberichte, Kataloge, Prospekte und sonstige Veröffentlichungen von Konkurrenzunternehmen
- Fachzeitschriften und Zeitungen
- Wirtschaftsinformationsdienste
- Veröffentlichungen von Marktforschungsunternehmen
- Handbücher und einschlägige Literatur
- Datenbanken und Informationen, die über das Internet abgerufen werden können

Als **unternehmensinterne Sekundärinformationen** können folgende Quellen aus dem eigenen Unternehmen für Zwecke der Marktforschung ausgenutzt werden:

- interne Statistiken (z. B. Absatz-, Produktions- oder Verkaufsstatistiken)
- Rechnungswesen, davon insbesondere die Kostenrechnung
- Eigene Veröffentlichungen (Geschäftsberichte, Kataloge, Prospekte)
- Berichte von Außendienstmitarbeitern oder des Kundendienstes
- Erfahrungen und Einschätzungen der Mitarbeiter

Aufgabe der Marktforschung ist nicht nur die Beschaffung der Informationen, sondern auch deren Interpretation und Aufbereitung. Dazu zählt die Verdichtung der Daten ebenso wie das Aufdecken von Zusammenhängen und Abhängigkeiten.

9.2.2 Marktsegmentierung

In einem Markt tummeln sich Kunden mit den unterschiedlichsten Wünschen und Anforderungen. Um diesen unterschiedlichen Anforderungen gerecht zu werden und den Markt optimal mit absatzwirtschaftlichen Instrumenten bearbeiten zu können, erfolgt eine Zerlegung (Segmentierung) des Gesamtmarktes in einzelne Teilmärkte. Jeder abgegrenzte Teilmarkt sollte in sich möglichst homogen in seinem Marktverhalten sein, d. h. es sollten Marktteilnehmer zusammengefasst werden, die möglichst die gleichen Bedürfnisse besitzen. Auf der anderen Seite sollten sich die Marktsegmente untereinander deutlich unterscheiden. Für jedes dieser Marktsegmente kann dann das Angebot und die Marktbearbeitung (z. B. die Werbung), aber auch die Vertriebsgestaltung gezielt abgestimmt werden.

Wichtige Gesichtspunkte für eine Marktsegmentierung sind folgende Kriterien:

Demographische Kriterien: Als klassische Kriterien zur Abgrenzung von Käufergruppen dienen beobachtbare Merkmale wie Alter, Geschlecht, Familienstand, Kinderzahl und Haushaltsgröße, sowie Ausbildung, Beruf und Einkommen.

Psychographische Kriterien berücksichtigen den Lebensstil, die Interessen, Einstellungen und Kaufgewohnheiten der Konsumenten. Aus dem sozialen Status (Unter-, Mittel- Oberschicht) und der Wertorientierung (konservativ, materialistisch) lassen sich Konsumententypen abgrenzen, die ein ähnliches Konsumverhalten aufweisen und somit ein homogenes Marktsegment bilden. Abb. 9.2 zeigt eine Aufteilung des deutschen Marktes in derartige „Milieu-Segmente": Die Ellipsen kennzeichnen einzelne Marktsegmente und deren Zuordnung zu bestimmten Bevölkerungsschichten bzw. Wertorientierungen; Überschneidungen und Berührungspunkte zwischen verschiedenen Marktsegmenten werden deutlich. Das Volumen des jeweiligen Segments ist in Prozent des Gesamtmarktes angegeben. Seit den 1980er Jahren versuchen z. B. Unternehmen der Automobilindustrie diese Erkenntnisse zu nutzen, indem sie die Produktpolitik für ihre Kraftfahrzeuge (z. B. Luxuswagen, Sportwagen, Kleinwagen) speziell auf ihre relevanten Abnehmergruppen ausrichten.

Verhaltensorientierte Kriterien stellen auf das allgemeine Verhalten von Käufergruppen (z. B. Freizeit- und Urlaubsgestaltung), auf Kaufmotive (z. B. Preis, Qualität, Marke) oder die Bevorzugung von bestimmten Einkaufsstätten (beispielsweise „Tante-Emma-Laden", Supermarkt, Kaufhaus, Versandhandel) ab (vgl. auch Kap. 9.2.3).

Geographische Kriterien unterteilen den Markt nach Ländern, Regionen oder Ballungsräumen. Eine bekannte Unterteilung wurde von dem Marktforschungsunternehmen A. C. Nielsen entwickelt, nach der Deutschland in acht „Nielsen-Gebiete" untergliedert ist, die sich an die Bundesländeraufteilung anlehnen, wobei Hessen, Rheinland-Pfalz und das Saarland gemeinsam ein Nielsen-Gebiet bilden. Andere Untergliederungen orientieren sich z. B. an Postleitzahlbezirken.

Neben dieser groben „makrogeographischen" Segmentierung können auch mikrogeographische Marktsegmente durch die Abgrenzung von einzelnen Wohngebieten einer Stadt (wie z. B. Stadtviertel oder Straßenabschnitte) gebildet werden. Dadurch entstehen Marktsegmente, die durch die Homogenität bezüglich der Gesellschaftsschicht, des Bildungs- und Einkommensniveaus sowie des Konsumverhaltens der Bewohner sehr gezielte Werbeaktionen ermöglichen.

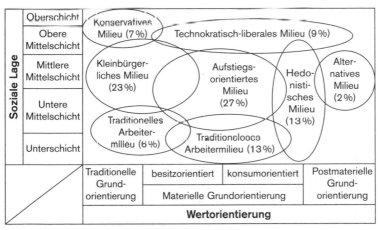

Abb. 9.2: Marktsegmente aufgrund der sozialen Stellung und der Wertorientierung in Deutschland (auf Basis von Untersuchungen des Heidelberger Sinus-Instituts)

Die Abgrenzung von Marktsegmenten erleichtert den Einsatz der Marktforschung sehr. Aber auch die Werbung lässt sich auf einzelne Käufergruppen abstellen. Um unterschiedliche Marktsegmente anzusprechen, können verschiedene Ausführungen eines Produkts angeboten werden, die sich z. B. in Verpackung oder Qualität unterscheiden.

9.2.3 Verhalten von Marktteilnehmern

Zur Festlegung von absatzwirtschaftlichen Maßnahmen sind Kenntnisse über das Verhalten des Kunden bei Kaufentscheidungen hilfreich. Aus Sicht eines Unternehmens bestehen vier mögliche **Kundentypen**:

- Konsumenten (Endverbraucher)
- Handelsunternehmen, die das Produkt ihrerseits weiterverkaufen
- Industrieunternehmen, die das Produkt weiterverarbeiten
- Unternehmen, die das Produkt als Investitionsgut einsetzen

Die Entscheidungsstrukturen von Kunden als Endverbrauchern wurde im Rahmen der Käuferverhaltensforschung intensiv erforscht. Unter Einbeziehung von Erkenntnissen aus Psychologie und Soziologie wurden Modelle entwickelt, die versuchen, eine Erklärung für das Kaufverhalten von Konsumenten zu liefern. Auf diese Modelle soll hier nicht weiter eingegangen werden (vgl. *Meffert*, Marketing, S. 109 ff.).

Bei einer **Kaufentscheidung** lassen sich folgende grundlegenden **Verhaltensweisen** unterscheiden, die sich durch die Einstellungen und Eigenschaften des Käufers sowie aus der Entscheidungssituation ergeben:

- **Rationales Verhalten:** Der Käufer wägt rational (vernunftbestimmt) verschiedene Alternativen ab und entscheidet sich für diejenige, die ihm den höchsten Nutzen liefert. Das setzt eine intensive gedankliche Auseinandersetzung mit den Entscheidungskriterien und das Sammeln von Informationen über die einzelnen Alternativen voraus.

- **Gewohnheit:** Der Käufer erwirbt aus Gewohnheit die gleichen Produkte, ohne sich andere Alternativen anzusehen, weil er mit den früher erworbenen Produkten zufrieden oder zu bequem ist, erneut in einen Abwägungsprozess einzutreten. Diese „habituelle" Kaufentscheidung erfolgt häufig bei Gütern des täglichen Bedarfs.

- **Impulsives Verhalten:** Spontane Kaufentscheidung, ohne dass zuvor Alternativen abgewogen oder Informationen verarbeitet werden. Der Käufer lässt sich von seinen Gefühlen und Empfindungen leiten.

- **Sozialabhängiges Verhalten:** Die Kaufentscheidung wird nicht eigenständig, sondern aufgrund der Einstellung oder der Meinung von anderen Personen (z. B. Freundeskreis, Prominente, Aussagen in der Werbung) getroffen. Es wird ein Produkt nur gekauft, weil es „in" ist.

Auf die Entwicklung des Kaufverhaltens haben auch **demographische Entwicklungen** einen starken Einfluss. Die rückläufigen Geburtenraten seit 1965 und die längere Lebenserwartung führen zu einem Anstieg des Anteils der älteren Bevölkerung, die bereits zu der Forschungsrichtung „Seniorenmarketing" geführt hat. Weitere **gesellschaftliche Tendenzen** wie die Zunahme von „Single Haushalten", die Abnahme der Wochenarbeitszeit und damit verbunden die wachsende Bedeutung von Freizeitaktivitäten sowie das steigende Umweltbewusstsein haben unmittelbaren Einfluss auf das Kaufverhalten und sind im Rahmen der Absatzwirtschaft zu berücksichtigen.

9.3 Absatzwirtschaftliches Instrumentarium

Es ist üblich, das absatzwirtschaftliche Instrumentarium in die folgenden vier Teilbereiche oder Entscheidungsfelder einzuteilen:

- **Produkt**politik (vgl. Kap. 9.3.1): Gestaltung der Produkte und des Produktprogramms
- **Kontrahierungs**politik (vgl. Kap. 9.3.2): Festlegung von Preisen, preispolitischen Strategien und Konditionen
- **Distribution**spolitik (vgl. Kap. 9.3.3): Auswahl der Vertriebswege, Verkaufsorgane und der Absatzlogistik
- **Kommunikation**spolitik vgl. Kap. 9.3.4): Maßnahmen der Werbung, der Verkaufsförderung und der Öffentlichkeitsarbeit

In der angelsächsischen Literatur werden den Bereichen die Bezeichnungen „Product", „Price", „Place", und „Promotion" zugeordnet, so dass einprägsam von den **„vier P's"** des Marketing gesprochen wird. Die vier Bereiche stehen nicht isoliert nebeneinander. Sie sind aufeinander abzustimmen und zur Steigerung des Unternehmenserfolgs zu koordinieren. Dies geschieht im Rahmen des so genannten „**Marketing-Mix**" (Kap. 9.3.5).

9.3.1 Produkte und Produktprogramm (Produktpolitik)

Aus absatzwirtschaftlicher Sicht ist ein **Produkt** eine Leistung, die ein Unternehmen auf dem Absatzmarkt anbietet. Dies können selbst erzeugte Güter, zugekaufte (Handels-)Waren oder Dienstleistungen sein. Das gesamte Sortiment, das ein Unternehmen auf dem Absatzmarkt anbietet, ist das **Produktprogramm**. Die Gestaltung der Produkte und des Produktprogramms werden als **Produktpolitik** oder als Produkt-Mix bezeichnet.

9.3.1.1 Produktgestaltung

Durch die Gestaltung ihrer Produkte versuchen Unternehmen, einen **Wettbewerbsvorteil** gegenüber Konkurrenzprodukten zu erlangen. Abb. 9.3 zeigt die verschiedenen Möglichkeiten, die zur Verbesserung der Position der eigenen Produkte eingesetzt werden können. Die folgenden Aussagen zur Produktgestaltung beziehen sich auf produzierte Güter, sie sind aber größtenteils auch auf Dienstleistungen zu übertragen.

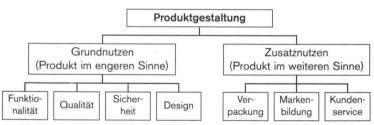

Abb. 9.3: Möglichkeiten der Produktgestaltung

Im Rahmen der Produktgestaltung können die Eigenschaften des Produkts (der sog. „Produktkern") verändert werden, so dass sich der **Grundnutzen**, den ein Käufer von dem Produkt erwartet, erhöht. Der Grundnutzen ist durch die Merkmale

- Funktionalität (Gebrauchstüchtigkeit bzw. Eignung des Produktes für den eigentlichen Einsatzzweck, Aufgabenerfüllung),

- Produktqualität (Materialqualität, Verarbeitung, Komfort, Flexibilität, Haltbarkeit, Wertbeständigkeit, Wirtschaftlichkeit),
- Sicherheit (Funktions- und Betriebssicherheit, Umweltverträglichkeit) und
- Design (Aussehen, aber auch Handlichkeit und ergonomische Gestaltung)

gekennzeichnet. Je nach Art des Produktes oder der Leistung besitzen die aufgeführten Merkmale eine unterschiedliche Ausprägungsform und Bedeutung.

Eine andere Möglichkeit besteht in der Verbesserung des **Zusatznutzens**, indem das eigentliche Produkt in seiner Funktionalität und seinen Eigenschaften unverändert bleibt, jedoch das **Produktumfeld** („Produkt im weiteren Sinne) verändert wird. Dazu zählen Verpackung, Produktmarke und Kundenservice.

Die **Verpackung** hat eine Schutzfunktion, daneben muss sie so gestaltet sein, dass Lagerung und Transport des Produktes erleichtert werden (vgl. dazu auch den Bereich der Logistik, Kap. 7.6.2). Daneben dient die Verpackung der Kundeninformation. Durch eine entsprechende Gestaltung lassen sich zudem verkaufsfördernde Effekte erzielen.

Die Schaffung und die Pflege von **Markenartikeln** ist eine wichtige Aufgabe der Produktpolitik. Markenartikel besitzen eine eindeutige Kennzeichnung („Markierung") durch einen speziellen Namen (Produkt- oder Firmennamen), eine spezielle Aufmachung (Design oder Verpackungsgestaltung), ein spezielles Symbol („Logo" wie z. B. das Lacoste-Krokodil) oder ein Gütesiegel (z. B. VDE-Prüfzeichen, Umweltengel). Eine hohe, gleich bleibende Qualität und ein hoher Bekanntheitsgrad ermöglichen es dem Produzenten, einen vergleichsweise hohen Preis anzusetzen. Andere Unternehmen beschreiten den entgegengesetzten Weg, indem sie **No-Name-Produkte** oder Generika herstellen, die besonders preisgünstig angeboten werden. Sowohl bei Markenartikeln als auch bei No-Name-Produkten soll ein Produkt-**Image** geschaffen werden, das potentielle Käufer aus den relevanten Marktsegmenten anspricht. Diese **Image-Strategie** war in den letzten Jahrzehnten in den Industrieländern sehr erfolgreich, indem es gelang, einzelne Produkte zu Statussymbolen hochzustilisieren oder zum Inbegriff eines bestimmten „Life-Style" werden zu lassen. Infolge eines Image-Vorsprungs können Produkte trotz stagnierender Märkte eine stabile, gegebenenfalls sogar steigende Nachfrage erzielen. Weit verbreitet ist die Image-Strategie bei Markenkleidung, Modeartikeln, Kosmetika, Schmuck, Kraftfahrzeugen, aber auch in der Reisebranche (exklusive Reiseziele) oder der Gastronomie.

Der Zusatznutzen kann für den Kunden durch zusätzliche Leistungen, die in Zusammenhang mit dem eigentlichen Produkt stehen, erhöht werden. Die **Betreuung des Kunden** („Kundenservice") beginnt mit den Verkaufsberatungen, setzt sich über Lieferung, Montage und Bedienereinweisung fort und reicht bis hin zu Wartungs- und Reparaturleistungen. Die Nähe zum Kunden durch ein engmaschiges Servicenetz, kurze Reaktionszeiten bei Anfragen und ein freundliches, dienstleistungsorientiertes Verhalten der Mitarbeiter können hier Wettbewerbsvorteile verschaffen. Insbesondere auf stagnierenden oder gesättigten Märkten und bei technisch komplizierten oder hochwertigen Produkten besitzt der Serviceaspekt eine hohe Bedeutung.

9.3.1.2 Handlungsalternativen der Produktpolitik

Ein Unternehmen besitzt verschiedene Möglichkeiten, um das vorhandene Produktprogramm zu gestalten und damit für künftige Anforderungen des Marktes vorzubereiten. Im einzelnen bestehen folgende Handlungsalternativen:

Produktbeibehaltung: Ein Produkt wird **unverändert** beibehalten, weil eine Änderung nicht erforderlich erscheint. Diese Strategie wird vor allem bei erfolgreichen Markenprodukten angewandt (z.B. Nivea-Creme). Geschieht die Produktbeibehaltung in Verkennung zukünftiger Entwicklungen oder aus Bequemlichkeit, kann dies gefährliche Auswirkungen für die zukünftigen Absatzchancen des Unternehmens haben.

Produktmodifikation: Das bestehende Produktprogramm wird **verändert.** Dies kann geschehen durch

- **Verpackungsgestaltung:** Das Produkt bleibt unverändert, es wird lediglich die Verpackung umgestaltet (z.B. ein Buch erhält ein neues Buchumschlag-Design).

- **Variation:** Ein bestehendes Produkt wird durch ein verbessertes Nachfolgeprodukt ersetzt (z. B. überarbeitete Neuauflage eines Buches). Die Verbesserung kann sich durch neue Erkenntnisse, aufgrund neuer Fertigungsmaterialien oder -prozesse ergeben.
- **Differenzierung:** Zu dem bestehenden Produkt werden Varianten angeboten (z. B. neben einer gebundenen Ausgabe wird eine Taschenbuchausgabe herausgegeben), um dadurch zusätzliche Marktsegmente anzusprechen.

Produktdiversifikation: Das bestehende Absatzprogramm wird **erweitert.** Bei einer **horizontalen** Diversifikation erfolgt eine Ergänzung des bestehenden Sortiments um ähnliche Produkte (z. B. medizinische Fachbuchhandlung erweitert das Sortiment um pharmazeutische Bücher). Bei der **vertikalen** Diversifikation werden vor- oder nachgelagerte Produkte mit in das Programm aufgenommen (z. B. Verlag betreibt eine Buchhandlung). Völlig neue Märkte werden bei der **lateralen** Diversifikation erschlossen, indem das Produktprogramm um Produkte, die keinerlei Verwandtschaft zum bisherigen Sortiment besitzen, erweitert wird (z. B. Buchhandlung verkauft Spielzeug).

Produktinnovation: Das bisherige Produkt wird durch ein **neues Produkt** ersetzt, das dieselben Aufgaben erfüllt, aber auf einer neueren Technologie basiert (z. B. traditionelles Buch wird durch elektronisches Buch ersetzt). Im industriellen Bereich sind für Produktinnovationen erhebliche Forschungs- und Entwicklungsanstrengungen erforderlich. Insbesondere der EDV-Markt ist durch eine rasche Folge von Produktinnovationen gekennzeichnet.

Produktelimination: Produkte, die nur noch einen geringen Absatz besitzen, die einen ungenügenden Deckungsbeitrag oder sogar Verluste erwirtschaften, sollten aus dem Produktprogramm **gestrichen** werden. Allerdings ist zu beachten, dass bestimmte Produkte trotz ungünstiger Absatzzahlen zur Abrundung des Produktprogramms im Sortiment verbleiben sollten.

Um produktpolitische Entscheidungen fundiert treffen zu können, sind nähere Analysen erforderlich. Dazu können Analysemethoden wie das Produktlebenszykluskonzept (Kap. 9.3.1.3) oder die Portfolioanalyse (Kap. 9.3.1.4) eingesetzt werden.

9.3.1.3 Produktlebenszyklus

Kein Produkt ist „ewig" auf dem Markt. Es wird zu einem bestimmten Zeitpunkt eingeführt und irgendwann wieder vom Markt genommen, sei es, weil sich nicht die gewünschten Umsatzerlöse erzielen lassen oder weil es durch ein Nachfolgeprodukt ersetzt wird. Dieser Ablauf wird als **Lebenszyklus** eines Produktes bezeichnet. Es lassen sich folgende Phasen unterscheiden, in denen Kosten, Umsatz und Gewinn einen charakteristischen Verlauf besitzen:

- Vorlauf: Diese Phase liegt vor dem eigentlichen „Marktzyklus". In dieser Phase fallen für das Unternehmen erhebliche Kosten für Produktentwicklung und Produktionsvorbereitung an, ohne dass diesen Kosten Einnahmen gegenüberstehen.

- Einführung: Das Produkt wird eingeführt und muss zunächst bekannt gemacht werden; infolge der Werbekosten und der noch geringen Umsätze wird kein Gewinn erzielt.

- Wachstum: Es setzt eine starke Nachfrage ein, so dass Gewinne erzielt werden. Allerdings treten verstärkt Konkurrenten auf, die das Produkt nachahmen.

- Reife: Der Umsatz nimmt zu, doch die Umsatzzuwachszahlen nehmen ab (d. h. verlangsamte Umsatzzunahme).

- Sättigung: Der Markt ist gesättigt, der Umsatz stagniert. Wegen des Konkurrenzkampfes sinken die Preise und die Kosten für Werbemaßnahmen steigen an. Durch gezielte Maßnahmen (Produktdifferenzierung, Verpackungsgestaltung, neues Design) kann versucht werden, diese Phase für das Produkt zu verlängern.

- Rückgang (Degeneration): Der Absatz geht ständig zurück, bis das Produkt aufgegeben werden muss.

Abb. 9.4 zeigt den typischen Verlauf von Umsatz und Gewinn für ein Produkt in Form einer **Lebenszykluskurve**. Der produktindividuelle Verlauf kann vielfältige Abweichungen aufweisen. Es können einzelne Phasen übersprungen (z. B. bei einem Produkt, das nach fehlgeschlagener Markteinführung gleich wieder vom Markt genommen wird) werden. Auch die Länge der einzelnen Phasen ist bei verschiedenen Produkten höchst unterschiedlich:

So gibt es „zeitlose" Produkte, die sich mehrere Jahrzehnte lang unverändert in der Sättigungsphase befinden (z. B. Nivea-Creme, Maggi-Würze), während andere Produkte in kürzester Zeit den gesamten Lebenszyklus durchlaufen (z. B. Computer-Prozessoren). Durch gezielte produktpolitische Maßnahmen (z. B. Neugestaltung von Verpackung oder Produktdesign, verstärkte Werbemaßnahmen zur Erschließung weiterer Marktsegmente) kann versucht werden, die Sättigungsphase auszudehnen, um so den Lebenszyklus des Produktes zu verlängern.

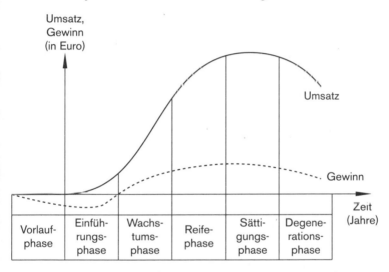

Abb. 9.4: Lebenszykluskurve (Beispielhafter Verlauf für ein Produkt)

Das Produktlebenszykluskonzept lässt sich zur Überwachung des Sortiments eines Unternehmens und zur Prognose der Absatzentwicklung einsetzen. Dazu ist für jedes Produkt eine eigene Lebenszykluskurve aufzustellen und ständig fortzuschreiben.

Es ist wichtig, dass das Sortiment eines Unternehmens Produkte aus verschiedenen Lebenszyklusphasen enthält. Spätestens, wenn ein Produkt die Reifephase erreicht hat, sollte ein Nachfolgeprodukt aufgebaut werden, um das Erfolgspotential des Unternehmens zu erhalten und um Absatzeinbrüche zu vermeiden.

9.3.1.4 Analyse des Produktprogramms

Zur Analyse der Zusammensetzung des Produktprogramms lassen sich verschiedene Kriterien einsetzen: Neben der aus der Lebenszyklusanalyse (Kap. 9.3.1.3) gewonnenen **Produktalters-struktur** können die **Kundenstruktur** (regionale Absatzverteilung, Käuferschichten), die Gestaltung des Sortiments (Sortimentstiefe), **Abhängigkeiten** zwischen Produkten (sich gegenseitig ergänzende, sog. komplementäre oder sich ersetzende, sog. substitutive Produkte), die Umsatz- sowie die Deckungsbeitragsstruktur untersucht werden.

Informationen über den **Umsatz** liefern Verkaufsstatistiken, aber auch das Rechnungswesen. Als Hilfsmittel zur Beurteilung kann die ABC-Analyse (vgl. Kap. 7.2.1.1) eingesetzt werden, indem der Absatz der einzelnen Produkte in ein Verhältnis zum Gesamtabsatz gestellt wird.

Aus dem internen Rechnungswesen, das dem Bereich der Informationswirtschaft zugeordnet ist, stammen Zahlen bezüglich der **Deckungsbeiträge**, die einzelne Produkte oder Produktgruppen erwirtschaften (vgl. Kap. 4.3.2.9). Produkte mit hohen Deckungsbeiträgen sind zu fördern, bei Produkten mit niedrigen oder gar negativen Deckungsbeiträgen ist abzuwägen, ob sie aus dem Sortiment genommen werden.

Ein Analyseverfahren, das die Marktchancen der Produktpalette eines Unternehmens untersucht, ist die **Portfolio-Analyse**. Der Begriff des „Portfolio" oder „Portefeuille" stammt aus dem Bereich des Wertpapier-Managements. Ein Wertpapierdepot sollte so zusammengestellt sein, dass unter Abwägung von Risiken und Erfolgsaussichten eine optimale Mischung verschiedener Wertpapiere besteht. Dieser Gedanke wurde auf die Bewertung der Zusammensetzung der Produktpalette eines Unternehmens übertragen.

Bei der Portfolio-Analyse werden Informationen verdichtet in übersichtlicher Matrixform dargestellt. Nach dem Aufbau der Matrix und den berücksichtigten Bewertungskriterien lassen sich verschiedene Arten der Portfolio-Analyse unterscheiden. Am bekanntesten ist die **Marktwachstum-Marktanteil-Portfolio-Matrix** der Boston Consulting Group. Das Marktwachstum drückt die Attraktivität eines Marktes aus, während der Marktanteil die Wettbewerbssituation des eigenen Unternehmens widerspiegelt. Die einzelnen Produkte des eigenen Unternehmens sind nun in einer Vierfeldermatrix zu positionieren, wobei für jedes Feld durch eine Normstrategie die weitere Vorgehensweise vorgegeben ist. In Abb. 9.5 sind die Matrix und die Bezeichnungen der Felder dargestellt.

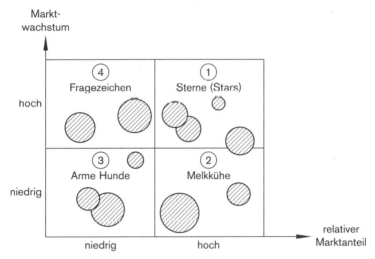

Abb. 9.5: Marktwachstum-Marktanteil-Portfolio

Am günstigsten sind Produkte zu beurteilen, die in Feld ① liegen und als „Sterne" (Stars) bezeichnet werden. Sie haben ein hohes Marktwachstum, zugleich ist auch der eigene Marktanteil hoch. Diese Produkte sollen gezielt durch Investitionen gefördert werden. Bei Produkten, die in Feld ②, platziert sind („Melkkühe" oder „Cash Cows"), können die Kostenvorteile durch den hohen eigenen Marktanteil abgeschöpft werden. Der Markt wächst aber nicht mehr, so dass Investitionen in diesem Bereich nicht mehr ratsam sind.

Produkte in Feld ③ stellen Problemfälle dar, die aufgegeben werden sollten. Angesichts des geringen Marktwachstums erscheint die Desinvestition die richtige Strategie. Derartige Produkte werden auch als „Arme Hunde" („Poor Dogs") bezeichnet.

Schwierig zu beurteilen sind Produkte, die in Feld ④ fallen. Bei diesen Produkten ist das Marktwachstum zwar hoch, doch die eigene Position schlecht. Sie müssen entweder gezielt gefördert oder aufgegeben werden. Es handelt sich um Nachwuchsprodukte, die wegen ihres unklaren Entwicklungsweges die Bezeichnung „Fragezeichen" („Questionmark") tragen.

Ein Produkt durchwandert im Laufe seines Lebenszyklus die Matrix: Im Idealfall beginnt es als Fragezeichen, wird dann zum Stern, der in der Reifephase „gemolken" wird, um schließlich als „Armer Hund" wieder aus dem Markt zu verschwinden. Im ungünstigsten Fall wird das Produkt direkt vom „Fragezeichen" zu einem „armen Hund".

In Abb. 9.5 sind die einzelnen Produkte in Form von Kreisen dargestellt, deren Größe das Umsatzvolumen oder deren Bedeutung für das Unternehmen widerspiegelt. Ein Unternehmen besitzt ein ausgewogenes Portfolio, wenn ein hoher Anteil an „Melkkühen" und an „Sternen" vorhanden ist. Die „Melkkühe" erwirtschaften die Finanzüberschüsse, die für das Überleben des Unternehmens und für Investitionen in die Sternprodukte erforderlich sind. Die Sternprodukte sind die Grundlage für das Zukunftsgeschäft, das aufgebaut werden muss.

Portfolio-Matrizen besitzen den Vorteil einer übersichtlichen Darstellung und können für grobe Analysen sinnvoll eingesetzt werden. Durch die Reduktion auf wenige Einflussparameter und die Vorgabe von sehr pauschalen Normstrategien stellen sie jedoch ein sehr einfaches Instrument dar, das durch andere Verfahren ergänzt werden muss.

9.3.1.5 Produktprogrammplanung

Die Produktprogrammplanung erfolgt unter Berücksichtigung der Ergebnisse der Analyse des Produktprogramms und der produktpolitischen Gestaltungsmöglichkeiten. Eng verknüpft (aber nicht zu verwechseln!) ist die Produktprogrammplanung mit der Produktionsprogrammplanung (vgl. Kap. 8.1.4).

Grundlegende produktpolitische Entscheidungen wie die Zusammensetzung des Sortiments, die Veränderung von vorhandenen Produkten, die Entwicklung und Einführung von neuen Produkten oder die Erschließung neuer Marktsegmente werden im Rahmen der **strategischen Produktprogrammplanung** getroffen. Unter Einbeziehung von Informationen aus der Marktforschung, von tatsächlichen und prognostizierten Absatzzahlen sowie von subjektiven Einschätzungen der Marktentwicklung wird versucht, das Erfolgspotential des Unternehmens zu sichern und möglichst noch auszubauen.

Neben dieser strategischen Entscheidung ist eine kurzfristige **operative Produktprogrammplanung** durchzuführen. Auf Basis der Absatzerwartungen ist festzulegen, welche Produktmengen in den nächsten Perioden (Wochen, Monaten) angeboten werden sollen. Grundlage für die Entscheidung bilden die erzielbaren Deckungsbeiträge, der Lagerbedarf sowie die vorhandenen Produktions- und Lagerkapazitäten. Je nachdem, ob die für den Absatz bestimmten Produkte selbst hergestellt oder zugekauft werden sollen, sind die Planungen mit dem Beschaffungs- oder Produktionsbereich abzustimmen.

9.3.2 Preise und Konditionen (Kontrahierungspolitik)

Die **Kontrahierungspolitik**, die auch als Kontrahierungs-Mix bezeichnet wird, befasst sich mit den vertraglichen Vereinbarungen, die zwischen Verkäufer und Käufer geschlossen werden. Sie beinhaltet in erster Linie die **Preispolitik**, aber darüber hinaus auch Festlegungen bezüglich weiterer Konditionen wie Rabatte, Zahlungs- und Lieferungsbedingungen sowie sonstige vertragliche Vereinbarungen.

Die Kontrahierungspolitik besitzt eine hohe Flexibilität, da Preise und Konditionen kurzfristig und individuell an die jeweilige Markt- oder Verkaufssituation angepasst werden können (vgl. z. B. die Preisänderung auf den Mineralölmärkten). Für die Kaufentscheidung besitzen Preise eine erhebliche Auswirkung. So haben Untersuchungen gezeigt, dass Preisveränderungen das Kaufverhalten zwanzig Mal stärker beeinflussen als Veränderungen im Werbeetat (vgl. *Meffert*, Marketing, S. 482).

9.3.2.1 Preistheorie

Zwischen dem Preis eines Produktes und dessen Absatz besteht ein Zusammenhang, der in Form einer **Preis-Absatz-Funktion** („Nachfragekurve") abgebildet werden kann. Der einfachste Fall einer Preis-Absatz-Funktion ist in Abb. 9.6 dargestellt: Bei steigendem Preis sinkt die abgesetzte Menge linear. In der Praxis finden sich kaum lineare Preis-Absatz-Funktionen; es liegen nichtlineare Verläufe vor, die zudem von vielen Einflussgrößen abhängig sind. Zum einen können verhaltensbedingte Einflüsse den Verlauf stark beeinflussen; beispielsweise verbinden viele Konsumenten mit einem hohen Preis eine hohe Produktqualität, so dass bei bestimmten Produkten sich trotz steigendem Preis die Nachfrage erhöht. Zum anderen sind die Preis-Absatz-Funktionen stark von den vorliegenden Strukturen der Märkte abhängig.

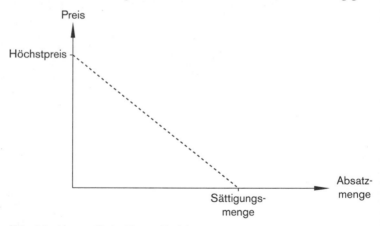

Abb. 9.6: Lineare Preis-Absatz-Funktion

Als Marktformen lassen sich das Monopol (nur ein Marktpartner), das Oligopol (wenige Marktpartner) und das Polypol (viele Marktpartner) unterscheiden, wobei die einzelnen Varianten jeweils auf der Angebots- und auf der Nachfrageseite auftreten können. Somit ergeben sich insgesamt neun verschiedene Kombinationen, deren Bezeichnungen in Abb. 9.7 zusammengestellt sind.

Anbieter / Nachfrager	ein großer Anbieter	wenige mittel- große Anbieter	viele kleine Anbieter
ein großer Nachfrager	bilaterales Monopol	beschränktes Nachfrage- Monopol	Nachfrage- Monopol
wenige mittelgroße Nach- frager	beschränktes Angebots- Monopol	bilaterales Oligopol	Nachfrage- Oligopol
viele kleine Nachfrager	Angebots- Monopol	Angebots- Oligopol	atomistische Konkurrenz

Abb. 9.7: Marktformen (vollkommene Märkte)

In der Preistheorie wird zunächst von „vollkommenen Märkten" ausgegangen, in denen alle Marktteilnehmer als einziges Ziel ihren Nutzen maximieren möchten, vollkommene Markttransparenz herrscht und sofort eine Reaktion bei Preisänderungen erfolgt. Wenn diese Bedingungen nicht vorliegen, spricht man von „unvollkommenen" Märkten. In der Praxis findet sich kein einziger vollkommener Markt.

Aus einer Übertragung der bei vollkommenen Märkten gewonnenen Erkenntnisse auf die Praxis können nur allgemeine Aussagen abgeleitet werden, die für die Preispolitik wenig weiterführend sind. Zudem lassen sich Preis-Absatz-Funktionen in der Praxis nur schwer ermitteln (dazu müsste auf abgegrenzten Märkten das Käuferverhalten auf Preisänderungen untersucht werden). Daher wird an dieser Stelle auf weitergehende Ausführungen zur Preistheorie verzichtet (ausführlicher dazu vgl. *Meffert*, Marketing, S. 506 ff.).

9.3.2.2 Preisbestimmung

Wie im vorangegangenen Abschnitt erläutert wurde, bietet die Preistheorie bei der Festlegung von Preisen keine Unterstützung. In der Praxis orientiert man sich daher bei der Preisbestimmung an den Kosten, der Nachfrage oder an den Marktpreisen.

Die **kostenorientierte Preisbestimmung** basiert auf den Ergebnissen des internen Rechnungswesens (vgl. Kap. 4.3.2). Im

Rahmen der Kalkulation werden die Selbstkosten bestimmt, die für die Herstellung und den Vertrieb eines Produktes anfallen. Die Festsetzung des Verkaufspreises orientiert sich an diesen Selbstkosten; zusätzlich sind weitere Komponenten wie der gewünschte Gewinnaufschlag, die Angebotssituation, die Zahlungsbedingungen (z. B. Aufschläge für zu gewährende Nachlässe in Form von Rabatt und Skonto) zu berücksichtigen (vgl. Abb. 9.8). Ein so ermittelter Verkaufspreis wird auch als „Kostenpreis" bezeichnet.

Selbstkosten (Kalkulationsergebnis)
+ Gewinnaufschlag (gewünschter Gewinn)
+ Sonstige Aufschläge (z. B. zur Berücksichtigung der Angebotssituation)
= Barverkaufspreis
+ gewährter Kundenskonto
+ gewährter Kundenrabatt
= Nettoverkaufspreis
+ Mehrwertsteuer
= Bruttoverkaufspreis

Abb. 9.8: Kostenorientierte Ermittlung des Verkaufspreises

Ausgangspunkt der **nachfrageorientierten Preisbestimmung** bilden nicht die anfallenden Kosten, sondern der Wert, den die Kunden (Nachfrager) einem bestimmten Produkt beimessen und bereit sind, dafür auszugeben. Besteht nach einem Produkt eine erhöhte Nachfrage, ermöglicht dies Preissteigerungen. Eine derartige Preisgestaltung ist bei der Marktform des Monopols, aber auch bei exklusiven Markenprodukten oder bei Modeprodukten möglich.

Bei der **konkurrenzorientierten Preisbestimmung** werden die Preise des eigenen Unternehmens an das Preisgefüge des Marktes angepasst. **Marktpreise** sind die auf den Absatzmärkten üblichen Preise, die sich durch die Nachfrage- und Konkurrenzsituation ergeben. Ein Unternehmen kann seine Preise bewusst auf gleichem Niveau oder mit einer bestimmten Abweichung (z. B.

etwas unterhalb der Marktpreise) festsetzen. Diese Vorgehensweise der Verkaufspreisbestimmung wird auch als **Preisbildung**
bezeichnet (vgl. *Schultz*, Projektkostenschätzung, S. 64 ff.).

Bei der Festsetzung von Preisen sind unabhängig von der Be-
stimmungsmethodik **Preisschwellen** sowie Preisuntergrenzen zu
beachten. Neben absoluten Preisschwellen, die sich aus der Bereitschaft der Käufer ergeben, für ein Produkt einen bestimmten Preis
zu zahlen, bestehen relative Preisschwellen, deren Überschreiten
zu einem Umsatzrückgang führen kann. Um diese Grenze nicht
zu überschreiten, werden häufig „gebrochene Preise" knapp unter
dem runden Schwellenwert (z. B. 9,99 €) festgesetzt.

Die **Preisuntergrenze** setzt am Selbstkostenbegriff an. Selbstkosten untergliedern sich in einen fixen Bestandteil, der unabhängig von der Ausbringungsmenge anfällt, und in die unmittelbar von der Ausbringungsmenge abhängigen variablen Selbstkosten. Langfristig gelten die Selbstkosten als Preisuntergrenze,
da sonst bei jeder verkauften Produkteinheit ein Verlust erwirtschaftet wird (Vollkostenbetrachtung). Bei kurzfristiger Betrachtungsweise kann es sinnvoll sein, von der vollen Kostendeckung
abzuweichen. Dann werden als absolute Preisuntergrenze die
variablen Selbstkosten akzeptiert, da jede zusätzlich verkaufte
Einheit einen Beitrag zur Deckung der ohnehin anfallenden Fixkosten liefert.

9.3.2.3 Preispolitische Markterschließungsstrategien

Bei Erschließung von Märkten und der Neueinführungen von
Produkten können bezüglich der Preispolitik unterschiedliche
Wege beschritten werden. Es lassen sich folgende preispolitische
Strategien unterscheiden:

- **Hochpreisstrategie:** Es werden dauerhaft hohe Preise (sog. „Prä-
  mienpreise") festgesetzt und in der Werbung mit einer hohen
  Produkt- und Servicequalität begründet. Durch Betonung der
  „Exklusivität" der Produkte lassen sich bestimmte Käuferkreise
  anlocken („Snob-Effekt"). Diese Strategie wird insbesondere bei
  Kleidung, Kosmetika, aber auch bei Luxusautos angewandt.

- **Abschöpfungsstrategie:** Ein neues Produkt wird mit einem
  sehr hohen Preis auf den Markt gebracht, um die vorhandene

Kaufkraft abzuschöpfen. Dies ist immer dann möglich, wenn es genügend Käufer gibt, die bereit sind, für ein neues Produkt einen hohen Preis zu zahlen. Mit zunehmender Konkurrenz sinken dann die Preise auf ein niedrigeres Niveau. Die Abschöpfungsstrategie kommt vor allem bei Produkten, die schnell veralten (z. B. Elektronik, insbesondere bei Computern) zum Einsatz.

- **Niedrigpreisstrategie:** Es werden dauerhaft niedrige Preise angesetzt und als Werbeargument gezielt eingesetzt. Der Gefahr, dass die Kunden niedrige Preise mit einer geringen Produktqualität verbinden, kann durch ein offensives Qualitätsmanagement begegnet werden. Erfolgreiche Unternehmen, die eine Niedrigpreisstrategie anwenden, sind Lebensmittelgeschäfte (Aldi, Lidl), Möbelhäuser (Ikea) und in jüngster Zeit auch einige Fluggesellschaften.

- **Penetrationsstrategie:** Ein neues Produkt wird mit einem niedrigen Preis auf den Markt gebracht, damit es schnell den Markt erobert. Damit werden zugleich mögliche Konkurrenten abgeschreckt, da der Markt wegen der niedrigen Preise wenig lukrativ erscheint. Später können die Preise vorsichtig angehoben werden. Diese Strategie eignet sich vor allem für Produkte, die bei Massenfertigung in großer Stückzahl kostengünstig hergestellt werden können.

Es ist möglich, die einzelnen Strategien zu einer **lebenszyklusabhängigen Preispolitik** zu kombinieren, indem die Preise in Abhängigkeit von der Lebenszyklusphase (vgl. Kap. 9.3.1.3) und der Konkurrenzsituation festgesetzt werden. So kann in der Einführungsphase eine Abschöpfungsstrategie eingesetzt werden. Bevor sich die ersten Konkurrenten im Markt etablieren, werden die Preise stark gesenkt, um so zum einen die Konkurrenten abzuschrecken und zum anderen dem eigenen Produkt Marktvorteile zu verschaffen.

9.3.2.4 Preisdifferenzierung

Eine Preisdifferenzierung liegt vor, wenn ein Produkt oder eine Dienstleistung zu unterschiedlichen Preisen angeboten wird. Da kaum ein Kunde es bereitwillig akzeptiert, wenn einem anderen

Kunden ohne plausiblen Grund das gleiche Produkt günstiger verkauft wird, ist eine erfolgreiche Differenzierung nur möglich, wenn die differenzierten Teilmärkte gut voneinander abgeschottet sind. Zur „objektiven" Differenzierung können

- räumliche (nach Regionen und Ländern),
- zeitliche (z. B. Tages- und Nachttarife bei Telefongebühren),
- personelle (nach Abnehmern, z. B. Sonderpreise für Schüler und Studenten),
- mengenbezogene (Nachlass bei Abnahme einer größeren Stückzahl) oder
- verwendungsbezogene (z. B. Alkohol für Industriezwecke und als Getränk)

Kriterien eingesetzt werden. Daneben finden sich weitere Differenzierungsaspekte, die von den Unternehmen nicht offen gezeigt werden. Dazu zahlen Sonderpreise für „gute" Kunden oder der Verkauf von Markenartikeln ohne Kennzeichnung über einen anderen Vertriebsweg (z. B. in Kaufhäusern).

9.3.2.5 Konditionenpolitik

Der zweite Bereich der Kontrahierungspolitik ist die Konditionenpolitik. Hierzu zählen Rabatte, Zahlungsbedingungen sowie Liefer- und Transportbedingungen.

Ein **Rabatt** ist ein Preisnachlass auf den Rechnungsbetrag, der bereits bei der Rechnungsstellung berücksichtigt wird. Die Gründe für eine Rabattgewährung sind vielfältig. Rabatte können an den Endverbraucher, aber auch auf vorgelagerten Handelsstufen gewährt werden. Es lassen sich Mengenrabatte, Wiederverkäuferrabatte, Einführungsrabatte und Treuerabatte unterscheiden.

Die **Zahlungsbedingungen** legen fest, zu welchem Zeitpunkt eine Rechnung fällig ist. Die Palette reicht von Vorauszahlungen (z. B. bei Auftragserteilung) über die Zahlung bei Lieferung bis hin zur Zahlung nach einer bestimmten Frist. Außerdem kann die Zahlung in mehrere Teilzahlungen aufgespalten **(Ratenzahlung)** werden. Der Übergang von der Ratenzahlung zur Gewährung eines Kredites ist fließend: Nicht nur im Autohandel, auch bei Kaufhäusern werden Kundenkredite zur Finanzierung von Einkäufen angeboten.

Eine besondere Form einer Zahlungsbedingung ist der **Skonto**. Darunter wird ein Nachlass verstanden, der bei Zahlung innerhalb einer bestimmten Frist gewährt wird. Er soll einen Anreiz dafür bieten, dass der Kunde möglichst pünktlich oder vorzeitig zahlt (zum Skonto vgl. Kap. 5.3.1.2).

Im Rahmen der **Liefer- und Transportbedingungen** wird festgelegt, wer die Kosten für die Anlieferung (z. B. Fracht, Zoll) zu tragen hat und an welcher Stelle der Gefahrenübergang erfolgt. Dazu haben sich bestimmte Klauseln herausgebildet, die die Zuständigkeit eindeutig festlegen. Bei der Klausel „ab Werk" hat der Käufer sämtliche Kosten für den Transport zu tragen, während bei „frei Haus" die Transportkosten vom Verkäufer übernommen werden. Im internationalen Geschäftsverkehr regeln die Pflichten von Käufer und Verkäufer die so genannten **Incoterms**, die 1953 von der internationalen Handelskammer in Paris zur eindeutigen Regelung der Vertragsbedingungen geschaffen wurden. Die Incoterms (International Commercial Terms) stellen Abkürzungen dar, die im internationalen Transportverkehr angewendet werden. Beispiele dafür sind FOB („free on board", d. h. Kostenübernahmen durch Verkäufer bis zum Verladen auf das Schiff) oder EXW („ex work", d. h. ab Werk, sämtliche Transportkosten trägt der Käufer).

Weitere Konditionen betreffen Garantiezusagen oder das Umtauschrecht. Für den Fall, dass die Lieferung nicht fristgerecht erfolgt, können Konventionalstrafen festgelegt werden. Viele Unternehmen regeln ihre Zahlungs- und Lieferbedingungen in Form von allgemeinen Geschäftsbedingungen, die zumeist brancheneinheitlich festgesetzt werden. Dadurch nehmen sie sich jedoch die Möglichkeit, individuelle Regelungen zu schaffen und sich dadurch von den Konditionen der Konkurrenz abzuheben.

9.3.3 Vertrieb (Distributionspolitik)

Der Vertrieb stellt die **Verteilung des Produktes** an den Kunden sicher. Alle Entscheidungen, die diesen Bereich betreffen, werden unter dem Begriff der Distributionspolitik zusammengefasst. Dabei lassen sich zwei Felder unterscheiden: Die akquisitorische und die logistische Distribution.

Die **akquisitorische Distribution** befasst sich mit dem organisatorischen Aspekt des Vertriebs, indem als Absatzkanäle spezielle Vertriebswege und Verkaufsorgane festgelegt werden. Die **logistische Distribution**, die auch als Absatzlogistik bezeichnet wird, übernimmt die Durchführung des Vertriebs, also die eigentliche gegenständliche Verteilung der Waren („Gütertransfer").

9.3.3.1 Vertriebswege

Der Vertrieb eines Produktes kann auf direktem oder auf indirektem Weg erfolgen. Bei einem direkten Absatz wird das Produkt direkt vom Hersteller an den Endverbraucher verkauft, während beim indirekten Absatz ein oder mehrere Absatzmittler (z. B. Händler) dazwischengeschaltet sind. Abb. 9.9 zeigt die grundsätzlichen Möglichkeiten der Vertriebsweg-Gestaltung.

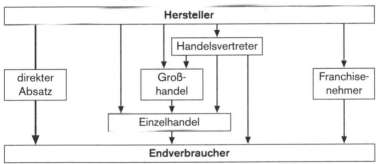

Abb. 9.9: Vertriebswege

Der **direkte Absatz** wird vor allem bei Investitionsgütern eingesetzt, wenn aufgrund der technischen Komplexität eines Produktes eine intensive Kundenbetreuung durch den Hersteller erforderlich ist. Die Kunden können zentral vom Sitz des Unternehmens oder dezentral über Verkaufsniederlassungen des Herstellers betreut werden. Im Konsumgüterbereich besitzt der Fabrikverkauf direkt beim Herstellerwerk, der **Katalogversand** sowie die Direktvermarktung von landwirtschaftlichen Produkten (Landwirte bieten ihre Produkte auf dem Wochenmarkt an) eine lange Tradition. Durch die Möglichkeiten des Internet-Handels kann ein Direktvertrieb ohne den Aufbau einer aufwendigen Vertriebsorganisation erfolgen, so dass in jüngerer Zeit manche Hersteller neben dem indirekten Absatz auch den direkten Absatzkanal nutzen, um auf diese Weise höhere Erlöse zu erzielen. So versuchen Reiseveranstalter und Fluggesellschaften, durch internetgestützte Direktvermarktung den traditionellen Absatzweg über Reisebüros zu umgehen.

Der internetgestützte Handel, der auch als **Electronic Commerce** (kurz „E-Commerce") oder als E-Business bezeichnet wird, kann als direkter, aber auch als indirekter Absatz ausgestaltet werden. Dabei lassen sich die Bereiche Business-to-Consumer (Lieferung an den Endverbraucher) und Business-to-Business (Lieferung an ein anderes Unternehmen) unterscheiden. Im großen Stil konnten sich diese Vertriebswege noch nicht durchsetzen. Der Aufbau und die Pflege der entsprechenden Internet-Kataloge gestaltet sich recht aufwendig, die Akzeptanz durch den Kunden lässt noch zu wünschen übrig. Gleichwohl konnten sich einige Anbieter im Internethandel etablieren (z. B. Internet-Buchhandel).

Abb. 9.9 zeigt die vielfältigen Varianten des **indirekten Absatzes**, die neben dem direkten Absatzweg bestehen. Zwischen Hersteller und Endverbraucher können verschiedene Handelszwischenstufen und Verkaufsorgane eingeschaltet werden, auf die in Kap. 9.3.3.2 näher eingegangen wird. Der indirekte Absatz ist für die meisten Konsumgüter der übliche Vertriebsweg. Bei vielen Produkten ist nur der Handel in der Lage, das von den Kunden gewünschte komplette Sortiment, das aus Produkten verschiedener Hersteller besteht, anzubieten. Für den Hersteller hat der indirekte Absatz den Vorteil, dass er auf den Aufbau eines flächendeckenden Vertriebsnetzes verzichten kann und dadurch weniger Kapital bindet. Die unternehmenseigene Vertriebsabteilung muss zudem nur eine begrenzte Zahl von Kunden (z. B. einige Großhändler) betreuen. Nachteilig sind geringere Gewinnmargen, da auf jeder Handelsstufe eine bestimmte Handelsspanne abgeschöpft wird, sowie die Gefahr, dass das Unternehmen den Kontakt zum Endverbraucher verliert.

Eine besondere Variante des indirekten Absatzes stellt das **Franchise-Konzept** dar. Hierbei verkauft ein Hersteller, der als Franchise-Geber bezeichnet wird, an einen so genannten Franchise-

Nehmer das Recht, dass dieser die Produkte des Herstellers nach dessen Vorgaben anbieten darf. Dabei stellt der Franchise-Geber nicht nur die Produkte oder Know-how bezüglich der Produktionsverfahren, sondern auch eine einheitliche Handelsmarke, Vermarktungskonzepte sowie Unterstützung beim Unternehmensaufbau und der Unternehmensführung zur Verfügung. Dadurch besitzen die Franchise-Unternehmen nach außen ein einheitliches Erscheinungsbild, auf das der Franchise-Geber durch die vertraglichen Bindungen einen erheblichen Einfluss besitzt. Dennoch betreibt jeder Franchise-Nehmer ein selbständiges Unternehmen, dessen Risiken er zu tragen hat. Ein Hersteller kann auf diese Weise ohne großen Kapitalbedarf expandieren. Markantes Beispiel für ein Franchise-Unternehmen sind die Hamburgerrestaurants „McDonald's".

9.3.3.2 Verkaufsorgane

Ein Unternehmen kann seine Produkte und Dienstleistungen entweder über eigene oder über fremde Verkaufsorgane vertreiben. **Unternehmenseigene Verkaufsorgane** stellen die Vertriebsabteilung, Mitarbeiter der Fach- und Serviceabteilungen, spezielle Verkaufsniederlassungen und Außendienstmitarbeiter dar. Hersteller, die ihre Produkte im Direktvertrieb anbieten, greifen nur auf unternehmenseigene Verkaufsorgane zurück.

Bei einem indirekten Absatz (vgl. dazu Kap. 9.3.3.1) werden **Absatzmittler** eingeschaltet. Dabei lassen sich folgende **unternehmensfremde Verkaufsorgane** unterscheiden:

• **Einzelhandel:** Der Einzelhandel verkauft Produkte, die er zuvor selbst erworben hat, an Endverbraucher (Konsumenten) weiter. Nach dem Sortiment und der fachlichen Beratung lassen sich Einzelhandelsunternehmen in Fachgeschäfte, Supermärkte, Gemischtwarenläden, Kaufhäuser, Kioske u. a. unterscheiden. Der Übergang zwischen den verschiedenen Formen ist weitgehend fließend.

Zunächst denkt man beim Einzelhandel in erster Linie an Ladengeschäfte, in denen die Produkte angeboten werden. Daneben zählt zum Einzelhandel der Verkauf über Automaten, den Versandhandel oder über das Internet.

- **Großhandel:** Der Großhandel kauft Waren beim Hersteller und verkauft sie in größeren Mengen an Wiederverkäufer (z. B. den Einzelhandel), Weiterverarbeiter, aber auch an Großverbraucher. Hauptformen des Großhandels sind der Zustellgroßhandel (direkte Belieferung des Kunden) und die Selbstabholung durch den Kunden im Großhandelslager (so genannte Cash-and-carry-Betriebe).
- **Filialketten:** Filialketten stellen eine Organisationsform dar, die Elemente des Groß- und des Einzelhandels verbindet. Hierbei besitzt ein Unternehmen mehrere Einzelhandelsfilialen, die von der Unternehmenszentrale, die die Funktion des Großhandels übernimmt, beliefert werden (z. B. Rewe, Tengelmann). Lockere Kooperationsformen von Einzelhändlern, die sich zu einem Einkaufsverbund zusammengeschlossen haben, werden als Einkaufsgenossenschaft (wie z. B. Edeka) oder als freiwillige Kette bezeichnet.
- **Vertragshändler:** Im Gegensatz zu einem Sortimenthändler, der ein komplettes Warensortiment im Angebot hat, konzentriert sich ein Vertragshändler auf die Produkte eines bestimmten Herstellers, an den er sich vertraglich gebunden hat und für den er in seiner Region exklusive Vertriebsrechte besitzt. Vertragshändler werden beim Vertrieb von Markenprodukten, insbesondere beim Kraftfahrzeughandel, eingesetzt.
- **Handelsvertreter (Agenturen):** Handelsvertreter vermitteln gemäß § 84 ff. HGB Geschäfte und tätigen Geschäftsabschlüsse in fremdem Namen und auf fremde Rechnung. Für seine Tätigkeit steht dem Handelsvertreter eine Provision zu. Als Handelsvertreter fungieren beispielsweise Reisebüros, wenn sie Reisen von Reiseveranstaltern verkaufen, oder Tankstellen, die „im Namen" einer Mineralölgesellschaft Benzin anbieten.
- **Kommissionshandel:** Nach § 383 ff. HGB kaufen und verkaufen Kommissionäre Produkte im eigenen Namen, aber auf fremde Rechnung. Kommissionsgeschäfte werden häufig im Wertpapier-, Kunst- und Rohstoffhandel getätigt.
- **Makler:** Ein Makler übt eine reine Vermittlungtätigkeit aus, indem er den Abschluss von Verträgen vermittelt (§ 93 ff. HGB). Kommt es zum Vertragsabschluss, erhält er für seine

Vermittlungstätigkeit eine Provision. Makler werden bei Immobiliengeschäften oder bei der Vermittlung von Versicherungen eingesetzt.

Neben den Absatzmittlern werden auch **Absatzhelfer** in den Distributionsprozess einbezogen. Hierbei handelt es sich um selbständige Organe, die unterstützende Funktionen ausüben (z. B. Speditionen).

9.3.3.3 Absatzlogistik

Die Logistik verknüpft als **Querschnittsfunktion** die betrieblichen Funktionsbereiche Beschaffung, Produktion und Absatz. Es wurde bereits in Kap. 7.6 unter dem Aspekt der Materialwirtschaft auf die Aufgaben- und Einsatzbereiche der Logistik eingegangen. Auch im Bereich des Vertriebs spielen logistische Fragestellungen eine große Rolle. Unter dem Begriff **Absatzlogistik** (gleichbedeutende Begriffe sind Distributionslogistik, logistische oder physische Distribution) werden alle Tätigkeiten zusammengefasst, die sich mit der eigentlichen „Warenverteilung" vom Verkäufer hin zum Käufer befassen.

Die Logistik und somit auch die Absatzlogistik unterteilt sich in die vier **Aufgabenbereiche** Auftragsabwicklung, Lagerhaltung, Verpackung und Transport (vgl. Kap. 7.6.2).

Zielsetzung der Absatzlogistik ist es, das richtige Produkt am rechten Ort zur richtigen Zeit in der gewünschten Menge und Qualität bereitzustellen. Maßstab dafür ist der **Lieferservice**, der als Kundendienst während der Verkaufsphase definiert werden kann. Der Lieferservice ist durch folgende Komponenten gekennzeichnet:

- Lieferzeit (Zeitspanne zwischen Auftragseingang und Anlieferung beim Kunden)
- Lieferzuverlässigkeit (Zuverlässigkeit der Auftragsabwicklung)
- Lieferungsbeschaffenheit (Zustand der gelieferten Produkte, Übereinstimmung von Bestellung und Auslieferung)
- Lieferflexibilität (Vollständigkeit des Sortiments)

Durch einen guten Lieferservice lassen sich Wettbewerbsvorteile erzielen. Allerdings verursacht dies auch Kosten. Eine sofortige Lieferbereitschaft setzt eine hohe Vorratshaltung, eine schnelle Auslieferung setzt das Bestehen eines umfangreichen Distributionsnetzwerkes voraus. Vor diesem Hintergrund sind unter Abwägung von Kosten- und Nutzenaspekten Entscheidungen über die Gestaltung der Auftragsabwicklung, über die optimale Lagerung und Lagerbestände, die Standorte der Lager, die Verpackung sowie die Transportwege (Straße, Schiene, Wasser, Luft) zu treffen.

9.3.4 Kommunikation (Kommunikationspolitik)

Es genügt nicht, gute Produkte herzustellen oder Leistungen anzubieten und zu warten, bis sich dafür Käufer finden. Um am Markt bestehen zu können muss ein Unternehmen auf sich und auf seine Produkte oder Dienstleistungen aufmerksam machen. Darüber hinaus sollten durch spezielle Maßnahmen das Image, das ein Unternehmen in der Öffentlichkeit besitzt (z. B. Zuverlässigkeit, Produktqualität, Umwelt- und Verantwortungsbewusstsein), positiv gefördert sowie Verhaltensweisen (insbesondere Kaufentscheidungen) beeinflusst werden. Um dies zu erreichen, muss ein Unternehmen mit seinen potentiellen Märkten gezielt „kommunizieren".

Um die **Kommunikationswirkungen** optimal abstimmen zu können, erfolgt der Einsatz von verhaltenswissenschaftlichen Erkenntnissen. Sehr bekannt ist der **AIDA-Ansatz**, der die Wirkungsstufen **A**ttention (Aufmerksamkeit erregen), **I**nterest (Interesse wecken), **D**esire (Wunsch erzeugen) und **A**ction (Kaufhandlung auslösen) unterscheidet. Um Aufmerksamkeit zu erzielen und die folgenden Stufen des AIDA-Ansatzes anzustoßen wird gezielt auf Reize zurückgegriffen, die den Adressaten
- emotional (z. B. durch Bilder von „süßen" Tierbabys),
- kognitiv (gedanklich, z. B. durch inhaltliche Widersprüche) oder
- physisch (z. B. durch Signalfarben)

aktivieren sollen. Die Reizaktivierung erfolgt durch den Einsatz von **Kommunikationsinstrumenten**. Dazu zählen Werbung, Verkaufsförderung, Öffentlichkeitsarbeit und Verkaufsgespräch.

9.3.4.1 Werbung

Werbung ist die klassische Methode, um das Verhalten von Konsumenten in Richtung der Werbeziele eines Unternehmens zu beeinflussen. Werbung erfüllt folgende **Aufgaben**:

- **Bekanntmachung** (den Konsumenten soll die Existenz eines Produktes oder einer Dienstleistung bewusst werden)
- **Information** über Produkteigenschaften und Bezugskonditionen
- **Handlungsbeeinflussung** (Überzeugen des Konsumenten und Auslösen einer Kaufhandlung)

Die Planung von Werbeaktivitäten und die Durchführung der Werbung lässt sich in verschiedene Schritte untergliedern. Im folgenden werden die Festlegung von Werbebudget und Zielgruppe sowie die Medienauswahl und die Werbeerfolgskontrolle unterschieden.

Die Festlegung des **Werbebudgets** (Werbeetats) setzt den finanziellen Rahmen, durch den der Umfang der Werbeaktivitäten in einer Periode begrenzt wird. Das Budget kann sich am Umsatz oder am Gewinn des Unternehmens, aber auch an den Werbeausgaben der Konkurrenz orientieren. Bei einer Orientierung an Umsatz oder Gewinn besteht die Gefahr, dass in Zeiten von Absatzrückgängen auch die Werbeaktivitäten heruntergefahren werden, obwohl gerade in diesen Zeiten verstärkte Werbemaßnahmen zur Ankurbelung des Absatzes sinnvoll wären. Um dies zu vermeiden, setzten manche Unternehmen bewusst eine antizyklische Werbebudgetpolitik ein, die in Zeiten mit Absatzschwäche mit verstärkten Werbeausgaben reagiert. Bei der Einführung von neuen Produkten oder bei der Durchführung von Imagekampagnen orientiert sich das Werbebudget an besonderen Werbezielen oder wird projektbezogen festgelegt.

Als **Zielgruppe** der Werbung können die bisherigen Märkte und Kundengruppen, aber auch die bisherigen „Nicht-Kunden" unterschieden werden. Im ersten Fall handelt es sich um eine Marktfestigung, im zweiten Fall um eine Marktausdehnung. Von der Zielgruppe ist es wiederum abhängig, welche Werbebotschaft über welches Werbemedium ausgesandt werden soll.

Die **Werbebotschaft** als eigentliche Werbeaussage kann über verschiedene Werbemittel weiterverbreitet werden. Als **Werbemittel** lassen sich Anzeigen, Prospekte, Plakate, Fernsehspots usw. unterscheiden. Damit das Werbemittel den potentiellen Kunden erreichen kann, benötigt es einen Werbeträger. **Werbeträger** sind z. B. Zeitungen, Zeitschriften, Prospektverteiler, Plakatsäulen, die Post, das Fernsehen. Eine zunehmende Bedeutung als Werbeträger gewinnen elektronische Medien in Form des Internet (E-Mail, Homepage).

Bestimmten Werbemitteln lassen sich bestimmte Werbeträger zuordnen (z. B. Anzeigen/Zeitung, Plakate/Plakatsäule). Die Entscheidung, welche Werbebotschaft mit welchem Werbemittel über welchen Werbeträger verbreitet werden soll, wird unter Abwägung von Kosten, Erreichbarkeit der Werbeadressaten und des sich ergebenden Werbeerfolgs getroffen.

Durch die intensive Werbung ist in den Industrieländern inzwischen eine Informationsüberflutung eingetreten, die dazu führt, dass nur etwa ein Prozent der Informationen, die auf einen Konsumenten einwirken, auch aufgenommen werden (vgl. *Meffert*, Marketing, S. 108). Dadurch müssen Werbebotschaften immer auffälliger dargeboten werden, damit sie die Konsumenten noch wahrnehmen. Wege, die dabei beschritten werden, sind die Steigerung des Unterhaltungswertes der Werbung (z. B. durch auffällige Anzeigentexte oder originelle Werbespots), aber auch besondere Werbeformen wie das Product Placement oder unterschwellige Werbung. Dabei werden teilweise die guten Sitten überschritten oder sogar Gesetzesverstöße hingenommen (z. B. bei irreführender Werbung).

Beim **Product Placement**, das in Deutschland auch als „Schleichwerbung" bezeichnet wird, werden Medien, die eigentlich nicht der Werbung dienen, als Werbeträger eingesetzt. Dies ist der Fall, wenn in einem Kino- oder Fernsehfilm die Akteure deutlich sichtbar bestimmte Markengetränke zu sich nehmen, bestimmte Markenkleidung und Uhren tragen oder bestimmte Automarken fahren. In den USA ist das Product Placement als eine Finanzierungsquelle von Filmproduktionen (z. B. bei James-Bond-Filmen) weit verbreitet, in Deutschland bislang eher verpönt. **Unterschwel-**

lige Werbung wird vom Konsumenten nicht als solche wahrgenommen, beeinflusst aber dennoch dessen Verhalten. So wurde in den USA festgestellt, dass in Filmen durch das sekundenweise Einblenden von Werbespots, die von den Zuschauern nicht bewusst wahrgenommen werden, im Unterbewusstsein ein Bedürfnis z. b. nach Getränken geweckt werden kann, das sich für die Kinobetreiber positiv infolge des verstärkten Getränkekonsums auswirkt.

Die **Werbeerfolgskontrolle** soll den Erfolg einer Werbeaktion überprüfen und darüber hinaus Schlussfolgerungen für künftige Aktionen ermöglichen. Häufig ist die Messung des Werbeerfolgs eines Werbeträgers kaum möglich, da verschiedene absatzwirtschaftliche Instrumente zusammenwirken und darüber hinaus verschiedene Werbemaßnahmen eingesetzt werden (z. B. Werbung in verschiedenen Medien gleichzeitig). Zudem entziehen sich die langfristigen Auswirkungen von Werbung jeglicher Messung. Im Rahmen der Absatzwirtschaft wird dennoch versucht, durch Verbraucherbefragungen den Erfolg von Werbemaßnahmen zu bestimmen. Letztlich ist der Seufzer eines Unternehmers kennzeichnend für die Situation, der bemerkte, dass die Hälfte seiner Ausgaben für Werbung völlig überflüssig sei; er wisse leider nur nicht, welche Hälfte.

9.3.4.2 Verkaufsförderung (Sales Promotion)

Durch die Verkaufsförderung (Absatzförderung, Sales Promotion) werden zusätzliche Kaufanreize geboten, die über die Werbung hinausgehen. Die Maßnahmen sind kurzfristiger Art und besitzen enge Bezüge zur Produkt-, Preis- und Distributionspolitik. Nach dem Adressatenkreis lassen sich folgende Bereiche der Verkaufsförderung unterscheiden:

- **Konsumentenorientierte** Maßnahmen wenden sich direkt an den Endverbraucher, der durch Sonderangebote, Zugaben, kostenlose Warenproben, Gutscheine, Produktvorführungen, Preisausschreiben oder besondere Aktionen zum Kauf angeregt werden soll.
- **Verkäuferorientierte** Maßnahmen dienen der Qualifikation und Motivation des eigenen Verkaufspersonals (Verkäufer,

Außendienstmitarbeiter) durch spezielle Schulungs- und Weiterbildungsveranstaltungen, durch die Bereitstellung von Verkaufsunterlagen und Verkaufshandbüchern oder durch (Sach-) Prämien bei hohen Umsätzen (z. B. in Form einer Reise für besonders erfolgreiche Verkäufer).

- **Händlerorientierte** Maßnahmen unterstützen die Absatzbemühungen des Handels durch die Bereitstellung von Werbematerial (z. B. in Form von Dekorationsmitteln, Verkaufsständern, Plakaten), Händlerschulungen, Gewährung von Preisnachlässen und Investitionshilfen oder die Schaffung von Verkaufsanreizen durch Prämien bei hohen Umsätzen.

Die Maßnahmen der Verkaufsförderung haben eine erhebliche Bedeutung gewonnen, teilweise übersteigen die finanziellen Mittel, die in die Verkaufsförderung fließen, das Budget für die Werbung.

9.3.4.3 Öffentlichkeitsarbeit (Public Relations)

Die Öffentlichkeitsarbeit hat nicht ein Produkt, sondern das Unternehmen als Ganzes zum Gegenstand. Sie hat die Aufgabe, die Kompetenzen und Leistungen so darzustellen, dass in der Öffentlichkeit Vertrauen und eine positive Einstellung gegenüber dem Unternehmen entsteht, ein **positives Unternehmensimage** geschaffen oder erhalten wird. Zugleich soll die Öffentlichkeitsarbeit einer negativen oder einseitigen Berichterstattung durch die Medien, denen Unternehmen immer wieder ausgesetzt sind, entgegen wirken.

Dazu werden systematisch Kontakte zu Medienvertretern (Journalisten von Zeitungen, Radio, Fernsehen) aufgebaut. Durch die Herausgabe von Presseinformationen erfolgt eine umfassende und frühzeitige Information. Größere Ereignisse wie die Vorstellung des Jahresabschlusses oder die Präsentation von neuen Produkten werden durch Pressekonferenzen aufgewertet. Betriebsbesichtigungen lassen das Unternehmen transparent werden. Veröffentlichungen des Unternehmens (wie Geschäftsberichte, Broschüren, Prospekte) werden aufwendig gestaltet und breit gestreut. Zudem bemüht sich das Unternehmen darum, dass es in Zeitungen und Zeitschriften mit positiven Beiträgen präsent ist.

Zur Öffentlichkeitsarbeit zählt ebenso auch eine Beteiligung des Unternehmens an **Ausstellungen und Messen**. Ausstellungen und Messen ermöglichen die Präsentation des Unternehmens vor einem interessierten Publikum, das zudem noch persönlich angesprochen werden kann, und den direkten Vergleich mit den Wettbewerbern.

Eine weitere Maßnahme der Öffentlichkeitsarbeit ist das **Sponsoring**. Dabei unterstützt ein Unternehmen eine Veranstaltung, eine Organisation (z. B. Sportverein) oder eine Person (z. B. Sportler). Durch eine entsprechende Darstellung in der Öffentlichkeit soll die Sympathie, die dem Gesponserten entgegen gebracht wird, auf das Unternehmen übertragen werden und so zu einer Image-Steigerung führen. Eine ähnliche Funktion besitzen auch **Spenden** für gemeinnützige Zwecke oder die Einrichtung einer gemeinnützigen **Stiftung**

9.3.4.4 Verkaufsgespräch (Persönlicher Verkauf)

Eine wichtige Funktion für die Absatzwirtschaft hat das persönliche **Verkaufsgespräch** zwischen Verkäufer und potentiellem Kunden. Aus Sicht des Unternehmens ist das Ziel eines derartigen Gesprächs ein Geschäftsabschluss, also das Auslösen einer Kaufhandlung. Der Verkäufer hat die Möglichkeit, auf die individuellen Anforderungen des Kaufinteressenten einzugehen und mögliche Alternativen aufzuzeigen. Daher spielen Verkaufsgespräche vor allem bei höherwertigen Produkten, aber auch bei der Vermittlung von Dienstleistungen eine wichtige Rolle. Die positive Ausstrahlung eines Verkäufer hat zudem erhebliche Auswirkungen auf die Einstellung, die ein Kunde gewinnt und damit auf das Image des Unternehmens.

Um erfolgreiche Geschäftsabschlüsse tätigen zu können ist es erforderlich, dass das Verkaufspersonal speziell ausgebildet ist. Verkäufer sollten fachlich qualifiziert sein und über fundierte Informationen bezüglich der zu verkaufenden Produkte verfügen. Daneben lassen viele Unternehmen ihre Mitarbeiter auch bezüglich des Verhaltens in Verkaufsgesprächen schulen.

Durch die Schaffung von speziellen Absatzstrukturen, bei denen ein Kunde stets von dem gleichen Mitarbeiter betreut wird, soll ein persönlicher Kundenbezug hergestellt werden. Manche Unternehmen versuchen Verkaufserfolge dadurch zu erzielen, dass bei der Auswahl der Verkäufer darauf geachtet wird, dass diese eine ähnliche Persönlichkeits-, Alters- oder Interessenstruktur wie das Kundenklientel besitzen.

9.3.5 Marketing-Mix

Bereits bei der Darstellung in den vorangegangenen Kapiteln wurde deutlich, dass zwischen den absatzwirtschaftlichen Instrumenten ein enger Zusammenhang besteht und es viele Berührungs- und Überschneidungsbereiche gibt. Ein Unternehmen muss sicherstellen, dass sich die einzelnen Maßnahmen nicht gegenseitig behindern, sondern gegenseitig unterstützen. Dazu ist die Durchführung einer (Marketing-)Planung erforderlich, deren Ergebnis das so genannte **„Marketing-Mix"** darstellt. Durch die Bezeichnung „Mix" wird ausgedrückt, dass für ein erfolgreiches Marketing stets ein aufeinander **abgestimmter Einsatz** (eine **„Mixtur"**) der verschiedenen **absatzwirtschaftlichen Instrumente** erforderlich ist. Diese Abstimmung ist sowohl für das gesamte Unternehmen wie auch innerhalb der einzelnen „Sub-Mix", also innerhalb der vier absatzwirtschaftlichen Bereiche durchzuführen. Abb. 9.10 zeigt die absatzwirtschaftlichen Bereiche und deren Verknüpfung zum Marketing-Mix.

Abb. 9.10: Marketing-Mix

Bei der Festlegung eines optimalen Marketing-Mix sind **strategische Marketingentscheidungen** des Unternehmens einzubeziehen. Dazu zählen die Auswahl der relevanten Märkte, die Festlegung der Form des Markteintritts sowie die Art der Marktbearbeitung. Unter Berücksichtigung von nationalen und regionalen Besonderheiten sind die Maßnahmen länderspezifisch anzupassen.

Die Notwendigkeit der Abstimmung innerhalb der absatzwirtschaftlichen Instrumente zeigt folgendes **Beispiel**: Wenn ein neues Produkt auf dem Markt eingeführt werden soll (Produktinnovation im Rahmen der Produktpolitik), wird dies nur erfolgreich sein, wenn die Kontrahierungspolitik dies durch geeignete Preisstrategien begleitet. Außerdem hat die Kommunikationspolitik durch Werbemaßnahmen sicherzustellen, dass die Konsumenten erstens von der Existenz des neuen Produkts erfahren und zweitens bei ihnen ein Bedürfnis erzeugt wird, das Produkt zu erwerben. Schließlich hat die Distributionspolitik eine marktdeckende Verteilung des neuen Produkts sicherzustellen.

Weiterführende Literatur: *Becker, Jochen:* Das Marketingkonzept. Zielstrebig zum Markterfolg. 2. Auflage. München: dtv 2002; *Meffert, Heribert:* Marketing. Grundlagen marktorientierter Unternehmensführung. 9. Auflage. Wiesbaden: Gabler 2000; *Nieschlag, Robert/Dichtl, Erwin/Hörschgen, Hans:* Marketing. 19. Auflage. Berlin: Duncker und Humblot 2002.

Literaturverzeichnis

Aufgeführt ist die zitierte sowie die im Anschluss an die einzelnen Kapitel empfohlene Literatur.

Adam, Dietrich: Produktions-Management. 9. Auflage. Wiesbaden: Gabler 1998.

Becker, Jochen: Das Marketingkonzept. Zielstrebig zum Markterfolg. 2. Auflage. München: dtv Band 50806, 2002.

Berning, Ralf: Grundlagen der Produktion. Produktionsplanung und Beschaffungsmanagement. Berlin: Cornelsen 2001.

Bröckermann, Reiner: Personalwirtschaft. Lehrbuch für das praxisorientierte Studium. 2. Auflage. Stuttgart: Schäffer-Poeschel 2001.

Coenenberg, Adolf Gerhard: Jahresabschluß und Jahresabschlußanalyse. 18. Auflage. Landsberg/Lech: Verlag Moderne Industrie 2001.

Eisele, Wolfgang: Technik des betrieblichen Rechnungswesens. 7. Auflage. München: Vahlen 2002.

Füser, Karsten: Modernes Management. Lean Management, Business Reengineering, Benchmarking und viele andere Methoden. 3. Auflage. München: dtv Band 50809, 2001.

Günther, Hans-Otto/Tempelmeier, Horst: Produktion und Logistik. 4. Auflage. Berlin u. a.: Springer 2000.

Hentze, Joachim: Personalwirtschaftslehre. Zwei Bände. Band 1 (mit Koautor Andreas Kammel): Grundlagen, Personalbedarfsermittlung, -beschaffung, -entwicklung und -einsatz. 7. Auflage. Bern, Stuttgart, Wien: Haupt 2001. Band 2: Personalerhaltung und Leistungsstimulation, Personalfreistellung und Personalinformationswirtschaft. 6. Auflage. Bern, Stuttgart, Wien: Haupt 1995.

Horváth, Péter: Controlling. 8. Auflage. München: Vahlen 2002.

Institut der deutschen Wirtschaft (Hrsg.): Deutschland in Zahlen, Ausgabe 2002. Köln: Deutscher Institutsverlag 2002.

Institut der deutschen Wirtschaft (Hrsg.): Zahlen zur wirtschaftlichen Entwicklung der Bundesrepublik Deutschland, Ausgabe 1997. Köln: Deutscher Institutsverlag 1997.

Küpper, Hans-Ulrich: Controlling. Konzeption, Aufgaben und Instrumente. 3. Auflage. Stuttgart: Schäffer-Poeschel 2001.

Large, Rudolf: Strategisches Beschaffungsmanagement. Eine praxis-orientierte Einführung. 2. Auflage. Wiesbaden: Gabler 2000.

Meffert, Heribert: Marketing. Grundlagen marktorientierter Unternehmensführung. 9. Auflage. Wiesbaden: Gabler 2000.

Nieschlag, Robert/Dichtl, Erwin/Hörschgen, Hans: Marketing. 19. Auflage. Berlin: Duncker und Humblot 2002.

Oeldorf, Gerhard/Olfert, Klaus: Materialwirtschaft. 10. Auflage. Ludwigshafen: Kiehl 2002.

Perridon, Louis/Steiner, Manfred: Finanzwirtschaft der Unternehmung. 11. Auflage. München: Vahlen 2002.

Pfohl, Hans-Christian: Logistiksysteme: Betriebswirtschaftliche Grundlagen. 6. Auflage. Berlin u. a.: Springer 2000.

Scholz, Christian: Personalmanagement. Informationsorientierte und verhaltenstheoretische Grundlagen. 5. Auflage. München: Vahlen 2000.

Schultz, Volker: Basiswissen Rechnungswesen. Buchführung, Bilanzierung, Kostenrechnung, Controlling. 2. Auflage. München: dtv Band 50815, 2001.

Schultz, Volker: Projektkostenschätzung. Kostenermittlung in frühen Phasen von technischen Auftragsprojekten. Wiesbaden: Gabler 1995.

Staehle, Wolfgang H.: Management. Eine verhaltenswissenschaftliche Perspektive. 8. Auflage. München: Vahlen 1999.

Statistisches Bundesamt (Hrsg.): Statistisches Jahrbuch für die Bundesrepublik Deutschland. Ausgabe 2001. Stuttgart: Metzler-Poeschel 2001.

Süchting, Joachim: Finanzmanagement. Theorie und Politik der Unternehmensfinanzierung. 6. Auflage. Wiesbaden: Gabler 1995.

Thommen, Jean-Paul/Achleitner, Ann-Kristin: Allgemeine Betriebswirtschaftslehre. 3. Auflage. Wiesbaden: Gabler 2001.

Wild, Jürgen: Grundlagen der Unternehmungsplanung. 4. Auflage. Opladen: Westdeutscher Verlag 1982.

Wöhe, Günter/Bilstein, Jürgen: Grundzüge der Unternehmensfinanzierung. 9. Auflage. München: Vahlen 2002.

Stichwortverzeichnis

Buchanzeigen

Betriebs- und Volkswirtschaft, Wirtschaftsrecht

FRAGEN UND ANTWORTEN FÜR DAS MANAGEMENT

Rechtliche Grundlagen

Handelsgesetzbuch
WechselG
ScheckG
WertpapierhandelsG
PublizitätsG

41. Auflage 2004
Toptitel
Beck-Texte im dtv

HGB · Handelsgesetzbuch

ohne SeehandelsR, mit EinführungsG, PublizitätsG, Wechsel- und ScheckG, WertpapierhandelsG.
Stand: 1.2.2004.

Textausgabe.
41.A. 2004. 307 S.
€ 3,50. dtv 5002
Neu im April 2004

HandelsR · Handelsrecht

u.a. mit Handelsgesetzbuch, Bürgerlichem Gesetzbuch (Auszug), UN-Kaufrecht, Allg. Geschäftsbedingungen der Banken, Allg. Deutsche Spediteurbedingungen sowie verfahrensrechtliche Vorschriften.

Textausgabe.
3.A. 2003. 741 S.
€ 13,–. dtv 5599

GesR · Gesellschaftsrecht

mit AktienG, GmbH-Gesetz, GenossenschaftsG, Handelsgesetzbuch (Auszug), PartnerschaftsgesellschaftsG, EWIV-VO mit EWIV-AusführungsG, Wertpapiererwerbs- und ÜbernahmeG, Deutscher Corporate Governance Kodex u.a. sowie den wichtigsten Vorschriften aus den Bereichen Rechnungslegung, Umwandlungs-, Mitbestimmungs- und Verfahrensrecht.

Textausgabe.
6.A. 2004. 677 S.
€ 10,50. dtv 5585
Neu im April 2004

GenR · Genossenschaftsrecht

u.a. mit GenossenschaftsG, GenossenschaftsregisterVO, UmwandlungsG (Auszug), KreditwesenG, LandwirtschaftsanpassungsG.

Textausgabe.
3.A. 2003. 448 S.
€ 12,50. dtv 5584

AktG
Aktiengesetz

GmbHG
GmbH-Gesetz
UmwandlungsG
MitbestimmungsG
WpÜG
SpruchG

36. Auflage 2003
Toptitel
Beck-Texte im dtv

AktG, GmbHG · Aktiengesetz, GmbH-Gesetz

mit UmwandlungsG, Wertpapiererwerbs- und ÜbernahmeG, Mitbestimmungsgesetzen.
Stand: 8.9.2003.

Textausgabe.
36.A. 2003. 451 S.
€ 5,50. dtv 5010

Ek · Aktiengesellschaften

Gründung, Leitung, Börsengang.
Ratgeber für alle, die eine AG gründen, sich an einer bestehenden AG beteiligen, als Vorstand eine AG leiten oder ein Aufsichtsratsmandat übernehmen möchten.

1.A. 2002. 271 S.
€ 10,50. dtv 5684

Management und Marketing

Rittershofer
Wirtschafts-Lexikon

Über 4200 Stichworter für Studium und Praxis.

2.A. 2002. 1168 S.
€ 20,–. dtv 50844 €

Schneck
Lexikon der Betriebswirtschaft

Über 3400 grundlegende und aktuelle Begriffe für Studium und Beruf.

5.A. 2003. 1176 S.
€ 20,–. dtv 5810 €

Schultz
Basiswissen Betriebswirtschaft

Management, Finanzen, Produktion, Marketing. Das Buch bietet einen Überblick über die gesamte Betriebswirtschaft und ist gleichermaßen Nachschlagewerk wie Handbuch für Studium und Praxis.

1.A. 2003. 328 S.
€ 9,50. dtv 50863 €

Dichtl/Issing
Vahlens Großes Wirtschaftslexikon

4 Bände in Kassette.

2.A. 1994. 2505 S.
€ 70,56. dtv 59006 €

Diller
Vahlens Großes Marketinglexikon

2.A. 2003. 1966 S.
2 Bände im Schuber
€ 49,–. dtv 50861 €

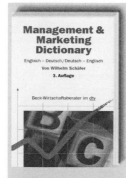

Pepels
Marketing-Lexikon
Über 3000 grundlegende
und aktuelle Begriffe für
Studium und Beruf.
2.A. 2002. 969 S.
€ 22,–. dtv 5884 €

Becker
Das Marketingkonzept
Zielstrebig zum Markt-
erfolg!
Die notwendigen Schritte
für schlüssige Marketing-
konzepte, systematisch
und mit Fallbeispielen.
2.A. 2002. 261 S.
€ 9,50. dtv 50806 €

Neumann/Nagel
**Professionelles
Direktmarketing**
Das Praxisbuch mit einem
Angebot zu interaktivem
Training.
1.A. 2001. 316 S.
€ 12,50. dtv 5886 €

Pepels
Praxiswissen Marketing
Märkte, Informationen und
das Instrumentarium des
Marketing.
1.A.1996. 349 S.
€ 10,17. dtv 5893 €

Dichtl
**Strategische Optionen
im Marketing**
Durch Kompetenz und
Kundennähe zu
Konkurrenzvorteilen.
3.A.1994. 303 S.
€ 8,64. dtv 5821 €

Schwan/Seipel
**Personalmarketing für
Mittel- und Kleinbetriebe**
1.A.1994. 295 S.
€ 8,64. dtv 5841 €

Schäfer
**Management &
Marketing Dictionary**
Englisch-Deutsch /
Deutsch-Englisch.
Die vollständig überarbei-
tete Neuauflage enthält in
nun einem Band mehr als
26 000 Stichwörter.
3.A. 2004. Rd. 860 S.
Ca. € 21,50. dtv 50887 €
In Vorbereitung für
Sommer 2004

Becker
**Lexikon des
Personalmanagements**
Über 1000 Begriffe zu
Instrumenten, Methoden
und rechtlichen Grundlagen
betrieblicher Personalarbeit.
2.A. 2002. 677 S.
€ 19,–. dtv 5872 €

Daschmann
Erfolge planen

Strategische Management-
ansätze und Instrumente
für die Praxis.

1.A.1996. 265 S.
€ 8,64. dtv 5895 €

Pepels
**Lexikon
der Marktforschung**

Über 1000 Begriffe zur
Informationsgewinnung im
Marketing.

1.A.1997. 358 S.
€ 12,73. dtv 50803 €

Kastin
**Marktforschung
mit einfachen Mitteln**

Daten und Informationen
beschaffen, auswerten und
interpretieren.

2.A.1999. 409 S.
€ 15,29. dtv 5846 €

Röthlingshöfer
**Werbung mit
kleinem Budget**

Der Ratgeber für Existenz-
gründer, kleine und mittlere
Unternehmen.
Ganz ohne Werbedeutsch
zeigt der Ratgeber, was
man für erfolgreiche Wer-
bung braucht.

1.A.2004. Rd. 220 S.
Ca. € 10,–. dtv 50876 €

In Vorbereitung für
Sommer 2004

Pauli
**Leitfaden
für die Pressearbeit**

Anregungen, Beispiele,
Checklisten.
Das Buch beschreibt, mit
welchem Konzept man
erfolgreiche Pressearbeit
betreibt und welche Tipps
und Trends man kennen
muss, um Fehler zu vermeiden.

2.A.1999. 223 S.
€ 8,64. dtv 5868 €

Aberle/Baumert
Öffentlichkeitsarbeit

Ein Ratgeber für Klein-
und Mittelunternehmen.
„Wer nichts sagt, wird
übersehen" – praktische
Hilfe, wie gerade kleinere
Unternehmen einen
erfolgreichen Auftritt in
der Öffentlichkeit und
Presse schaffen, bietet
dieser Ratgeber mit vielen
Checklisten.

1.A.2002. 210 S.
€ 10,–. dtv 50857 €

Rota
**Public Relations
und Medienarbeit**

Effektive Öffentlichkeitsarbeit der Unternehmen im
Informationszeitalter.

3.A.2002. 360 S.
€ 12,50. dtv 5814 €

Mehrmann/Plaetrich
**Der Veranstaltungs-
manager**

Aktives Marketing bei
Ausstellungen, Kongressen
und Tagungen.

2.A.2003. 247 S.
€ 12,50. dtv 5867 €

Heinrichs/Klein
Kulturmanagement von A–Z

600 Begriffe für Studium und Praxis.

2.A. 2001. 427 S.
€ 12,50. dtv 5877　€

Klein
Kultur-Marketing

Das Marketingkonzept für Kulturbetriebe.
Viele praktische Beispiele stellen den Aufbau eines Kultur-Marketing-Konzepts dar und beschreiben seine Umsetzung.

1.A. 2001. 544 S.
€ 15,–. dtv 50848　€

Volkswirtschaft kompakt

Toptitel

Hohlstein/Pflugmann/Sperber/Sprink
Lexikon der Volkswirtschaft

Über 2200 Begriffe für Studium und Beruf. Kompetent, präzise und verständlich das Wichtigste aus Geld- und Fiskalpolitik, Ordnungs- und Wettbewerbspolitik, Steuer- und Arbeitsmarktpolitik, Außenwirtschafts- und Entwicklungpolitik, Sozialpolitik und empirischer Wirtschaftsforschung.

2.A. 2003. 885 S.
€ 19,50. dtv 5898　€

Wagner
Volkswirtschaft für jedermann

Die marktwirtschaftliche Demokratie.

2.A.1994. 160 S.
€ 7,11. dtv 5822　€

Thieme
Soziale Marktwirtschaft

Hintergrundwissen zu Zielen und Instrumenten: Ordnungskonzeption und wirtschaftspolitische Gestaltung.

2.A.1994. 153 S.
€ 6,60. dtv 5817　€

Sinn/Sinn
Kaltstart

Volkswirtschaftliche Aspekte der deutschen Vereinigung.

1.A.1993. 332 S.
€ 6,54. dtv 5856　€

Zeichenerklärung: § Rechtsberater　€ Wirtschaftsberater